日本人のための第一次世界大戦史

板谷敏彦

角川文庫
22434

まえがき

これを書いている今、私の手元には『日本海軍地中海遠征記』（河出書房新社）という本があります。第一次世界大戦が戦われた100年も昔に、第一次世界大戦に際して、片岡覚太郎（かたおかかくたろう）という若い海軍主計中尉によって書かれたものです。ここには第一次世界大戦に際して、日本が連合国の一員として駆逐艦隊を地中海に送りこみ、ドイツのUボートと激しく戦っていたことが記されています。東洋の誇り高き若い海軍士官が見た地中海ヨーロッパは鮮烈で、戦記でありながらすがすがしく、実に愛すべき興味深い本です。しかし私がこの本から受けた最大の驚きは、日本が第一次世界大戦において地中海まで艦隊を派遣して戦っていた事実そのものでした。

第一次世界大戦（1914－18）を知らない人はまずいないでしょう。もちろん教科書にも登場しますし、第二次世界大戦がある以上、第一次世界大戦もあるのです。では、その中身となるとどうでしょう。アメリカやイギリスと同じ側に立って戦った第一次世界大戦の日本人の記憶は、今度は彼らと敵対した第二次世界大戦の敗北によってほとんどかき消されているのではないでしょうか。

第一次世界大戦における日本の戦死者はわずか415人でした。第二次世界大戦の軍人・軍属の戦死者が約210万人ですから、おおよそ5000分の1でしかありません。また第一次世界大戦の主戦場はヨーロッパでした。これではこの戦争が日本の国民の記憶として残らないのも当然と言えるでしょう。

一方でフランスでは第一次世界大戦の戦死者は139万人で、第二次世界大戦が20万人、イギリスでは70万人に対して38万人と第一次世界大戦の戦死者の方が圧倒的に多い。両国では世界大戦（The Great War）と言えば未だに第一次世界大戦の方を指します。

戦争末期に参戦したアメリカでさえ約12万人が戦死して20万人が負傷し、ドイツとロシアに至っては、第一次世界大戦でそれぞれ170万人の戦死者を出しています（この三国は第二次世界大戦においてさらに甚大な損失を被ります）。

第一次世界大戦は世界史の中において極めて重要な出来事であり、その後の第二次世界大戦の開戦原因となっただけではなく、現代の世界のあり方に大きな影響を与えています。これは日本人も例外ではありません。

ところが私の知る限り、日本人の歴史的知見は日露戦争の後、いきなり第二次世界大戦に飛んでしまう。大げさにいえば、『坂の上の雲』の戦艦「三笠」の次はいきなり悲劇の戦艦「大和」でありゼロ戦なのです。第一次世界大戦が戦われた大正が空白期であるかのようです。

現代の世界情勢は第一次世界大戦直前の状況と多くの類似点を持っています。産業革命やIT革命などの大きなイノベーションに続くグローバリゼーションがそうであり、各国は貿易を通じてお互いの距離を縮めながらも、国内では格差問題を原因とする国民分断の危機を抱えていることも似ています。また100年前に新興のドイツがイギリスの覇権を脅かしたように、今は中国がアメリカの覇権に挑戦しています。

現代にも続く中東や東欧の問題、民族主義、日中外交、覇権交代の可能性、多くの事象はそれぞれの歴史の糸を手繰っていくと第一次世界大戦でひとつの束になっていることにきっと気づくでしょう。

第一次世界大戦について書かれた名著は内外問わず数多くあります。戦後100年以上が経ってもなお、数多くの新しい書物が世界中で刊行され、主要なものが日本語に翻訳される一方で、日本においても多くの優れた論文が書かれています。しかし私の見る限り日本人の立場から戦争全体を俯瞰(ふかん)した平易に読めるものがありません。

日本人にとってあまり知られていない第一次世界大戦とそこに至る第一次グローバリゼーションの時代の歴史を整理しておきたい。私があえて第一次世界大戦とその周辺の時代を書こうと考えたのは、欧米人と日本人の間には、第一次世界大戦の通史を識に関して大きなギャップが存在するのではないかと考えたからです。この本は10

0年前の出来事に対する、世界と日本の知識のギャップを埋めることを試みた、日本人のための第一次世界大戦の入門書です。そこには現代の日本人にとって驚くべき史実がたくさんあるからです。

第一次世界大戦について知りたいのだが何か良い本はないか？ 一人の浅学な人間が全てを俯瞰して語る試みは無謀に違いないことを認識しつつも、この本は書かないわけにはいきませんでした。参考図書や文献、映画などは出来る限り書き出しておきました。この分野は良い本がたくさん出版されています。私の本から次のステップに進んでいただければ幸いです。

日本人のための第一次世界大戦史　目次

第4章　世界から見た日露戦争

第7章　日本参戦

第13章　戦後に残されたもの

図版作成　小林美和子

第1章　戦争技術の発達

第一次世界大戦はそれまでの馬や刀槍（とうそう）、銃の戦争に代わって「20世紀の戦闘システム」が出現した戦争だといわれています。この章では軍艦と鉄道、銃器の歴史を追いながら、アヘン戦争から、第一次世界大戦の前哨（ぜんしょう）戦であるドイツ統一戦争までを概観します。

第1話　グローバリゼーション

80日間世界一周

1957年のアカデミー賞受賞映画『80日間世界一周』をご存じでしょうか。もしも映画を知らなくとも、テーマ音楽ならばテレビの旅行番組などで必ず聴いたことがあると思います。実は、この映画の時代背景は歴史的な意味で、非常に興味深いので、ちょっと紹介しておきます。

時は1872年のロンドンのとある会員制の紳士クラブ。主人公のフォッグ氏がいつものようにトランプに興じていると、そこにインド大陸を横断するムンバイ―コルカタ間の鉄道開通のニュースが飛びこんで来ました。これを聞いたフォッグ氏は、これで80日間もあれば世界を一周できるようになったと断言したのですが、彼の友人たちはばかげていると言って信用してくれませんでした。そこで、フォッグ氏は仲間たちに賭けを申し出て、実際に自分で世界一周の旅をして証明することにしたのです。

もしこの時代が、ナポレオンが欧州を制していた19世紀初頭であれば、これは未開の大陸を横断する大冒険であり、何年もかかるはずの旅でしたが、この時フォッグ氏の頭の中には技術の進歩に裏付けられた具体的な時刻表がすでにあったのです。彼はすぐに旅行会社のトーマ・クックをたずねました。

1865年に南北戦争が終了すると、67年には蒸気船によるサンフランシスコ―横浜間の太平洋定期船航路が開設されました。日本では坂本龍馬が暗殺されたのがこの年で、その翌年が明治維新にあたります。定期船の運航は日本の鎖国によって長らく閉ざされていた太平洋・極東地域を欧米の商人や旅行者に開放しました。この映画には日本の演芸小屋や鎌倉の大仏様が登場しますが、とても綺麗に描いてくれています。

69年にはアメリカ大陸横断鉄道が開通しました。それまでサンフランシスコからニューヨークへ行くには、先ず船でパナマまで南下して地峡鉄道でパナマを横断し、大西洋側に出て再び船に乗り換えて北上していました。南アメリカの先端を回るよりは早いからです。

また同様にこの年はスエズ運河が開通した年でもあります。欧州とアジアの時間距離は以前の南アフリカの喜望峰回りとくらべて大きく短縮しました。71年には普仏戦争が終了してフランス国内の鉄道網が旅行に利用できるようになると、新しいアジアへの玄関口、イタリアの長靴の踵にあたるブリンディジ港までの列車が開通しました。72年にホワイト・スターライン社の「アドリアティック」号が7日と23時間で大西洋を横断すると、もはや世界一周のために残る障害はインドの横断鉄道だけだったのです。

フォッグ氏の旅の進捗状況は電信によってリアルタイムでロンドンの仲間たちに知らされました。もはや何日も手紙を待つ必要はありませんでした。1866年に大西洋横断を果たしていた電信ケーブル網は、71年には日本や香港にまで延長されていたのです。

このフォッグ氏が旅をする時代、ドイツやフランスが金本位制を採用し、主要国の通貨制度は金を基準に定められました。そのために商人たちには為替リスクがなくなり、当時は、現代の我々が驚くほど活発に貿易や資本取引が行われていました。ロンドン金融市場では電信ケーブル網を駆使して世界のニュースが集められ、世界各国の国債や鉄道債、株式が取引されるようになっていました。日本の国債ももちろん例外ではありません。当時の新聞の日々の証券欄には日本国債の価格が記されています。『80日間世界一周』の物語は地球がひとつになるグローバル時代の幕開けでもあったのです。そういう眼で映画を見るとまた面白いものです。

こうした1870年から1914年の第一次世界大戦までの約半世紀は、英仏独露伊など列強が覇権を競う「帝国主義」の時代と呼ばれる一方で、世界が急速に接近した「第一次グローバリゼーション」の時代とも呼ばれています。

世界的に話題になったトマ・ピケティはベストセラー『21世紀の資本』の歴史分析で、現代のように経済格差が開いていた時代として、この19世紀の第一次グローバリゼーションの時代に注目しました。「きわめて魅力的な時代だったが、同時にとんでもなく不平等な時代だった」としています。当時はアダム・スミス由来の「神の見えざる手」に導かれてイギリスを起点に自由貿易が拡がり、折からの様々な技術革新が諸国民の富を偏在させた、格差の時代です。そして、その時代は2つの世界大戦で終焉し、さらに大戦後の社会主義的な社会福祉政策によって一度は不平等な格差も縮小したのでした。

ところが国家関与の大きい平等主義は、ソ連や東欧諸国の共産主義が失敗したように、人々のやる気を削ぎ、経済の停滞を招きました。そこでレーガン大統領やサッチャー首相の時代にミルトン・フリードマンと手を組み自由市場を核とする資本主義の形として「神の見えざる手」が復活したのでした。自由な市場こそすべてであると。冷戦の終結による平和。経済的なジェット機による短時間で安価な長距離移動。PCや携帯電話、インターネットの普及による情報や通信革命。これ以降は「第二次グローバリゼーション」と分類される時代となり、再び格差が拡大したのが現代の我々の社会です。格差問題では不満を持つ底辺の人数が多い。もしかしたら我々の生きる現代は、第一次グローバリゼーションの時代と同じように、対象国やエリアを広げて、人々を戦争へと導くマグマが再び地中深く煮えたぎっているのかもしれません。

100年前のツキュディデスの罠

1805年のトラファルガーの海戦において、ロイヤル・ネイヴィーがナポレオンのフランス・スペイン連合艦隊を打ち破って以来、イギリスは覇権国家となりました。世界の金融市場はロンドンを中心に動き、通貨は英ポンドが基準でした。ナポレオン敗北後の世界はパクス・ブリタニカ（イギリスによる平和）と呼ばれ、19世紀を通じてイギリスがその繁栄を極めた時代です。この繁栄の中でヨーロッパの世界秩序が保たれ前述のグローバリゼーションが展開されました。

平野部の多い大国フランスに比べて山がちな地形のドイツは、当時はプロイセンとハプスブルク家を中心とするドイツ諸邦として小国に分かれていました。しかしナポレオン戦争以降の徴兵制や義務教育による識字率の向上、新聞の普及、また鉄道や電信の発達によって国家統一への気運が盛り上がり、やがてフォッグ氏が旅する前年の１８７１年に終結する普仏戦争によってドイツ帝国として統一を果たしたのです。イタリア王国の成立が１８６１年です。ドイツやイタリアなどの列強の国家統一は、実は日本の明治維新と同じ頃だったのです。

統一されたドイツは、グラフにあるように人口増加と急激な経済成長によってやがて国境を接するフランスを凌駕（りょうが）しロシアやイギリスなどの周辺国への脅威となっていきました。ドイツ皇帝ヴィルヘルム二世は経済力を背景に陸軍の規模を拡大し、やがて大海軍を建設してイギリスの覇権に挑戦したのでした。

「台頭する国家は自国の権利を強く意識し、より大きな影響力（利益）と敬意（名誉）を求めるようになる。チャレンジャーに直面した既存の大国は状況を恐れ、不安になり、守りを固める」

これはグレアム・アリソン、ハーバード大学（政治学）教授が提示する「ツキュディデスの罠（わな）」の説明です。歴史家の父とされる古代ギリシャのツキュディデスはその

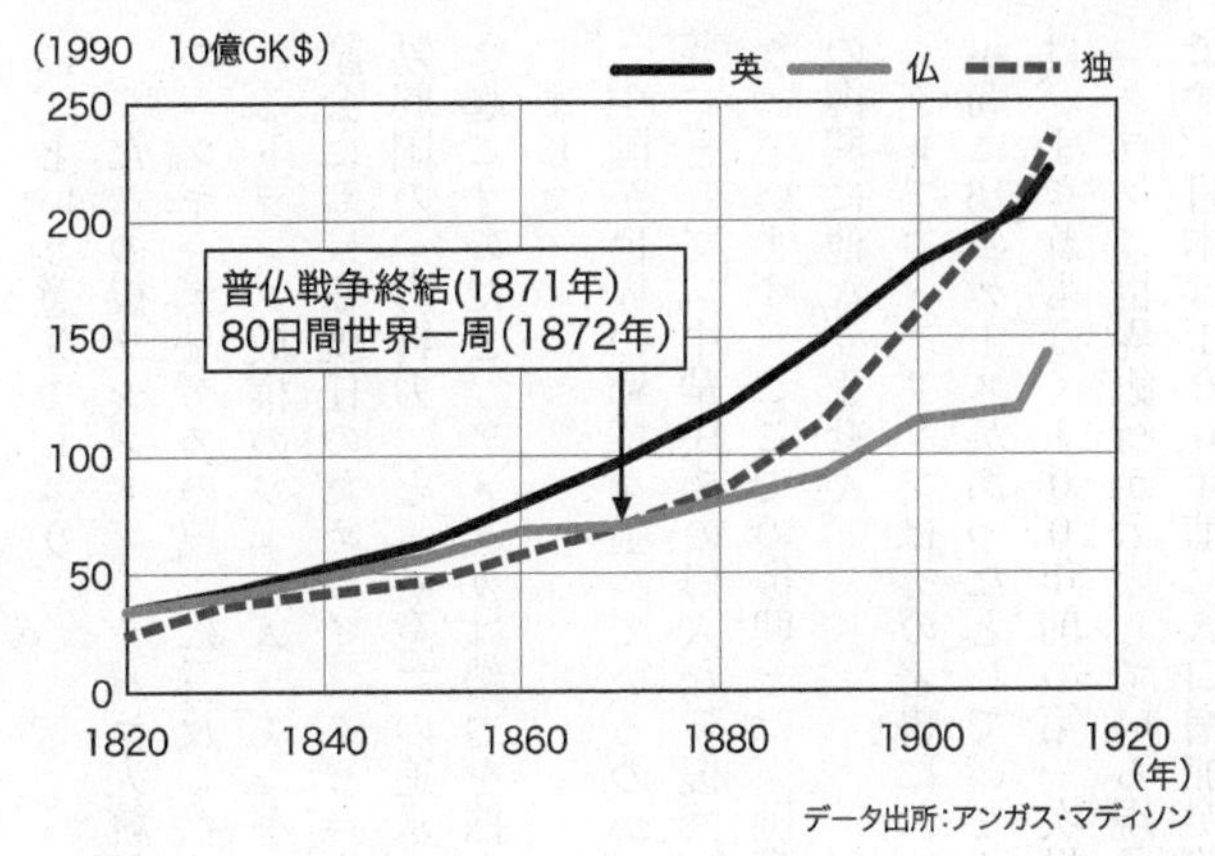

英独仏GDP比較

著作『戦史』の中で、覇権国スパルタに対する勃興国アテネの挑戦を描きましたが、世界史の中ではその後も同じように勃興国が何度も覇権国に挑戦しています。

2015年9月、中国の習近平国家主席がアメリカを訪問した際、最初の上陸地シアトルで地元ボーイング社の旅客機300機（約5兆円）を購入すると発表しました。この時習国家主席は「いわゆる『ツキュディデスの罠』は世界に存在しない。しかし、大国が戦略的な失敗をすることにより、自身で罠にはまるのだ」と言ったそうです。中国は今回ボーイング社の旅客機を買い付けたように、アメリカとともに繁栄したいのであって、戦争をしたいわけではない、アメリカも勘違いをして中国を恐れたりしないように、という意味でしょう。

またこの後ワシントンでオバマ大統領と対談した際には、今度はオバマ大統領がこの「ツキュディデスの罠」に言及したそうです。さらに歴史に造詣が深いことで知られるトランプ政権のジェームズ・マティス国防長官（当時）は２０１７年１月の連邦議会における就任のためのインタビューで、古の知恵としてこの内容を引用しました。勃興国の「影響力」と「敬意」の追求と、それに対する覇権国の「恐れ」が戦争を引き起こすのだと。アメリカは勢力を拡大する中国を意味なく恐れてはいけないと示唆しました。

中国が世界の覇権を狙っているのかどうかはともかく、習近平国家主席は「中国の夢」として「中華民族の偉大なる復興」を掲げて、これが中国共産党の統治理念ともなっています。ここでの復興とは、国際社会における経済的な「影響力」と「敬意」の復興に他なりません。

グレアム・アリソンはその著書[1]において「ツキュディデスの罠」としてこの５００年間に16のケースがあったとしていますが、一般に思い浮かべる至近の「罠」の前例は、まぎれもなく１００年前の第一次世界大戦のことです。

グラフは世界銀行が公表している現代のアメリカ、中国、日本の実質ＧＤＰの比較です。日本は１００年前に人口増加が停滞していたフランスに例えられ、アメリカは

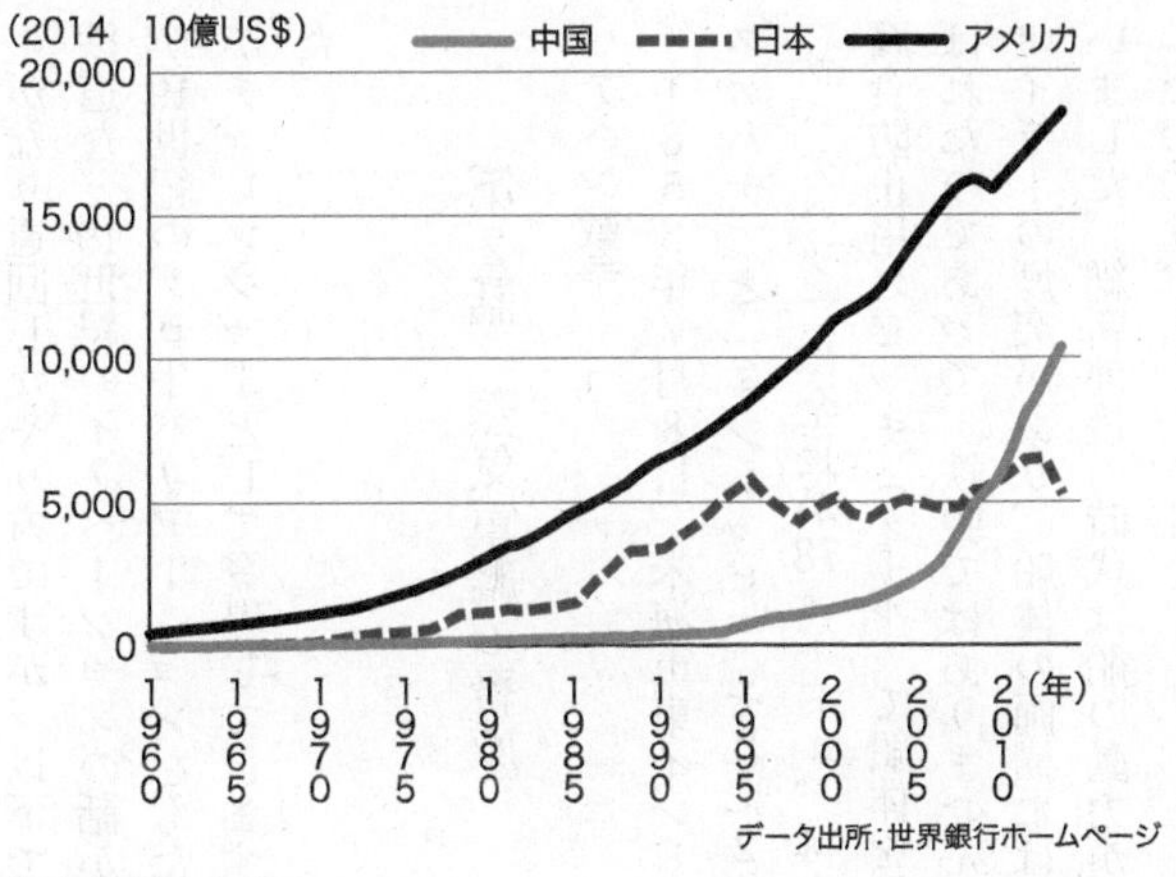

米中日GDP比較

当時の覇権国であるイギリスに、それに挑戦しようとする中国は当時のドイツによく似た立場にあります。これが現代は100年前の「ツキュディデスの罠」に似た状況にあるとする根拠です。

プロイセンの首相ビスマルクは「愚者は経験に学び、賢者は歴史に学ぶ」と諭しました。しかしこれは「歴史は同じことをくりかえす」という意味ではありません。「ツキュディデスの罠」はひとつの分析手法でしかありません。歴史を学ぶということは多様な過去の出来事からエッセンスを抽出し条件の異なる現代の出来事を正しく理解するということにつきます。しかし、そのためには先ず、第一次世界大戦という基本的な史実を知っておかねばならないでしょう。

かなり遠回しなやり方ですが、以下では戦争の技術史の話、言い換えると蒸気船や鉄道など19世紀のイノベーションの話から始めたいと思います。このイノベーションが19世紀のグローバリゼーションをもたらし、やがてその中から勃興国であるドイツがチャレンジャーとして登場してきます。日本が開国したのは、ちょうど同じ頃でした。

第2話　蒸気軍艦の脅威

アヘン戦争

1853年7月8日。米海軍東インド戦隊司令官ペリー代将は、2隻の蒸気船「サスケハナ」と「ミシシッピ」、それに2隻の旧式な帆船の計4隻で浦賀に現れました。「サスケハナ」は全長が78メートル、排水量2450トン、木造の船体なので防水・腐食防止用のピッチ（タール）で船体を黒く塗ってありました。そのために黒船と呼ばれたのであって、鉄製ではありませんでした。帆走用の帆も備えていましたが蒸気ボイラーの煙突があり、船体の両横には蒸気機関で回転する大きな外輪が設置されていました。維新前後の時代は船の動力が帆走から蒸気機関へと大きく進化する節目だったのです。

土佐藩下屋敷に待機していた坂本龍馬や江戸の庶民達は黒船の突然の登場にすっかり驚かされましたが、幕府はオランダが手渡してくれる『別段風説書』（世界の動向に関するレポート）によってペリー来航の情報を船名なども含めて事前に知っていました[2]。それどころか、幕府は10年以上も前から、いつかこうした日が訪れることを知っていたのです。

1841年に書かれた同書には中国で起きたアヘン戦争の戦闘の様子が細かく描かれていました。そこにはイギリス軍艦の艦砲による砲撃が始まるやジャンク船（中国の帆船）の1隻は飛び散ったとあります。また戦闘結果は清国軍が甚大な損害を出した一方で、少数精鋭のイギリス軍の被害はほんのわずかと書いてありました。そしてイギリス艦隊は抵抗する者なく揚子江を遡ると、古都南京にもその姿を現したのです。東京湾奥深く江戸に迫るがごとくです。

同じ情報は清国の商人からも伝えられていました。アヘン戦争を戦った清朝の高官、林則徐の側近である魏源が著した『海国図志』は、吉田松陰や佐久間象山たちによって読まれていました。すでに日本の知識人達の間ではヨーロッパの軍隊との圧倒的な戦力差は認知されていたのです。幕府はこれを受けてアヘン戦争の翌1842年に、それまでの頑なで挑戦的だった異国船打払令を廃して薪や水の便宜を図る薪水給与令を発令しています。サービスしますから穏便に帰って下さいという趣旨でした。

悪魔の船「ネメシス」

1840年のアヘン戦争に参加したイギリスの軍艦は16隻で輸送船27隻を率いていました。そのうち鉄製の蒸気軍艦は小型砲艦「ネメシス」他4隻だけです。「ネメシス」の武装は32ポンド砲2門、真鍮製6ポンド砲5門、それにロケット弾の一種であるコングリーヴ・ロケット[3]という、当時の軍艦の基準からしても貧相なものでした。大砲は鋳鉄製の鉄の塊である砲弾の他、金属片が飛び散る榴散弾や命中すると火薬が爆発する炸裂弾も装備されていました[4]。炸裂弾は木造の船を破壊炎上させるだけではなく要塞の壁を破って内部で爆発したと記録にあります。またコングリーヴ・ロケットはジャンク船に命中すると積載された火薬に誘爆し大爆発を発生させました。まさに『別段風説書』に書かれていたように一撃で船が飛び散ったのです。

これを見たジャンク船団の清国兵達は驚いて逃走してしまいました。そのために蒸気軍艦「ネメシス」はこの時の活躍から「悪魔の船」として、清国では近代西洋海軍の破壊力の象徴として語られることになったのです（絵）。この絵は多くの日本の高校世界史の教科書にアヘン戦争を象徴する絵として掲載されています[5]。

横井勝彦氏は、アヘン戦争は「特殊砲艦によって確定された海戦史上最初の事例」だったと言っています[6]。ここでの特殊砲艦とは「ネメシス」のような小型の蒸気軍艦

「悪魔の船」と呼ばれたイギリスの蒸気軍艦「ネメシス」（所蔵：公益財団法人東洋文庫）

でした。当時、イギリス海軍の主力はまだ大型の帆船でした。イギリス艦隊の旗艦、大型帆船「コーンウォリス」は74門もの砲を装備していましたが、アヘン戦争では戦果をあげられませんでした。帆船の移動は風まかせだったからです。

清国の沿岸にそって展開されたアヘン戦争は、一部は湾内、河川に入り込んで戦闘になったため、高い機動力が要求されました。それゆえに風向きや潮流などの自然条件にかかわらず、行きたい場所に短時間で移動できた蒸気軍艦が活躍できたのです。イギリス軍は布陣した清国の大部隊を避けて上陸地点を任意に選択することができました。鉄道が普及する以前の陸上部隊の歩行による移動速度は蒸気船にかないません。それに戦闘前の歩兵の移動は肉体的な疲労にもつながり清国に不利に働いたのです。こうして1842年に、イギリスと清国の間で終戦のための南京条約が締結されました。イギリスは軍艦の力で賠償金をせしめ、いくつかの港を開港させて、香港島を割譲させたのです。

1853年の浦賀のペリー艦隊に戻りましょう。黒船艦隊の旗艦「サスケハナ」と「ミシシッピ」の搭載砲は着弾すると爆発する炸裂弾の発射が可能でした。「ネメシス」が揚子江を遡り南京に迫ったごとく、もしペリーが望むのであれば黒船艦隊は風向きや潮流をものともせずに東京湾奥深く侵入し、江戸を火の海にすることができたのです。

フィルモア大統領の親書受け取りを渋る幕府に対して、ペリーは「親書を受け取らないのであれば江戸湾を北上して兵を率いて上陸し将軍に直接手渡しすることになる」と迫ったのでした。

黒船の恫喝(どうかつ)によって目覚めた日本人は、島国であるがゆえに軍艦を持つことこそが力の源泉であると認識して国造りに取り組んでいくことになります。日本の西洋の近代に対する原体験が黒船来航であったのであれば、日本人が近代を象徴する産業革命を通して目指すべきものは明確でした。富国強兵、すなわち強力な陸海軍を持つことでした。浦賀に出現した不気味な黒船は日本がいやおうなくグローバリゼーションの波に飲み込まれていくことを暗示していたのです。

第3話　蒸気機関と炸裂弾

帆船の戦い
ナポレオン戦争の帰趨（きすう）に大きく影響を及ぼしたトラファルガーの海戦（1805年）は、帆船同士の艦隊決戦として最後の戦いでした。この戦いは軍事技術的にはそれ以前の150年の間に戦われた幾多の海戦と大差ありませんでした。

イギリスの戦列艦「ヴィクトリー」

当時の軍艦は戦艦（battleship）ではなく戦列艦（ship of the line）という名前を持っています。ひとたび海戦になれば艦隊は単縦陣（一列縦隊）を形成して敵艦隊に対して砲列を並べます。そして同様に単縦陣を形成する敵艦隊とまるで殴り合いのように至近距離で撃ち合ったのです。

この絵はトラファルガーの海戦においてイギリス司令長官ネルソンが座乗した戦列艦「ヴィクトリー」号です。当時最大級の104門もの大砲が装備されていました。戦列艦は木造帆船の階層化された舷側（げんそく）（船体の横側）に積めるだけの大砲を装備し、備砲の数で軍艦としての等級が決められていました。これらの大砲の有効射程距離はたかだか300メートルほどで、狙って撃つというよりも、全砲一斉の水平射撃が基本でした。[7] 鉄の塊である弾丸を撃ち合い、木製の船体を傷つけ、マストを折り、砕けた弾丸の破片で敵艦上の戦闘員を殺傷して戦闘能力を奪います。マストの上には狙撃（そげき）兵を登らせ至近距離にある敵艦の将兵を狙撃しました。そして最後は接舷して、古い海賊映画のように敵艦に乗り込んだのです（ボーディング）。トラファルガーの海戦でのネルソン提督はまさに敵の狙撃兵によって撃たれて戦死したのでした。

民間の蒸気船

蒸気船が実用化されたのは、まさにこうした中世以来の海戦が戦われている頃でした。

1807年、米国のロバート・フルトンは、イギリスのジェームズ・ワットの会社から輸入した蒸気機関を河川用の小型船に搭載して、船の横にとりつけた外輪を回転させることで船を動かしました。彼は試運転に成功すると、マンハッタンからハドソン河をさかのぼりニューヨーク州の州都オルバニーまでの約240キロを32時間で結ぶ旅客営業を始めました。これは順風に乗った帆船に比べてさして速いわけではありませんでしたが、天候や風向きと関係なく定時運行が可能だったので時間にこだわる客を集めました。つまり時刻表が作れるようになったのです。

ところが、イギリス海軍が蒸気船を軍艦として初めて採用したのはそれから随分経った1832年になってからでした。

初期の蒸気船は両舷に大きな外輪がついていました。戦列艦は舷側にできるだけ数多くの大砲を装備しなければならないので、大きな外輪は面積を占有する分だけ邪魔でした。また至近距離の水平射撃で撃ち合う海戦では外輪は簡単に破壊されてしまいます。戦闘が始まるやいなや動力を失うのではどうしようもありません。蒸気軍艦「ネメシス」が活躍したアヘン戦争では相手が中国のジャンク船でした。また相手は外輪を破壊するだけの兵器も持っていなかったから活躍できたのです。軍艦が蒸気機関を採用するには、もう一段の技術革新が必要でした。

一方で民間部門においては、蒸気船の採用には合理的な理由がありました。顧客が定時運行を望んだのです。38年にはイギリスの「グレート・ウェスタン」号が帆走を使わずに蒸気機関だけで15日間で大西洋を横断して定期船サービスを開始しました。(8)

風まかせでは時刻表もつくれませんでしたが、いよいよ旅行者は予定というものが作れるようになったのです。

イギリスにとっての帆船時代のインドとの通船は、インド洋のモンスーン（季節風）を利用するために1年のうちに決められた季節に1往復だけが可能でした。片道3か月もかかっていたのです。これが蒸気船の普及以降は季節に関係なく片道3週間ですむようになりました。こうなると後は船のスピードの勝負でした。この時代の蒸気船の技術は民間部門によって鍛えられたのです。

炸裂弾

トラファルガーの海戦までは砲撃といっても鉄（鋳鉄）の塊の弾丸や、ぶどう弾など金属の小片をまき散らす榴散弾を撃ち合うだけで、目的は敵艦を沈めることではなく、船体の部分的な破壊と乗員の殺傷によって戦意をくじくことにありました。なぜならば、それまでは海軍といっても海賊との境目は曖昧で、敵艦を捕獲すれば乗組員は分け前がもらえたからです。したがって敵艦を破壊し尽くすインセンティブは薄かったのです。

木造軍艦の最大の弱点は火災です。従って本来最も効果的な攻撃法は敵艦を焼き払うことです。[9] 鉄玉を炉で赤熱して大砲で発射すれば着弾点で火災が発生しますが、海戦の最中に船内でそうした危険な作業をすること自体が自殺行為だったでしょう。導火線をつけた砲弾を発射することも考えられましたが、火薬の詰まった砲弾を火薬の爆発を利用して発射するというのは技術的に難しい作業だったのです。

これを解決したのがフランスのアンリ・ジョセフ・ペクサンという砲兵将校です。彼は１８２２年に『新しい海軍と砲術』という本を書き、後に「ペクサン砲」とよばれる炸裂弾を発明しました[10]。彼の砲弾はまだ球形だったのですが、それに接続する円柱形の装弾筒とともに砲に装塡され発射する仕組みでした。ペクサン砲では砲弾が目標に命中すると中の火薬が爆発して木造の外板を容易に破壊して、燃える物があれば引火して火災を発生させました。この砲の実用化に関する正確な年代には諸説あるのですが、19世紀前半にフランス海軍とイギリス海軍がすこしずつ採用を始めました。

ペクサン砲の装弾筒と砲弾

こうして水面を自由自在に移動できる蒸気機関と炸裂弾の組み合わせは「ネメシス」のような小型の艦船から採用され始め、まずは植民地であるインドや東アジアの河川域の戦闘で効果を発揮しました。一方で蒸気機関は進化して商用の大型船への採用はすすみましたが、大型軍艦である戦列艦への採用には、まだ大きな外輪が邪魔だったのです。

第4話　スクリューと装甲軍艦

外輪とスクリュー

外輪船の場合、外輪の回転軸は水面上にあります。これであれば水漏れの危険は少ないでしょう。それに比べて船体の水面下に穴を開けなければならないスクリューは船乗りにとって本能的に不安なものだったに違いありません。イギリス海軍は外輪の軍艦を1832年に初めて採用したものの、その時すでに発明されていたスクリューの採用にはなかなか思い切れませんでした。

イギリス海軍は1845年に外輪船「アクトレー」とスクリュー船「ラットラー」の間でどちらの牽引力（けんいんりょく）が強いのか実際に綱引きをさせて優劣を競わすというわかりやすい実験をしました。その結果「ラットラー」が勝利し、それ以降は次第にスクリュー船が主流になっていきました。[11]この実験の8年後に日本に来たペリー艦隊の「サスケハナ」は外輪船でしたから、決して当時の最新鋭の軍艦というわけではなかったのです。

外輪を使用しないのであれば、従来の戦列艦を蒸気船に改造することはそれほど難

「ナポレオン」号

しくはありませんでした。イギリス海軍もフランス海軍も既存の木造帆船の戦列艦に蒸気エンジンを積み込み、スクリュー推進とする改造を施すとともに、それとは別に最新型の蒸気戦列艦を新たに建造しました。絵はフランス海軍の「ナポレオン」号（1850年）です。古い戦列艦の船体に煙を吐く煙突が見える何とも珍妙な姿です。しかしこうした半分帆船でもある木造蒸気戦列艦を瞬く間に陳腐化する戦訓が直後に待ち構えていました。これがクリミア戦争におけるシノップの海戦です。

シノップの海戦

1853年11月末、黒海南岸シノッ

プの港に停泊するオスマン帝国艦隊に、ナヒーモフ提督が指揮するロシア艦隊が襲いかかりました。オスマン帝国側は旧式の帆走木造戦列艦を中心とする艦隊で、ロシア側はペクサン砲による炸裂弾を搭載した戦列艦に蒸気軍艦が随行していました。

しかしこの結果はあまりにも一方的でした。オスマン帝国の木造戦列艦の外板は簡単に打ち破られ、炸裂弾は船体内部で爆発し搭載している火薬を誘爆させました。アヘン戦争でもみられた光景ですが、今回の相手は中国のジャンク船ではなくオスマン帝国海軍の戦列艦という洋式帆船でした。ロシア艦隊はオスマン艦隊をほぼ全滅させ、陸上の港湾施設や港町まで砲撃して破壊して炎上させました。そのためにこの海戦は「シノップの虐殺」とまで呼ばれたのです。(12)

折から英仏では、識字率の向上や印刷機械の合理化、紙の低価格化によって新聞が発行部数を伸ばしていた時期でした。そこに「虐殺」という言葉がメディアで大々的に報道されました。シノップの海戦の時点ではまだ電信は通じておらず、ロンドンまでのニュースの伝達には10日間を要しましたが、クリミア戦争の最中に戦場とロンドンが有線の電信で結ばれ、タイムズの従軍記者が記事を書き、ほぼリアルタイムでの戦況報道がなされるようになりました。

「虐殺」という言葉は一人歩きをして英仏のロシアに対する宣戦布告への世論喚起に使われ、当時のヴィクトリア女王や首相は戦争に乗り気ではなかったのですが、ジャ

鉄製装甲艦「ウォーリアー」(出典:HMS Warrior 博物館)

ーナリズムが形成する世論によって英仏両国は翌年、ロシアに対して開戦することになりました。[13] 昔のように王様や貴族が戦争を決めるのではなく、市民の力が認識されはじめた戦争でした。

これ以降戦争が生起するたびに、政府は常に敵側は残忍な性格で「虐殺」をする国民であることと喧伝(けんでん)し、政府によって国民の戦意向上に利用されるのですが、今度は逆に外交方針が、盛り上がる国民世論の影響を無視できなくなっていくのです。

シノップの海戦の最大の戦訓は、木造の戦列艦の外板は炸裂弾に対して全く無防備であったことです。そのためにこの海戦以降、木造の船体を鉄板で装甲した装甲艦という艦種が登場してきます。フランス海軍はこの時の戦訓から55年には木造戦列艦の建造を停止し、その代わりに60年に装甲艦「ラ・グロワール」を完成させました。外輪に代わりスクリュー推進が採用され、外板には鉄製の装甲が施され、搭載砲は炸裂弾を発射するようになっていました。

この時代は海軍力でイギリスに劣勢であったフランス海軍が技術革新を主導して新しい技術を積極的に採用していました。しかし基礎工業力に優れたイギリスもすぐにフランスに追いつくパターンを繰り返していたのです。「ラ・グロワール」の翌年にはイギリスも対抗して鉄製装甲艦「ウォーリアー」をデビューさせました。これはスクリュー推進でエンジンもボイラーの改良により出力が大幅に増加、「ネメシス」の60馬力エンジン2基に対してこの艦は527馬力のエンジンを10基も装備していました。[14] 全長は127メートルでペリーの「サスケハナ」の1・6倍、速度は14・5ノットを出せ、帆を使用せず石炭のみの航続距離も3900キロまで延びていました。しかし、なんといっても最大の特徴は木造から鉄製の船体への進化でした。鉄製の船体の優位はその後の南北戦争（1861‐65）でも実証されて、いよいよ動かぬものとなったのです。

幕府軍艦開陽丸

1853年のペリー来航以来、幕府も黙って外国の狼藉を座視していたわけではありません。当時の老中首座阿部正弘の主導で海軍建設にとりかかっていました[15]。幕府はオランダに新造艦を発注するとともに航海の教師団を招聘して長崎出島に海軍伝習所を設けて人材育成を始めました。55年の一期生に勝海舟、翌年の二期生に榎本武揚らがいました。繰り返しになりますが、この時代の欧米ではクリミア戦争、南北戦争を経ながら軍艦が急速な技術的進歩を遂げている最中でした。

幕府軍艦の1隻目はオランダから贈呈された「観光丸」(1855年)で、これは外輪蒸気船です。2隻目が「咸臨丸」(57年)でスクリュー推進、後に勝海舟ら遣米使節団を乗せて太平洋を横断した船です。62年に幕府がオランダに発注した新造艦が榎本武揚らとともに函館に立て籠もった「開陽丸」でした。これは前出のイギリス装甲軍艦「ウォーリアー」の就役2年目でした。

オランダ側は新造ならばと鉄製の船をすすめたのですが、幕府は工期を考慮し木造を選択しました。オランダは好意で、木造船体に銅板張りを仕様に追加してくれました[16]。発注仕様書の段階で「開陽丸」は既に少々時代遅れの船だったのです。この間に艦載砲は元込めのイギリスのアームストロング砲、プロイセンのクルップ砲など砲弾も椎の実型の炸裂弾に進化していました。大砲の破壊力の進化はめざましく、木造軍艦の時代は終わっていました。

この時オランダに派遣されていた榎本武揚は、ドイツ統一戦争の始まりであるデンマーク戦争（1864年）を観戦して、クルップ砲の威力を目の当たりにしたので、「開陽丸」にはクルップ砲が18門ほど搭載されていました。当時の軍艦は船体と機関と大砲が主要な構成要素でした。船体が鉄製となり推進器が外輪からスクリューに進化した後は、大砲の進化が近代的戦艦を誕生させることになります。しかし、その前に、同時代の技術革新である鉄道についても触れておきます。ドイツの歴史と重なります。

第5話　鉄道と戦争

鉄道の始まり

最初の鉄道は、炭鉱や工場内で重量物を運ぶために人力や馬車を動力とする専用鉄道として作られました。専用ではなく公共の鉄道として初めてイギリス議会の「特許[17]」を得たのは1805年にロンドン近郊で開通したサーレイ鉄道です。

イギリスでは馬車の時代からターンパイク（有料道路）が数多く存在しました。この最初の公共鉄道もターンパイクと同じように利用者が自分の鉄道馬車を持ち込む「線路貸し」の形態でした。

1825年になると、持ち込みの鉄道馬車に混ざって鉄道会社が保有する蒸気機関車も同時に走らせるストックトン・アンド・ダーリントン鉄道が開通して、今ではこれが鉄道の始まりだとされています。また1830年には貸し線路ではなく、鉄道会社の車両だけが走る形態のリバプール・アンド・マンチェスター鉄道が開業しました[18]。この鉄道はスティーヴンソンの蒸気機関車「ロケット」号で有名です。スティーヴンソンは後々この時に使った1435㎜のゲージ（軌間：線路の幅）をデファクト・スタンダード（基準）にしようと努めました。彼は将来別の会社と線路が接続できるようにと考えたので、スティーヴンソンの機関車を最初に導入した国はこのゲージを採用して、やがてこのゲージは「標準軌」とよばれるようになりました。それでも世界中では様々なゲージが採用されています。新幹線は標準軌ですが、日本のJR在来線や南アフリカではかつて「植民地ゲージ」と呼ばれた狭軌の1067㎜を採用して高度で高密度な鉄道網を形成しています。

明治維新の直後、新橋（しんばし）・横浜間の鉄道敷設計画のおりには、軍備優先を唱える大久保利通（おおくぼとしみち）に対してイギリスを見てきた伊藤博文（いとうひろぶみ）など若手が、交通インフラこそすべての産業の礎であり、防衛の要になると鉄道優先を訴えました。その結果鉄道の建設を決めましたが、当時の新政府には金がありません。そのために路盤も鉄橋も小さくて済み、工事費が安あがりな狭軌を採用したのではないかと考えられています[19]。

しかし後に、これが輸送能力を制約することが問題になります。パイプの直径が細いと流量が少ないことと同じです。さらに軍事上では、大砲や戦車を鉄道で移動させる場合、その大きさはトンネルなどの断面積の制約をうけます。日本の近代化、工業化が進んだ後、戦前の国鉄や軍部は何度も輸送力の大きな標準軌への改軌を試みましたが、工事中の交通機能の停止が問題となって機会を失していました。これがようやく実現したのが戦後の新幹線だったといえます。新幹線は標準軌です。

またスペインやロシアは鉄道による他国の軍隊の車両が乗り入れできないようにするために、欧州の標準軌に対してそれぞれ１６７６㎜、１５２４㎜の広軌と呼ばれる異なる広いゲージを採用したと伝えられています。確かに第二次世界大戦のナチス・ドイツによるソビエト侵攻作戦「バルバロッサ」では実際にこの軌間の違いがドイツ軍の補給システムの障害となって、十分に効果が発揮された事例があります。しかし、トンネルの断面積や橋の幅を考えれば理解しやすいのですが、広い軌間を狭く改軌することは簡単なのです。その逆は不可能であって、隣国への侵攻に自国の線路幅の広い機関車は使えません。従ってロシアが軍事目的で軌間を大きくしたという説はすこし眉唾なのです。狭くしたのであれば理解できますが。

余談になりますが、千葉県市川市の本八幡駅では、軌間の異なる3つの鉄道が乗り入れています。ＪＲが日本最初の鉄道由来の１０６７㎜、都営新宿線が京王電鉄と接続を優先した結果、馬車鉄道由来の馬車軌である1372㎜、京成線も昔は京王線同様に馬車軌だったのですが、1959年に都営浅草線と接続する関係で標準軌1435㎜に改軌した経緯があります。従って今ではどの路線も線路の幅が異なるので接続できないのです。京成線が新宿線に直結していれば沿線の人の流れも随分変わっていたでしょうね。

戦争と鉄道

軍事史の大家マーチン・ファン・クレフェルトによると、鉄道が戦争の役に立つと示唆した最初の人物はドイツの経済学者のフリードリッヒ・リストなのだそうです[20]。鉄道黎明期の1830年代のことです。彼は「計算の行き届いた鉄道網は、軍隊をすみやかに地点移動させることができ、まず一方の敵に兵力を集中させ壊滅させた後で、すみやかに他方に集中できる」としました。フランスとロシアと両面に敵を持つドイツを考えれば、まさに示唆に富む予言だったわけです。また一方でフリードリッヒ二世（プロイセン王）のような「連絡線が良好だと国土が簡単に蹂躙される」というスペインやロシア的な消極的な考え方もありました。攻め込む側と守る側の立場の違いが出ています。しかしこうした兵力の移動中心の考え方の中には、まだ「補給」の概念はありませんでした。鉄道はその機動力から一見攻撃的な兵器のようですが、実際には防御側にとって圧倒的に有利な要素となったのでした。

攻め込む側は鉄道を使用して攻撃地点まで速やかに兵員を移動させ、補給物資も同じ線路を使用して後を追って輸送します。しかしその後が問題なのです。ひとたび敵のエリアに入るとロシアやスペインのように線路のゲージが違う場合や、進軍した地域の鉄道のトンネルや橋が破壊されているようなケースがほとんどでしょう。その場合には線路の幅を変更する改軌や修理の時間が必要となります。つまり味方の駅の終点までは鉄道という産業革命の恩恵を十分に享受できるのですが、前線が、ひとたび物資集積地となる自国の駅から離れるやいなや、補給の手段は馬車や人力になってローマ時代とさほど変わらなくなってしまうのです。

その反対に防御側は一か所にとどまるか自国の国内を退却していくだけなので、常に背後にある鉄道網を利用して人員の補強や糧秣、弾薬の補給を受けることができます。大砲や機関銃の発達が敵の歩兵突撃に対する陣地の防御能力を著しく高めると同時に、今度はそうした兵器が大量の砲弾や弾丸などの重量物を運べる高い補給能力を求めて、鉄道がそれに応えたのです。

また鉄道の発達に伴う輸送・補給能力の増大は、動員できる軍隊の規模を大きくしました。もともと軍隊は自身で食料を生産するわけではなく、誰かに寄食しなければなりません。鉄道の無い時代の遠征ともなると本国から糧秣が補充されるわけではなく、現地調達が原則でした。したがって歴史的にヨーロッパの人口の稠密化と農業の発展にともなって、言い換えれば農産物の生産力の増大にともなって、移動できる軍隊の規模も大きくなっていった経緯があります。

軍隊は移動しながら少しずつ現地で略奪している間は飢えませんが、攻城戦のように一か所に長期間停止すると大変なことになります。周辺の地域が略奪によって荒廃して食料や馬の飼葉の調達が困難になってくるのです。実際には兵の食料よりも、重さはなくともかさ張る軍用馬の飼葉が常に問題でした。

1日1頭の馬を養うには約81㎡分の野生飼葉が必要で、(21)もしも6万の兵と4万の馬匹（騎兵と輜重用）で攻城戦を戦う場合には1日当たり324万㎡の飼葉の植生が必要となります。これは東京ドーム（4万6755㎡）でいうと1日に約70個分の広さの野生飼葉の植生が必要だということになります。そしてそこに飼葉がないから、飼葉を馬で運搬するとなると今度は運搬する馬自身が飼葉を必要としたのです。したがって飼葉のいらない鉄道の発明は軍事上または補給上、革命的なものだったのです。

現代ビジネス用語の「ロジスティクス」は軍事用語における「兵站」であり、フランス語の古語「logistique（行軍宿営法）」(22)で、その語源は古代ローマの軍の「軍の行政官」からきているそうです。鉄道の登場が兵站の画期となり大規模な軍隊の動員を可能にしました。第一次世界大戦のように、数百万人単位の兵力が至近距離で対峙する状況を生み出したのです。また延伸する鉄道の線路に沿って電柱が建てられ、折から発達し始めた電信ケーブルが敷設されていきました。こうして人や物資とともに、情報も高速で伝達されるようになっていきました。次はその電信について、歴史的な経緯を整理しておきましょう。

第6話　電信の発明

旗振り通信と腕木信号

1891年、ロシアの皇太子ニコライ（後の皇帝ニコライ二世）はウラジオストクで行われたシベリア鉄道起工式に出席しました。その後日本を訪問し、大津町（現在の滋賀県大津市）を人力車で移動中に、警備にあたっていた警察官津田三蔵から突然切り付けられました。よく知られる大津事件です。

事件を知らせる電信局の電報はことがことだけに暗号化して5時間後にようやく大阪まで届いた一方で、大阪の堂島米市場は切りつけた5分後にはすでにこの事件を知っていたと言われています。[23] 大津にも米市場があって相場が立っていましたので、日頃から米の価格を知るために堂島と「旗振り通信」で結ばれていたのです。旗振り通信とは江戸時代から続く堂島の米取引所を中心に形成された通信ネットワークのことで、見晴らしの良い小高い山の上にいくつもの中継点を設けて、旗の振り方で信号（コメの価格）を順に伝えていくものでした。１８２７年まで、大津市場の米相場の価格は堂島に１日遅れていましたが、この頃から同日に同じ価格がつくようになり、飛脚による伝達に代わって旗振り通信が始まったものと考えられています[24]。近畿地方の里山には「旗振り山」と呼ばれた山がいくつもあって、第一次世界大戦が始まる１９１４年ごろまでは実際に使われていました[25]。相場での勝敗、つまり金銭のやりとりがかかっていたので実に正確だったのだそうです。情報の伝達速度は毎時平均７２０キロあったと資料から計算されていますが、視界の利かない雨の日は難しかったでしょう。

フランスの腕木信号

一方フランスでも１７９１年に、旗振りとよく似た「腕木信号」というものが実用化されていました（図）。腕木信号とはフランス語でル・テレグラフ、英語ではtelegraphとなり、やがてこれが電報という意味になります。信号機は３本の腕木（木材）でできており、この腕木の形の変化で信号を発し、それを望遠鏡で見た次の通信所が旗振り通信と同様にリレーのように情報を繋いでいきました。ナポレオン・ボナパルトはこれに入れ込み、最盛期には総延長4800キロ、556局のネットワークが全仏に形成されました。しかしながら、その情報伝達のクオリティは、科学作家ジェイムズ・グリックに言わせると、残念ながら世界中の子供たちが遊んでいる「伝言ゲーム」のレベルだったようです[26]。それでもプロイセンやロシアなどもフランスを真似て通信網を構築したそうですから、少しは役に立ったのでしょう。フランスの腕木信号は操作が大変なので、1分間に送れる情報はたったの3文字分だったそうです。

1838年に米国人モールスが、フランス当局に対して腕木信号に替えて電線を使用して信号を送るという、現代からみれば全く素晴らしい企画書を持参したのですが、フランス当局は「もしも電線が切断されたらどうするのか」とすげなく追い返してしまったのだそうです[27]。残念でした。

モールス信号

1800年にイタリアの物理学者アレッサンドロ・ボルタが電池を発明します。そして、その25年後にイギリスの物理学者ウィリアム・スタージャンがスイッチのオンオフができる電磁石を発明すると、電流を流したり止めたりができるようになりました。これで電信通信のための基礎技術が整ったのです。問題は電気信号のオンオフでどのように情報（アルファベットや数字）を表現するかにありました。

ここで登場するのが、本来は画家のサミュエル・フィンレイ・ブリース・モールスでした。彼が「トン・ツー」という点と線の組み合わせで数字とアルファベットを表現するモールス信号を発明したのです。モールス信号は熟練すれば1分間に30文字の速度で送信することができました。腕木通信の10倍の情報伝達量です。雨や霧で視界が悪くとも平気でした。

モールスが1844年にワシントンとボルティモア間に最初の電信回線を開通させると、顧客はどんどん増えていきました。顧客が増えるたびに、顧客の通信相手もどんどん増えて、電信はビジネスに欠かせない道具になっていきました。ネットワーク外部性の典型例です。

電信は折からの鉄道の延伸開通に合わせて全米津々浦々にケーブルが架設されていきました。1851年にケーブルが英仏海峡を横断すると、ユダヤ系ドイツ人のポール・ジュリアス・ロイターはこれを商機として、ロンドン市場の証券価格を含む金融情報を欧州各地に配信するサービスを開始しました。ロイター通信です。

クリミア戦争（1853－56）が電報によってほぼリアルタイムでロンドンに詳細に伝えられるようになると、特派員を派遣しているタイムズは良いとして、それ以外の中小の新聞社は、挙って電報ニュース・サービスを使うようになっていきました。

こうして新聞記事に配信元を示す「ロイター電（伝）」という記述が登場するようになったのです。1858年には、一時的にせよ海底ケーブルが大西洋を横断して、米ブキャナン大統領とヴィクトリア女王が電報で挨拶を交歓しましたが、これはすぐに大西洋の何処かで断線してしまいました。明治維新の前の話です。

金融市場への応用

電信は思わぬ効用をもたらしました。同じ時刻の各地の気象情報を一か所に集められるようになったのです。これはどういう意味かというと、各地の晴曇雨、気温、気圧、風向きなどの情報をリアルタイムに地図上に書き込めるようになりました。天気図の誕生です。これ以前に天気図はありえませんでした。天気情報は航海や軍事作戦行動に重要ですが、仮にこれが天気情報にかえて、各方面で戦闘中の軍隊のリアルタイムの状況報告であればどうでしょう。作戦指導に欠かせないことはイメージできるでしょう。電信ができる前までは、戦闘を統括する司令官が戦況全体をリアルタイムで知る手段はありませんでした。

しかしこの道具を、最初にめざとく活用したのは株式市場の相場師たちであったことは間違いありません。1869年には22歳のトーマス・エジソンが写真にあるように株価情報機器のティッカー・マシーン（Stock Telegraph Ticker Machine）を改良して特許を取得しました。これが4万ドル（現在価値で数億円）で売れて、彼はその後の発明家への元手となる資金を得たのです。

　このマシーンは巻き取り式の紙テープに電信で送られた文字や数字の型の穴をあけることによって株価と出来高を伝えました。情報の即時性とともに時間と株価の記録が残ることに意味がありました。取引が成立する毎に印字されたので、市場が活発になり出来高が増えるとテープの送り速度は加速しました。また閑散な市場ではテープの流れは遅くなりました。英語で「閑散な取引」を“Slow Market”というのはこのテープの印字速度がスローだったからです。また会社名をフルネームで送信するのは時間と紙の無駄なので省略形が考えられました。ゼネラル・モーターズはGMに、フォードはFとなりました。これがティッカー・シンボルです。ティッカーは専用線や電信網にのって全

ティッカー・マシーン
（出典：Thomas Edison Gold & Stock Telegraph, Henry Ford Museum, Dearborn, MI by H. Zimmer）

米にリアルタイムで株価を伝えました。一方で、26文字で会社名を省略できない漢字文化の東京市場は、ティッカー・シンボルではなく銘柄コード番号を選択したのだと思います。

鉄道とともに発達した電信を、欲深い金融業者にも負けずに上手に使った集団がありました。これが現代のビジネス書にも数多く引用される、クラウゼヴィッツや大モルトケで有名なプロイセン王国の参謀本部でした。アメリカのエジソンがティッカー・マシーンを売ってその後の発明家として生きるための資金を得た頃、プロイセン王国はまだドイツ諸邦の中の有力な一国でしかありませんでした。ドイツはまだ統一されていなかったのです。

第7話　ドイツ統一と鉄道

ウィーン体制下のドイツ

ナポレオン戦争（1796－1815）後のヨーロッパの体制を決めるウィーン会議では、戦争以前の状態を復活させるべく欧州の大国の勢力均衡が図られました。そのためドイツ人の国々は、オーストリアとプロイセンの二大国を中心とする35の王国・公国と4つの自由都市に分割されていました。しかしながらナポレオンに屈服させられたことで民族としての解放戦争を経験したドイツでは、統一と自由を求めるさまざまな運動が展開されました。

統一されたドイツ帝国の憲法制定を求めて自由主義者たちが蜂起したドイツの１８４８年革命の際には、それぞれの邦国から選挙された６５０人の議員がフランクフルト国民議会に集まり帝国憲法まで採択したのですが、時期尚早と判断したプロイセン王のドイツ皇帝戴冠拒否により議会は活動を停止しました。

しかしその後、それぞれの邦国にはその時の議会と憲法が残り、統一の気運と帝国憲法は、後のプロイセン王国首相ビスマルクによる帝国創建に引き継がれていきます。おりからの鉄道や電信の普及が、山間部や湖沼地帯など交通上の障害の多い地勢上の問題を克服してドイツ統一への一助となりました。

ドイツは３つの戦争を経て統一されました。１つ目は１８６４年のデンマーク戦争です。ドイツ人が多く住むシュレスヴィッヒ公国をデンマークが併合しようとしたことからプロイセンとオーストリアが共同で戦いました。

２つ目は１８６６年の普墺戦争です。デンマーク戦争で獲得したシュレスヴィッヒ、ホルシュタイン両国の管理を巡ってプロイセンとオーストリアが戦いました。この戦争で圧勝したプロイセンはドイツ諸邦の主導権を掌握します。一方のオーストリアは国内問題から国制を改造せざるを得ず、この戦争以降はオーストリア＝ハンガリー帝国となります。本書ではこれ以降、教科書的存在である歴史家マイケル・ハワードの『第一次世界大戦』に倣って、この国をハプスブルク帝国と呼びます。

3つ目の普仏戦争（1870-71）はフランスを共通の敵として戦うことで、分裂していたドイツ民族の統一を図った戦争です。統一の仕上げの戦争といってもよいでしょう。ビスマルクによって企図され、計画どおりにフランスに勝利してドイツ帝国が成立します。

ドイツ参謀本部

ここで後のドイツ陸軍を象徴するプロイセンの「参謀本部」というシステムについて触れておきます。戦前の日本を混乱せしめた軍部による統帥権独立(干犯) 問題の起源がここにも見られます。

プロイセン陸軍は1806年のイエナ・アウエルシュテットの会戦でナポレオンが率いるフランス軍に屈辱的な敗北を喫した後、再起を期してゲルハルト・シャルンホルスト少将を軍制改革の責任者に任命して、社会改革を含めた軍制の刷新を進めました。農奴制を廃止し、国民皆兵、市民の兵役を教育の最終段階と定めると、将校団を中産階級にも開放して、家柄だけではなく能力だけでも将校に登用する途を開きました。[28] また士官養成学校や陸軍大学校を開設して、選抜された将校にエリート教育を施して参謀本部要員としました(29)。

シャルンホルストの死後はグナイゼナウ少将がその後を継ぎましたが、この両人の後継者がビジネス書の世界で有名な『戦争論』(1832年)のクラウゼヴィッツです。

ナポレオン戦争後には、戦闘の天才だった彼の軍の配置や攻撃態勢などに関する戦術書が多く出されたのですが、クラウゼヴィッツは軍事的専門技術とともに、「戦争とは、戦場の仔細な戦術だけで構成されるものではなく、精神的・政治的な諸要因の問題である」と高所から戦争というものを捉えました。

こうした中で近代ドイツ陸軍の父と呼ばれる、極めて優秀な参謀長が登場しました。それがヘルムート・カール・ベルンハルト・グラーフ・フォン・モルトケ、後に甥も参謀総長になるので後の人は区別して彼を大モルトケと呼びました。

大モルトケ

ドイツ統一戦争

プロイセン王ヴィルヘルム一世は摂政時代の58年に、大モルトケを参謀総長に、翌年にはアルブレヒト・テオドール・エミール・フォン・ローンを陸軍大臣に登用すると、徴兵制度を強化して陸軍を改革しました。また、兄に代わって王となった翌年の62年にはオットー・フォン・ビスマルクを首相に指名すると、ビスマルク、ローン、大モルトケの3人の逸材を得てドイツ統一戦争にとりかかりました。3つの統一戦争のうち最初のデンマーク戦争に臨んだのです。

この時、前線で戦ったフリードリッヒ皇太子に参謀総長大モルトケが同行して目覚ましい戦果をあげたので、王は大モルトケを身辺に侍らせて軍事問題の顧問に据えました。参謀総長なので当然のように思えますが、それまでは戦場で生死を賭けて戦う将軍に比べて、軍人としては、頭だけを使う軽い職責だと見られていたのです。

続く2つ目の普墺戦争では王自らが大モルトケを従えて出陣しました。この時に王は、大モルトケの戦況判断の的確さを認めて、参謀総長は、陸軍省はじめあらゆる中間機関を通すことなく直接軍隊に命令を下す権限を持つと定めました。帷幄上奏権です。内閣や議会を経由せずに、王と直接接触して、王の名のもとで命令を下しても良い。この時、大モルトケの際立った作戦に参加諸将もこの決定を納得しました。これ以降王は形式的に裁可を下すだけで、実質の作戦の意思決定は参謀総長に一任するようになりました。(30)

1889年制定の大日本帝国憲法では、これに倣い一般統治権と軍の統帥権の分離が明記され、軍の統帥権は内閣総理大臣の国務上の輔弼事項（天皇に助言する事項）

の例外とされます。軍の統帥権を民選による政党政治と分離させた憲法設計者の意図には様々な考察がありますが、旧帝国陸軍の暴走を許した「統帥権」の形態的な源流はここにあったと言えるでしょう。ドイツ帝国にとっても、このことが土壇場で第一次世界大戦を回避することができなくなったメカニズムの一大要素となりました。

この制度は軍組織の中で、陸軍大臣が軍政（軍事行政）を担当し、軍令（作戦・用兵）は議会から独立した国王に直結する参謀本部が担うという二元的軍制と呼ばれ、ドイツに留学していた桂太郎によって日本に持ち帰られました。山県有朋は当時盛んだった自由民権運動や西南事件を引き起こした西郷隆盛などの事例に鑑み、政権と兵権は分離すべきで、軍令機関は政治から独立して天皇に直属する形が望ましいと考えました。しかしながらその意図とはうらはらに、これが昭和期に陸軍の独断を許し、日本を戦争へと誘った統帥権の独立という欠陥となったのです。

政治外交史学者の戸部良一氏は「統帥権独立は、軍の政治関与を防止するためにつくられながら、やがてその政治関与・政治介入を支える制度へと変貌し、最後にはその軍の解体・終焉を助ける役割を果たしたことになる。何と皮肉で逆説的であることか」[31]と指摘しています。

日本のことはともかく、この普墺戦争でプロイセンが圧勝した結果、ドイツ諸邦の主導権を掌握するとともに、ドイツ人国家の中でライバルであったハプスブルク帝国は求心力を失ってしまいました。

プロイセンが普墺戦争において参謀本部に指揮系統を一本化することができたのは、鉄道と電信というテクノロジーの発達に負うところが大きいでしょう。大モルトケは「新規の鉄道開発はそのすべてが軍事上の有利につながる。国防のためには新たに要塞を建設するより、数百万を費やして我が国の鉄道を完成させる方が遥かに有利である[32]」と主張して、参謀本部内に鉄道専門の部署を新設しました。また電信部隊を設置して各野戦軍に同行させ、プロイセン軍は電線を敷設しながら進軍しました。

電信は戦闘中もさることながら、後方の兵員の動員時にも威力を発揮しました。プロイセンは国民皆兵の一般兵役義務のシステムの中で、電報(電信)を使って、各地方で一般人としての生活を送る予備役兵に速やかに動員の通知を送りました。その上で、あらかじめ各地方で準備していた制服や装備品を予備役兵に配給して完全装備の兵士に仕上げ、そのまま鉄道で戦地に送り届け、速やかに正規軍を補充できるシステムを確立していたのです。少ない正規軍兵を予備役兵で効率的に増強するシステムです。

こうして普墺戦争では、戦場であるボヘミア地域に向けて事前に敷設してあった5本の鉄道を使って、戦場に31万人の兵を開戦後速やかに集中させました。対してハプスブルク側は戦場に向けて1本の鉄道路線しかなくプロイセンの倍の時間をかけてやっと20万人を集めたに過ぎませんでした。[33] 勝敗は緒戦で決まりました。鉄道の持つ効果はその移動の「速度」だけではありません。現代のアスリートの、試合前のコンディション調整を想像すれば理解しやすいですが、鉄道輸送は徒歩行軍に比べて、戦場で戦う兵員の疲労も軽減します。訓練の不足がちな予備役兵を動員する場合には、鉄道の効果は特に大きくなったと考えられます。[34]

大モルトケは、普墺戦争でその手腕を国内外で高く評価されました。一般兵役義務や電信や鉄道の活用など、プロイセンはこの戦争によって、他のどこの軍隊も成し遂げていない「軍事革命」を通じて強くなった軍隊であるとヨーロッパ各国から認識されるようになりました。

また首相のビスマルクは戦役以降の情勢も考慮し、次はフランスと戦うことになるだろうと想定して、後方に無駄な敵を作らないように首都ウィーンへの勝利の行進を戒めて、ハプスブルクに対して領土の割譲も敢えて要求しませんでした。プロイセン軍の大勝にもかかわらず、この時代のハプスブルク軍は戦争に負けてばかりで、国際社会では弱い軍隊だと認識されていました。そのためフランス軍はプロイセン軍の勝利をまだまだ過小評価していました。なんといっても当時のフランスは抜きん出た大国であると自負していたのです。

普仏戦争

１８７０年から始まった普仏戦争は、デンマーク戦争、普墺戦争に続くドイツ統一戦争の最後の総仕上げです。プロイセンは普墺戦争での勝利によって、ハプスブルク帝国からドイツ連邦諸国のリーダーシップを奪取しましたが、首相ビスマルクはバイエルンなど、南ドイツの諸邦を含むドイツの統一までは、もう一段の民族的統一のプロセスが必要だと考えていました。それにはドイツの民族意識を高揚させる外敵が必要で、その外敵とはナポレオンによる侵攻以来の恨みがあるフランスのことでした。

ナポレオン時代のドイツ民族は、諸国に分かれて統一されていなかったがゆえにフランスに蹂躙されたのだと当時は理解されていました。ビスマルクは折からのスペイン王位継承問題を利用して㉟フランス外交がドイツ諸邦を侮辱したように演出し両国の新聞を煽(あお)りました。またフランスからの宣戦布告を引き出すことによって、プロイセンを中心とするドイツにとっては防衛戦争の名目をも手に入れたのです。戦争をしかけてきたのはフランスの方である、というわけです。さらにビスマルクの外交手腕によって背後の敵であるハプスブルクは牽制されて、このドイツの戦争の敵は国境の西側のフランスだけに限定されていました。

普仏戦争は１８７０年７月19日から始まりましたが、９月２日になると、早くもセダン要塞に籠もるフランス元首の皇帝ナポレオン三世は10万の将兵とともに降伏して

ベルサイユ宮殿におけるドイツ帝国成立宣言

しまいました。プロイセン軍を中心とするドイツ連合軍はその後も大きな抵抗もなく首都目指して侵攻し、9月13日には早々とパリを包囲してしまったのです。

その後、年が明けて1月18日。ドイツ連合軍によるパリ包囲下のベルサイユ宮殿において、プロイセン王はバイエルン公国など諸邦を併せた統一ドイツ帝国の皇帝ヴィルヘルム一世として即位しました。これ以降、ドイツ建国式典の行われたベルサイユ宮殿の鏡の間はフランス人にとって屈辱の場所となりました。

28日にはフランスとの間に休戦協定が署名され、普仏戦争は、実質2か月、全期間でも約半年で終了したのです。このドイツ軍の快進撃は、ヨーロッパの人々に、鉄道時代の近代的な戦争は短期間で決着がつくものだと印象づけました。こうしてヨーロッパの均衡を図ったナポレオン戦争以来のウィーン体制は終焉し、フランス対ドイツという、第二次世界大戦まで続く、新しい対立の時代が到来しました。

動員システム

ドイツの勝因は、ビスマルクによる卓越した外交と、国民皆兵制度と連携したドイツ参謀本部の鉄道による動員システム、また兵器としてはクルップ社製の高性能な大砲であったと考えられています。

プロイセンでは国力以上の戦力を維持するために、厳格な国民皆兵制を採用して、平時の財政負担が少ない予備役兵を多く確保していました。鉄道と電信による効率的なロジスティクスが、全国に分散して生活する予備役兵を戦時に集中させ、有効活用することを可能にしたのです。

現代の鉄道路線図にも名残が見られますが、フランスの鉄道は中央集権国家の特質としてすべてがパリに向かっています。このため軍隊をドイツ国境に向かわせるには、各地方からやってくる招集兵を一度パリに集める必要がありました。

一方で諸邦に分かれて鉄道が発達したドイツでは現役兵、予備役兵の動員の起点となる諸侯の連隊本部（諸邦の首都）を経由する形で、東西南北グリッド状に路線が発達していました。特に対フランス戦を想定して6本の鉄道が国境に向けて整備され、参謀本部では動員と侵攻用に兵員、弾薬、馬匹（ばひつ）、糧秣輸送などの詳細なダイヤが組まれていました。こうして開戦時に国境に配置できた兵力は、予備役兵を効率的に動員できたドイツ軍48万人に対して、フランスは現役兵中心の20万人にすぎませんでした[36]。ドイツ軍がひとたびフランス領に入り鉄道や道路を支配すると、今度はどの路線も自動的にパリに向かって進軍することになりました。

1815年時点の大会戦であるワーテルローの戦いでも動員兵力はナポレオン軍7万人対連合軍が13万人でした。普仏戦争全体では、プロイセンを中心とするドイツ側の動員数は正規兵30万人に予備役兵60万人の合計90万人に達し、対するフランス側も現役と予備役兵が半々の80万人でした。鉄道が発明される以前では考えられない規模でした。

兵器の面では、小銃の性能はフランス軍が優秀でしたが、プロイセンはクルップ社製の鉄鋼製後装施条砲をもって、フランス軍の青銅製前装滑腔（かっこう）砲を圧倒しました（大砲については後で説明します）。プロイセン軍の死傷者数における小銃弾と大砲の被弾の割合は90％対5％でしたが、フランス軍では70％対25％と大砲による死傷者が数多く出たのでした。

普仏戦争のその後

ドイツ軍参謀総長の大モルトケは、鉄道を駆使した戦略で非常に高い評価を得ました。しかし一方で軍事史家のマーチン・ファン・クレフェルトは「理論倒れのモルトケ兵站術」として補給の不備を指摘しています。彼はドイツ側の作戦が機能したのは「フランスがヨーロッパ中最も豊かな農業国」(37)であり、糧食は現地徴発頼みだったと分析しました。

この戦争では一部で厳しい徴発もありましたが、基本的にドイツ軍は軍票（軍の物資調達などのための通貨）で支払い、その清算は賠償金の一部として後にフランス政府が行いました。戦闘はフランスの限られた地域で行われ、悲惨な経験をした国民もいれば無関係な人もおり、戦争体験に大きな違いが出ました。これが平和主義者もいれば、好戦的な人もいるなど、フランス人の後の戦争観や対ドイツ観に影響を及ぼすことになりました。ドイツ軍占領当時のフランスの様子は、モーパッサンの出世作『脂肪の塊』がうまく伝えています。

ビスマルクはドイツ側の戦費を約20億フランと見積もり、フランスに払わせました。金本位制採用後のレートで計算すると1ポンド＝約10円＝25フランですので日本円で当時の8億円に相当します。参考までに約20年後の日清戦争の戦費が2億3000万円で、30年後の日露戦争が18億円の規模でした。

ドイツは戦後の73年に賠償金のうち8億フラン分の金を新貨幣「ライヒスマルク金貨」の鋳造にあてると、プロイセンの「ターレル」(英語読みでダラーである)や、バイエルン王国など南ドイツ諸国の「フィオリーネ」(フィレンツェの金貨が発祥である)に代えて、ライヒスマルク金貨を本位貨幣とする金本位制を採用しました[38]。これがドイツ・マルクの誕生です。

ドイツの勝利は日本にも影響を与えました。日本は1870年(明治3年)10月2日に太政官が兵制統一を決定[39]して陸軍はフランス式、海軍はイギリス式を採用することになりました。ところが皮肉にもこれは普仏戦争の最中だったのです。当時、フランス陸軍は最強であると信じられていたのです。

日本の陸軍大学の開校は83年、最初はフランス軍将校が教官でしたが、ドイツ駐在武官の経験がある桂太郎の意見を入れて大モルトケの弟子であるメッケル少佐を招聘しました。これ以降陸軍は参謀本部の制度とともにドイツの兵制に転換したのです。これによって陸軍のエリート留学生はドイツに集中することになりました。第一次世界大戦がはじまる時、陸軍の全留学生の4分の3はドイツに留学していました。このため陸軍はドイツに対する宣戦布告に積極的ではなかったのです。

第2章　国民国家意識の醸成

ドイツ統一戦争の勝因のひとつに、国民皆兵制度と連携したドイツ参謀本部の鉄道による動員システムがありました。この章では動員システムを支えた徴兵制度や、それと深く関係した国民の教育と識字率の向上、新聞やメディアは大衆化する過程で国民にどのような影響を与えたのかについて考えます。

第8話　徴兵制度

国民皆兵

近代的な徴兵制は18世紀終盤のフランス革命から始まりました。王政や旧体制を崩壊させようという革命に対して、周辺諸国は自国への影響を恐れて干渉戦争を仕掛けましたが、フランス革命政府はこれを国家的危機ととらえて、各階層の国民から平等に徴兵を行う国民総動員令（１７９３年）を発令しました。当時のフランスは若年層の人口増加（ユース・バルジ）という状況の上に、凶作と不況にあえいでいたので徴兵によって食にありつける無職の若者も多かったといいます。

徴兵によって100万人にも達した当初のフランスの圧倒的な戦力は、王家のためではなく自分たちの自由とフランスのために戦うというスローガンの下で、今でいう国民国家意識に目覚めた軍隊でした。戦意も旺盛で周辺国の職業軍人の部隊を次々と破っていきました。

フランス軍は王政からの解放という名のもとに、国内で不足する食糧を求めて国境を越えたという見方もできるでしょう。彼らは占領地で課税したり、食糧を徴発したりすることによって軍を維持したとも言えます。このフランス国民軍を率いたのがナポレオンで、トルストイの『戦争と平和』にあるように、冬になりロシアがフランスの進軍路にある物資や食糧をすべて焼き払う焦土作戦に出ると、この兵力維持のやり方は通用しなくなり、フランス軍は潰走(惨敗して逃げた)したのです。

プロイセンは1806年のナポレオン軍とのイエナ・アウエルシュテットの戦いで、フランス国民軍の前に完膚なきまでの敗北を喫すると、敗因を分析して軍制改革に取り組みました。有名な参謀本部はこの時につくられました。プロイセンはドイツ諸邦の中では大きかったのですが、周囲を人口が多いフランスとロシアという大国に囲まれていたために、職業軍人による常備軍だけでは兵隊の数が足りませんでした。そこで1814年に国防法を制定して、フランスに倣って20歳に達した男子住民を例外なく兵役につかせる徴兵制度を採用したのです。

しかし国民皆兵の徴兵制度の問題点は、軍隊維持のためのコストです。職場を離れた兵士は国内経済に貢献する生産活動を止める一方で、糧食や給与は国家が支払わなければなりません。ナポレオンの軍のように国外から糧食を搾取している間は維持可能なのですが、国家財政の観点から平常時に維持できる陸軍兵力の規模は自ずと制限されるものです。

軍事国家のイメージが強い19世紀のプロイセンでも実際の徴兵率というものはせいぜい20％程でした。5人の徴兵対象者のうち1人が採用されるレベルです。これを克服するために考え出されたのが予備役の制度です。

普仏戦争当時、フランス軍は革命以来の徴兵制を採用していましたが、国民皆兵は骨抜きになっており、時とともに除外規定が増えてお金を払って代人を立てることも認められていました。代人にはいきおい兵役経験者が多かったので、軍隊では服務期間の長い兵の比率が高くなり、プロの傭兵的な要素が強くなっていました。

一方でプロイセンは厳格な国民皆兵制を採用して、階層や貧富の差なく平等に徴兵されたために、国民全員が国事に参加するという自分たちのための国家の軍であるという意識が強かったのです。

また、潜在的な兵力維持と上記のコストの問題から考え出された、現役3年（兵舎で合宿し訓練を受ける）→予備役4年（社会に出ても、定期的に訓練を受けて、いつでも徴兵に応じられるよう待機する）→後備役5年（予備役をさらにバックアップ）の制度では、戦争の技術を習得できる現役の期間は3年と短いものの、毎年採用できる人数を多くすることができました。同じ予算の下でも予備役、後備役を合算した潜在的な訓練済みの兵隊の延べ人数は12年分の年齢層を確保できたのです。こうした条件下にプロイセン参謀本部の鉄道を利用した巧みな動員（兵士を招集して部隊に届ける）方法が加わり、一番大事な緒戦での兵力にフランスに対して大差をつけたことが、普仏戦争におけるプロイセン勝利の大きな要因でした。

徴兵制度の財政制約

テルアビブ大学のアザー・ガット教授によれば、国家が常時維持できる兵力には歴史上の鉄の法則があり、それは人口の約1％なのだそうです[40]。原則上全員に兵役の義務があった紀元前2000年のエジプトでも、300万人の人口に対して2万人の兵を持ったにすぎず、大兵力を誇ったブルボン朝最盛期の太陽王ルイ一四世（在位1643－1715）の時代であってもピーク時で2％までが限界で、結局これは財政的に持続不可能な水準でした。

普仏戦争当時のプロイセン軍の平時の兵員もやはり国民人口の約1％で推移してい

ました。常備軍の維持にはコストがかかるのです。普仏戦争に敗れたフランスは、今度は逆にドイツを真似て徴兵制の運用に厳格になりました。

徴兵制の対語は志願制です。各国はプロイセンの戦勝を参考に同様の国民皆兵の制度を取り入れていきましたが、海洋国家であり平時に大きな陸軍を必要としないイギリスの陸軍は、第一次世界大戦に至るまで志願制のままでした。また、アメリカも南北戦争終了後は外征用の大きな陸軍を必要としなかったので志願制になりました。

日本ではヨーロッパ諸国を参考にして1873年に徴兵令が施行されましたが、入営は徴兵検査における甲乙丙丁の4つのランクの中の兵隊適格である甲種のうちから抽選で選ばれました。当初は例外規定も多く、適齢者の中で、試験を経て現役兵として実際に徴兵される人は日清戦争までは5%[41]、以降でもせいぜい10%、満洲事変直前の1931年ですら15%でした[42]。言い換えれば男女同数の40人学級でいえば入営するのはクラスでせいぜい2、3人だったのです。

現役兵とされれば、陸軍では2年の兵役を経て上等兵以上になって予備役へまわされました。一方、徴兵検査で合格したものの運よく補充兵と指定され兵役につかなかった者は、いざ戦争となって招集されれば、年齢にかかわらず二等兵から始めなければなりませんでした。これが第二次世界大戦中には8～9割の根こそぎ動員になりました。徴兵制度では、国家による一人当たりの出費は職業軍人を雇うより安くとも、糧食や装備など常備軍の維持にはコストがかかりました。したがって国民皆兵にも自ずと財政的な限度があるのです。

国民の軍隊

普仏戦争の後、軍隊を経験した者たちが予備役となって、市民社会に戻って地元の人達に軍隊生活の体験を伝えるようになりました。戦役などを通じて体験を共有する者達が増えると、国民の国事への参加意識が高まって、国民国家意識が醸成されていくことになりました。

プロイセンの徴兵制度は、徴兵免除の例外が少なく、国民の間で平等感の強い制度でした。兵役という役務は税金と同じです。国家に対する義務の履行の見返りに、国民は国政に参加する権利も求めました。19世紀を通じて次第に普通選挙制度が採用されるに及んで、兵士である大衆自体が投票権を通じて政治を動かせるようになっていきました。

ドイツの参謀総長大モルトケはこの様子を「戦争や、平和や国家間の問題はもはや政府だけの問題ではない。多くの国では民衆が政府を支配することにより、計り知れない要素が政治に持ち込まれている」と観察し、「政府同士の戦争というものは過去のものとなり、今や戦争は大衆によるものでしかない」[43]とまで言っています。

日本においても徴兵制度を通じて、軍隊は体制側ではなく国民のものだという意識が育ちました。日露戦争ポーツマス条約後の、条約に不満な民衆による日比谷焼打ち事件では、制止に入った警察は政府の手先であると考えられて、暴徒はこれと対峙しましたが、陸軍部隊が介入するにおよんで鎮静化しました。これは身近に兵役経験者が多くいたので、兵隊は自分達国民と同じ側にいるという意識を持っていたのでしょう。

また昭和8年に大阪で起こったゴーストップ事件では、赤信号を無視した休暇中の大阪第4師団の兵隊が警官に注意され殴り合いの喧嘩になりましたが、大衆は法にのっとって制止した警官ではなく、信号を無視した横暴な兵隊を応援しました。軍隊はスポーツにおけるナショナル・チームの存在のような要素があったことは否定できません。悲惨な世界大戦を経験するまで、大衆やそれに支えられたメディアはナショナル・チームへの応援を煽る好戦的な存在でした。

こうしてこの頃から成立し始めた、国民意識と国家が結合した考え方が国民国家です。国民国家とは英語で nation-state です。「ネーション」とは、共通の言語、文化、宗教、歴史、神話、アイデンティティなど、あるいは「運命を共有している感覚」などの組み合わせを持つ人々の集団です(44)。一方「ステート」とは主権国家のことで、その国家以上の権威をもつ主体が存在しないことを意味します。国際連合はありますが脱退する主体は国家です。

こうして徴兵制は国民国家の形成に一役買うとともに、国家は兵士の質=国民の質を向上させるために教育（識字率）にも配慮することになりました。戦争と教育の関係を見ておきましょう。

第9話　識字率

識字率と軍隊

フランスでは、革命に先立つ1781年の陸軍省令で兵隊から将校への昇進の途が閉ざされました。このため貴族階級である将校と民衆である下士官・兵卒の関係は、普段生活する兵営も含めて分断されてしまいました。その一方で1787年の省令では軍曹や伍長（ごちょう）などの下士官向に読み書きを習得させるようにしています。軍隊も組織化されると末端においても記録などの書類関係の仕事が多くなり、兵器の取り扱いや地理的な位置の把握、簡単な演算など文字を読む能力が必要とされはじめたのです。このためにフランス革命の反乱軍のリーダーとなった下士官クラスは、文字が読めるようになっていたのです。

彼らは革命派が配布する冊子やプロパガンダの印刷物を読み、階層が異なる貴族や

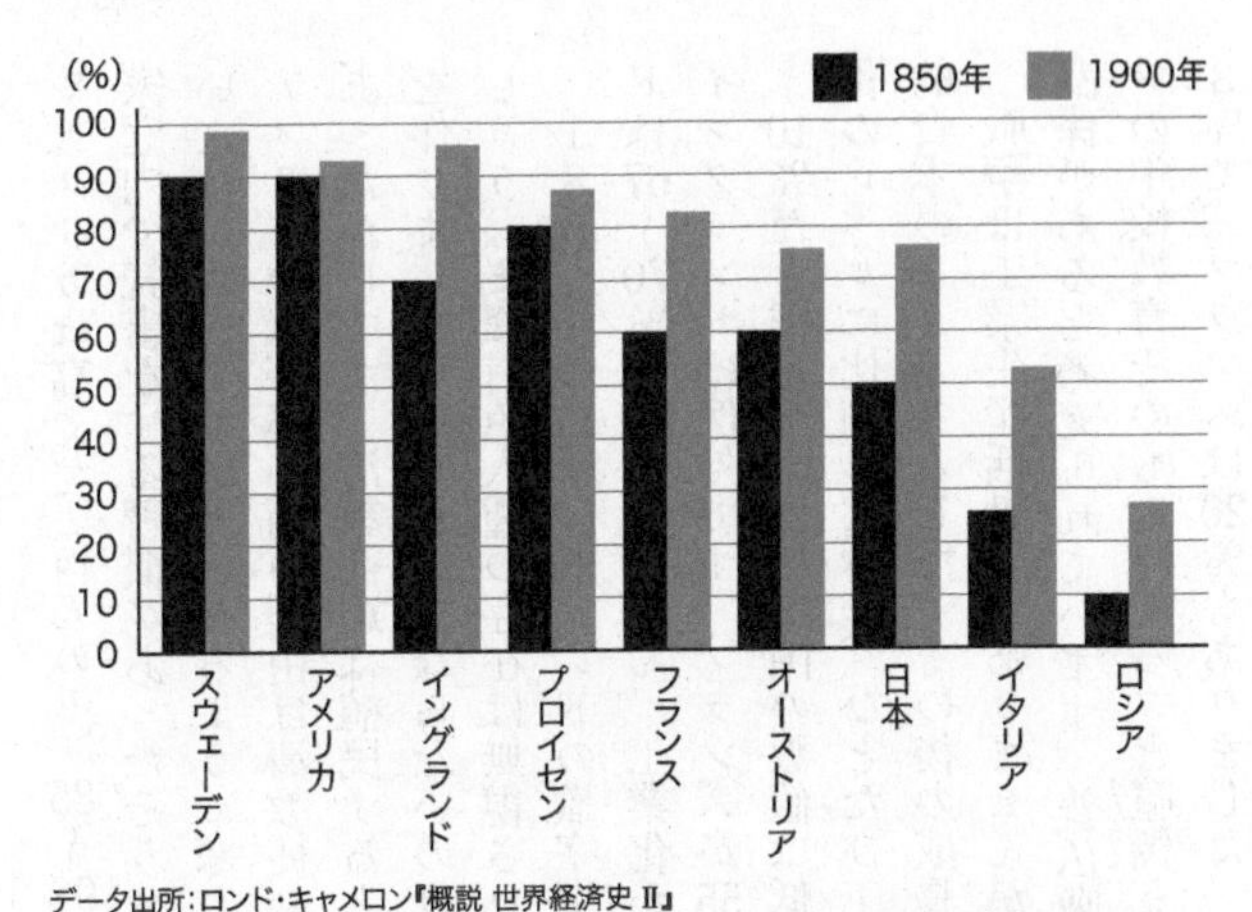

データ出所：ロンド・キャメロン『概説 世界経済史 Ⅱ』
※日本の1850年のデータはロナルド・ドーア『学歴社会 —— 新しい文明病』を参照
1900年の日本のデータは陸軍省統計年報各年度版、壮丁教育程度調査、斉藤泰雄「識字能力・識字率の歴史的推移 —— 日本の経験」（『国際教育協力論集』第15巻、第1号所収）を参照

19世紀の各国識字率

将校たちよりも、身近な市民に対して共感を持つようになりました。

現在残されている識字率関係の各国の古いデータは、教会教区の結婚に関するデータや推測値を除けば、ほとんどが徴兵試験に関するものです。

１８１４年にフランス軍に倣い徴兵制を実施したプロイセンでは、兵役を学校教育の仕上げ段階と位置付けました。そのために兵役の前段階である初等教育を世界で初めて義務教育としました。１８５０年前後のプロイセンの識字率は80％です。１００％ではないのは、国の構成人種がドイツ人だけではないからでしょう。スウェーデン

やアメリカは高くて（白人のみ）85〜90％あります。冬に雪に閉ざされる寒い国では家庭内で読書をする習慣があったそうです。では、だから寒い国の識字率が高いかといえば、ロシアが例外となるように寒さと識字率との因果関係は単純ではありません。アメリカの識字率が高い理由は清教徒の聖書崇拝のために、信者は聖書を読む必要があったからです。清教徒達は植民すると、先ずは教会を建て、読み書きを教える学校を作りました。100％にならないのは、非識字者の移民が常に流入してきたからでしょう。また有色人種の存在は無視されたデータです。

1850年のスコットランドの識字率はスウェーデン並みに高い一方、イングランドは67〜70％しかありません。工業化が進んでいる国の識字率が高いという仮説も、イングランドは例外です。フランスが55％、イタリア・スペインが25％、ロシアが5〜10％だと推定されて農業国の数値は低迷しています。[45] 全般に識字率は工業化や都市化のレベルに比例しており、ひとたび工業化が加速すれば国民の識字率は向上し、人的資本のストックとして、その後の成長に大きく資することになりました。

戦争は工業生産活動ではありませんが、人的資本＝兵士の知的な質は軍隊の強さと関係があると考えられています。普仏戦争においては、「セダンの戦いの勝利はドイツの学校教育そのものである」と喧伝されました。この時のプロイセンの非識字率は3％で、フランスは20％もありました。

徴兵制の普及による教育改革。印刷機、製紙技術などによる新聞や小冊子、書籍などの印刷物のコストの低下、鉄道による印刷物配送能力の向上が各地で識字率を高めていきました。１８５０年頃のボスニア・ヘルツェゴヴィナやセルビアなど、後の民族紛争の舞台となるバルカン半島の識字率はロシア同様に低かったのですが、20世紀に向けて識字率は急速に改善に向かいました[46]。後に第一次世界大戦勃発の直接のきっかけとなったオーストリア皇太子暗殺事件の実行犯は、文字が読めたからこそ民族主義者のテロリストとなったのです。識字率の上昇は国民国家意識、民族主義、軍隊の強さも規定しましたが、同時に自由思想や社会主義思想の普及にも重要な役割を果たしました。

日本の識字率

日本人が日本人を誉めそやす、昨今の流行の中で、江戸時代の日本人の識字率は世界最高水準だったという記述を時々見かけます。出処は経済史・歴史人口学者の速水融氏編集の「江戸論」の名著『歴史のなかの江戸時代』[47]にあるようです。確かに日本の識字率は当時の世界と比較しても高いものだったようですが、客観的なデータと比べると少し大袈裟な表現が多いのも事実です。１８７０年当時の資料から推定される日本人の識字率は男子が40～45％で、女子は15％のレベルでした[48]。

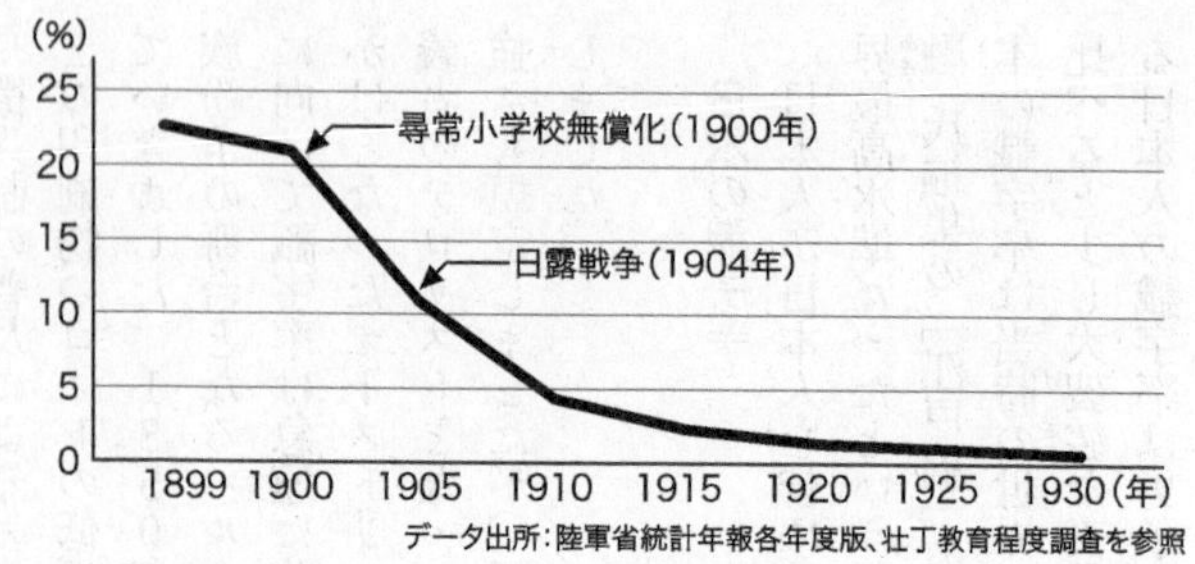

日本の非識字率

日本においても普仏戦争の時のドイツの勝因分析と同様に、1894年の日清戦争の勝利の要因のひとつに清国の兵隊との識字率の差が取り上げられると、富国強兵の一環として国民の読み書き能力の向上が課題になりました。その後1900年になって、義務教育の尋常小学校が初めて無償化されました。それまでは義務教育とはいえ日本人の子弟全員が学校に行けたわけではなかったのです。

陸軍省統計年報に1899年からの徴兵検査時のテストの結果が残されています(49)。テストは兵士として必要な簡単な暗算や例えば満洲の位置を問うような地理の問題も含まれていました。これによると「読書算術ヲ知ラサル者」は1899年に23・4%いましたが翌年には21・7%、日露戦争の1905年には10・9%にまで低下、25年に0・9%まで下がっており、これは義務教育無償化のタイミングとほぼ一致します。日露の識字率の差は日清戦争と同様に、日露戦争の勝因のひとつとして数えられました。1901年のロシアの、特に新兵の識字率は50%でした(50)。

吉田松陰は明治維新に際して、「山は樹を以て茂り、国は人を以て盛んなり」と国を興す上での教育の重要性を唱えました。先進国において経済成長が低迷する現代、多くの経済学者の処方箋には、必ず人的資本の質的向上が組み込まれています。つまり教育の強化であって、昔の軍隊を強くするための処方箋と同じです。

識字率が上昇すれば、国民は新聞を読むようになります。次はメディアの歴史に触れておきます。

第10話　メディア

新聞の役割

プロイセン王国の首相ビスマルクは普仏戦争(1870－71)に際して、戦争準備を万端に整えた上で、フランスによる外交上の非礼を演出して(エムス電報事件)、新聞を通じてフランスに対するドイツ民族の敵愾心を煽りました。政治が新聞を利用したのです。

一方のフランスは戦争の準備がまったく出来ておらず、国民の人気取りを狙う皇帝ナポレオン三世を除くと、議員達には戦争をする意思は全くありませんでした。ところが、フランスの新聞が売らんがためにドイツに対抗して大衆を煽りだすと、その翌日にはパリで「ドイツを倒せ」と要求する大規模なデモにまで発展しました。熱狂する大衆に流されて挙国一致体制が成立すると、ドイツに対する宣戦布告へと一気に走ってしまいました。フランスは大衆と一体化した新聞が主体となって、政治と外交を動かしたのです。

ドイツでは1867年に北ドイツ連邦選挙で、イギリスでは1884年の第三次選挙法改正で普通選挙が始まりました。当時の政治に関する国民の情報源は新聞であり、有権者は国民的な合意形成の場を新聞に求めるようになりました。よく物事が理解できない時には新聞の記事が解説してくれたのです。

一方で新聞は販売促進のために、勧善懲悪的な単純で明快な論理を優先して記事を書いて大衆を煽り、大衆は小難しい理屈や細部の機微などよりもわかりやすい単純明快さを喜びました。これは現代でもさして変わりません。政府は階級闘争など国内を分離するような事件が起こると、新聞世論を操作して海外に敵を作りました。国民の怒りの鉾先(ほこさき)を変えて国民の不満を解消するこの手法は、現代の国際政治でもよく見かけます。

こうした過程で、同じ地域に住んで、同じ言語の新聞を読む民衆によって、国民国家としての意識が醸成されていきました。国旗制定や国歌斉唱、国民記念日の制定など、国家としての伝統は、古くからのものではなく、意外にこの時代に創出されたものが多いのです。政治家や軍人の中には、議会における艦隊建設や師団増加など軍事費の確保を目的に、仮想敵国に対する敵愾心を煽り、意図的に大衆の単純な愛国心を利用する者も現れるようになりました。しかしやがて、民衆の単純で明快な怒りや、他国を卑しむ心理が新聞を通じて世論を形成するようになると、今度は逆に作られた世論が政治や外交を動かしていくようになりました。

購読層の広がり

19世紀、欧州では工業化とともに急速な都市化が進みました。19世紀初頭のロンドンの人口は100万人ほどでしたが、1900年には約6倍の620万人に増加しています。またベルリンでは同時期に17万人が271万人に、パリでは55万人が330万人へと増えました。

識字率の上昇とともに大衆が本や新聞を読むようになり、都市化による人口集中や鉄道の発達が印刷物の配送エリアを広げると、新聞の読者層は大きく拡がりました。また石油が採掘されたことによる安価な石油ランプの普及やエジソンによる電球の発明は夜の闇を明るくし、昼間働いている労働者達の読書時間の確保につながりました。

夕刊紙の普及はこれに連動しています。

印刷物の配達に数日を要する時代には、日刊紙の需要はコーヒーハウスなど印刷所に近い狭いエリアだけでしたが、鉄道による配達可能地域の拡大とともに日刊新聞紙のニーズが高まっていきました。国土の狭い日本やイギリスで全国紙が多く、国土の広いアメリカや鉄道の発達期に邦国に分割されていたドイツで地方紙が強いことには整合性があるように思います。

こうした増大するニーズを満たした技術的な背景は、イギリスを代表する老舗新聞『タイムズ』の歴史を見ればわかりやすいでしょう。同社の創業は18世紀ですが、日刊紙として本格化するのは1814年にドイツ製ケーニッヒの蒸気シリンダー印刷機を導入してからです。この機械は1時間に1100部の印刷が可能でした。同社は1866年にロール紙を使用したウォルター輪転機を導入すると、毎時1万2000枚の両面刷りが出来るようになりました。ロール紙ができる前は人間が紙を一枚一枚印刷機に差し込んでいたのです。さらに1885年には印刷物の折り畳み装置も設置され毎時2万5000部の印刷が可能になりました。また1880年代にはパルプを使用した製紙機械が開発され、紙が安価になって、ますます新聞の大衆化を促しました。タイムズは読者を統治エリート層に絞り、量よりも質を重視したために発行部数は多くなく19世紀後半でも5〜6万部で推移しました。一方で大衆紙の英

ウォルター輪転機（出典：Norton, F. H. (ed.): Frank Leslie's historical register of the United States Centennial Exposition, 1876. New York: Frank Leslie's Pub. House, 1877.）

『デイリー・メール』はボーア戦争（1899－1902）の間に発行部数が100万部に達し、写真を多用した英『デイリー・ミラー』なども大戦前には100万部に到達していました。

また、1830年代に電信が実用化されて以降、各国で通信社が設立されました。1835年にはフランスのアヴァス社（現フランス通信社、AFP）、49年にはドイツのヴォルフ通信社、51年にはイギリスのロイター通信社が創設されました。3社は56年に経済ニュースを相互交換し始め、59年にはこれに政治ニュースが加えられました。93年にはアメリカのAP通信社もこれに加わって4社体制となり、国際的なニュースの発信網が確立されました。A

P通信社は46年にニューヨークの新聞社が集まって設立したもので、当初は取材費の節約が目的でした。

こうして地方新聞でさえロイター電として世界中のニュースをほぼリアルタイム（1日遅れ）で記事にできるようになると、日刊紙である新聞の役割は意見表明からニュース性にウェイトがシフトしました。ニュースの質と量が競われるようになって、大規模な新聞社が有利になって新聞の商業化が進みました。また大量印刷の時代に入ると、折からの消費の活発な中間層の拡大から、大衆紙の収入は購読料よりも広告収入にシフトし、新聞社にとっては発行部数の拡大が商業上の優先項目となっていきます。米西戦争（1898年）を引き起こしたとまでいわれるピュリツァーの米『ワールド紙』とハーストの米『ジャーナル紙』[53]による競争は、大衆受けする大げさな見出しや記事を意味する「センセーショナリズム」や「イエロージャーナリズム」として有名です。

日露戦争と新聞

日本の新聞は東京・大阪の都市化とともに日清・日露戦争を経て発行部数を伸ばしました。御用新聞と言えば、第二次世界大戦時に大本営発表を鵜呑みにして国民を煽った大手新聞各社を連想しがちですが、日露戦争の時には逆で、国民から御用新聞と

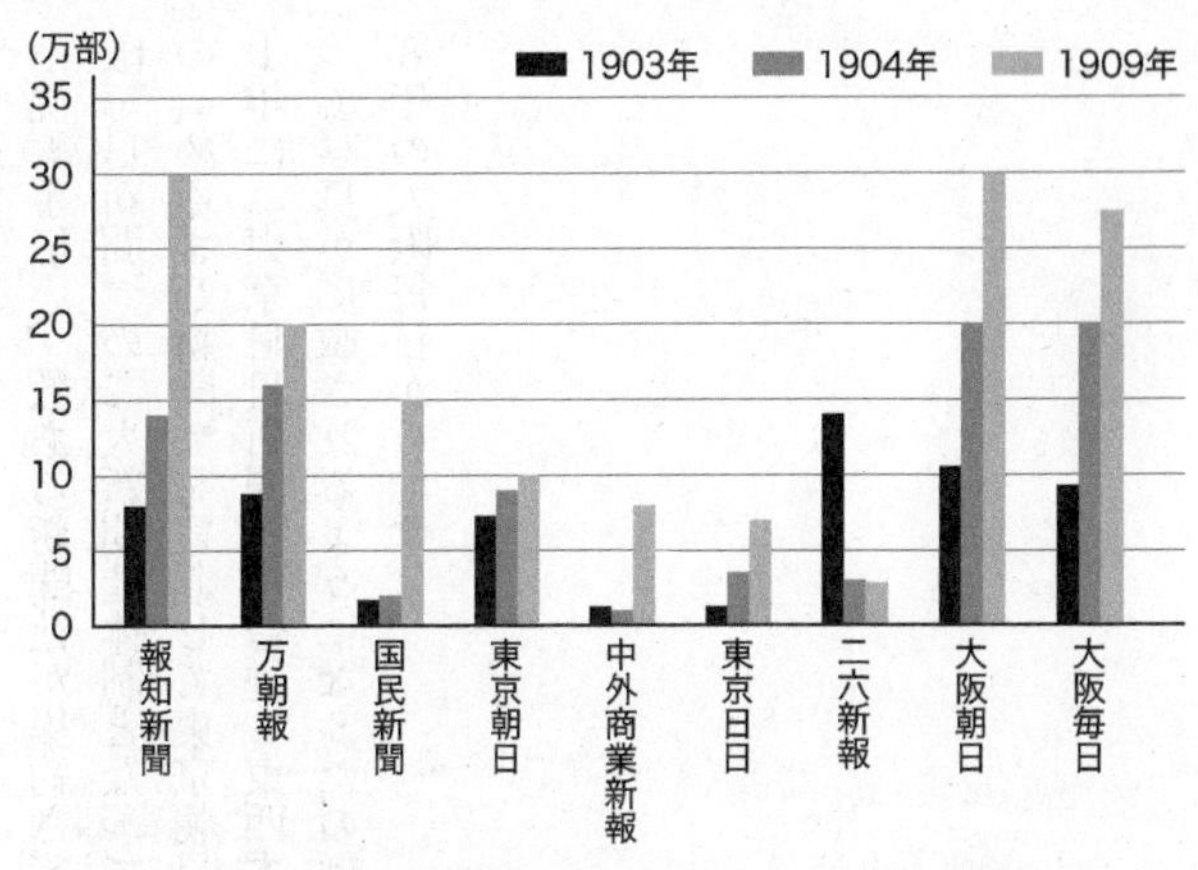

日露戦争当時の新聞発行部数（山本武利『近代日本の新聞読者層』（法政大学出版局、1981年）を元に筆者作成）

呼ばれた『国民新聞』が皮肉にも最も穏便だったのです。毎日新聞の前身である『東京日日新聞』は当初開戦不支持を表明していましたが、開戦後は読者のニーズに合わせて支持にまわり、その他『東京・大阪両朝日新聞』や『大阪毎日新聞』など新聞各社は過激で勇ましい記事を書いて大衆を煽ることで発行部数を伸ばしました。また、戦勝祝捷会（しゅくしょうかい）を主催していたのも新聞社です[54]。日比谷焼打ち事件ではポーツマス条約に不満な多数の新聞記者が、記事だけではなく実際に街に繰り出して大衆を扇動しました[55]。そのためしばらくは発刊停止となる新聞が続出する始末でした。

第一次世界大戦勃発時には、当時の

不況も手伝い、数ある新聞社が集約されて大阪系新聞である『大阪朝日新聞』と『大阪毎日新聞』の二大新聞社体制となっていました。大阪朝日は1888年に自由党系の『めざまし新聞』を買収して東京朝日を設立して東京進出を果たし、毎日は1911年に『東京日日新聞』を合併し東西本社体制を確立しました。[56] 記事中に挿絵に替わって写真が掲載されるようになったのは日露戦争から、新聞記事の口語体化は1918年の大阪毎日からです。

第3章　兵器産業の国際化と戦艦

各国の国内で国民国家意識が醸成されていく一方で、蒸気船などによる輸送手段の発達や金本位制による為替リスクの減少は、資本移動や貿易を通じてグローバリゼーションを進展させました。兵器産業も国際化され、競争にさらされた技術革新はやがて「戦艦」という特別な軍艦を生み出します。

第11話　19世紀のグローバリゼーション

穀物法廃止

フランス革命の勃発から1815年のナポレオン戦争の終焉までの約26年間、イギリスはフランスとほぼ交戦状態にありました。この間、ナポレオンは大陸封鎖令（1806年）を発令して、イギリスと欧州大陸諸国との交易を封じようとしました。当時のイギリスはすでに工業製品の輸出国で農業製品の輸入国だったので、その間にイギリスの食料品価格は上昇しました。このため都市労働者や工業製品の製造業者達は生活に打撃を受けましたが、農業経営の代表者である地主層の懐は潤っていました。しかし、戦争が終結すると食料品の輸入が再開されて、穀物価格が下落しはじめました。そこで、社会的な影響力を持つ地主層は、議会に圧力をかけて外国産小麦の輸入を制限する法律を定めさせました。これが農業保護を目的とした１８１５年の穀物法です。

こうした既得権益層の実利的な動きがある一方で、アダム・スミスの「生産の特化と分業が利益をもたらす」という自由貿易論や、デイヴィッド・リカードの比較優位を原理とする国際貿易論[57]などが貿易商人達の間に広がりました。「自由貿易こそが大英帝国繁栄のための政策である」との議会に対する啓蒙活動が盛んに行われました。

イギリスは当時の人口の自然増加と、農業など第一次産業から工業など第二次産業への労働人口のシフトによって、次第に食料の自給が困難になりつつありました。また１８３２年の議会改革によって都市住民に選挙権が広がりをみせると、地主層の権益である穀物法への批判が強まり、自由貿易への要求が次第に高まっていきました。

そうした状況下で１８４５年にイギリスの支配下にあったアイルランドを「じゃがいも飢饉」が襲い、穀物の輸入制限のために深刻な食料不足に陥り多くの餓死者が出るような状況になります。そのためアメリカへの移民が大量に発生すると、その翌年１月に、当時の首相であるロバート・ピールは議会を動かして穀物法を撤廃したのです[58]。

当初はこの撤廃によってイギリスの農業は輸入農作物によって衰退すると予想されましたが、現実は、産業革命による化学肥料の発明や農業機械の発達とともに、危機感を持った地主層による農業の高度集約化によって、皮肉にもしばらくの間イギリス農業の黄金時代が示現することになりました[59]。

さらに議会は１８４９年に、１６５１年以来イギリスの海運業を保護してきた自国船舶優先の航海法も廃止して、重商主義的で中世的な多くの法律を廃止しました。他国の産業革命に先行して高付加価値な工業製品を販売できるイギリスにとって、自由貿易の推進は国益にかなう有利な国家戦略だったのです。

コブデン＝シュヴァリエ条約

自由貿易を押しすすめるイギリスは１８６０年にフランスとの間にコブデン＝シュヴァリエ条約（英仏通商条約）を締結して、当時は贅沢品とみられたワインとブランデー以外のフランスからの輸入品に対するすべての関税を撤廃します。一方でフランスはイギリスからの繊維製品の輸入禁止を解除して広範囲にわたって平均で15％まで税率を引き下げました。引き下げたとはいえ、15％の関税が残ることはイギリスにとって片務的に映りますが、この条約にはお互いの最恵国待遇が含まれていたので、既に自らの関税を撤廃して第三国との交渉力を失っていたイギリスに代わって、フランスが窓口となって自由貿易圏を広げる結果となりました。各国がフランスに対して最恵国待遇を望むと、フランスが貿易交渉で譲歩したり獲得したりした条件はイギリスにも与えられる仕組みです。こうして自由貿易に近い条約が各国間で結ばれ、19世紀後半の欧州では自由貿易体制が出来上がりました。

少し古い世界史の知見では、1873年のウィーンとニューヨークの金融恐慌に端を発する「大不況」以降に各国が保護主義に方針を変えて、帝国主義の下に植民地を囲い込み、それが原因で第一次世界大戦に至ったという見解も見られましたが、世界貿易額のグラフを見る限り貿易量は20世紀に入って加速しています(60)。さらに各国の植民地向けの貿易も対外投資額も、先進国同士の貿易と比べて多いわけではなく、帝国主義による囲い込みの実態を概念ではなく数値によって説明することは困難です。第一次世界大戦直前のドイツは自身の植民地すべてとの貿易額合計よりも、イギリスの植民地であるインド単体との貿易額の方が多かったのです。

金本位制

長らく金と銀の比価（交換比率）は、金1に対して6倍の重量の銀が必要でした。16世紀に入って、新大陸のスペイン植民地から大量の銀がヨーロッパに持ち込まれる

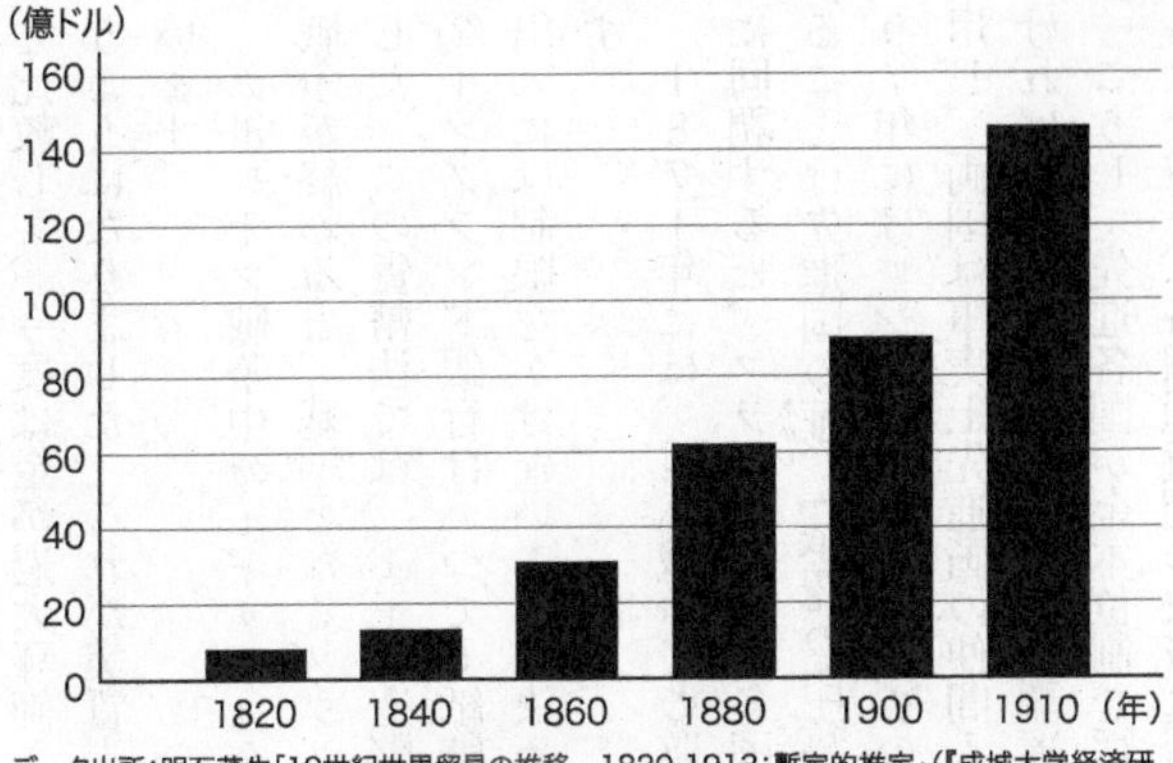

データ出所：明石茂生「19世紀世界貿易の推移　1820-1913：暫定的推定」（『成城大学経済研究』110号所収）

世界貿易額は第一次世界大戦まで拡大

と銀の金に対する相対的な価値が下落して金銀比価は欧州で1：15～16程度になりました。この時のアジアの金銀比価は1：10～12程度と銀の価値が相対的に高かったので、欧州の銀はアジアに流れ込みました。また日本の石見銀山が大量に銀を生産していた戦国時代末期も、中国で銀が高かったので日本から中国へ銀が流出しました[61]。

この頃イギリスは金銀複本位制でしたが、王立造幣局長だったアイザック・ニュートン（万有引力を発見した本人）は1717年に銀のアジアへの流出を止めるべく公定の金銀比価を定めました。これが1：15・21で「ニュートン比価」と呼ばれています。

しかしこの比率は当時の金銀比価相場

と比較して、今度は金が過大評価されていたために、人々は銀貨を退蔵して金貨を使うようになりました。これが実質上イギリスを金本位制としてしまった原因とされています[62]。

ナポレオン戦争中のイギリスは金貨と紙幣との兌換（交換）を停止していましたが、戦争が終わると、基準となるソヴリン金貨の純度を決めて紙幣との交換を法律にしました。この貨幣法では、①王立造幣局は決められた価格で金を無制限に売買すること、②イングランド銀行はいつでも紙幣と金貨の交換に応じること、③イギリスは金の輸出入には制限をかけないことが決められました。これが法制上の金本位制の始まりです。

１８７１年には、普仏戦争での賠償金をもとにドイツが金本位制を採用しイギリスに同調すると、フランスを始め各国はこれに追随しました。当時、金本位制を採用することは先進国の証、「承認の印章」[63]であると考えられるようになったのです。１８９７年にはロシアと、日清戦争でのポンド建ての賠償金を元手に日本が金本位制を採用し、両国は事実上先進国の仲間入りを果たしました。この時の金本位制の採用がなければ日本の日露戦争時の資金調達はきっと不可能だったでしょう[64]。

こうして先進各国が金本位制を採用し、金の価値にもとづいて通貨価値を決めるようになると、各国通貨間の決済において為替変動リスクがなくなり貿易や資本取引が

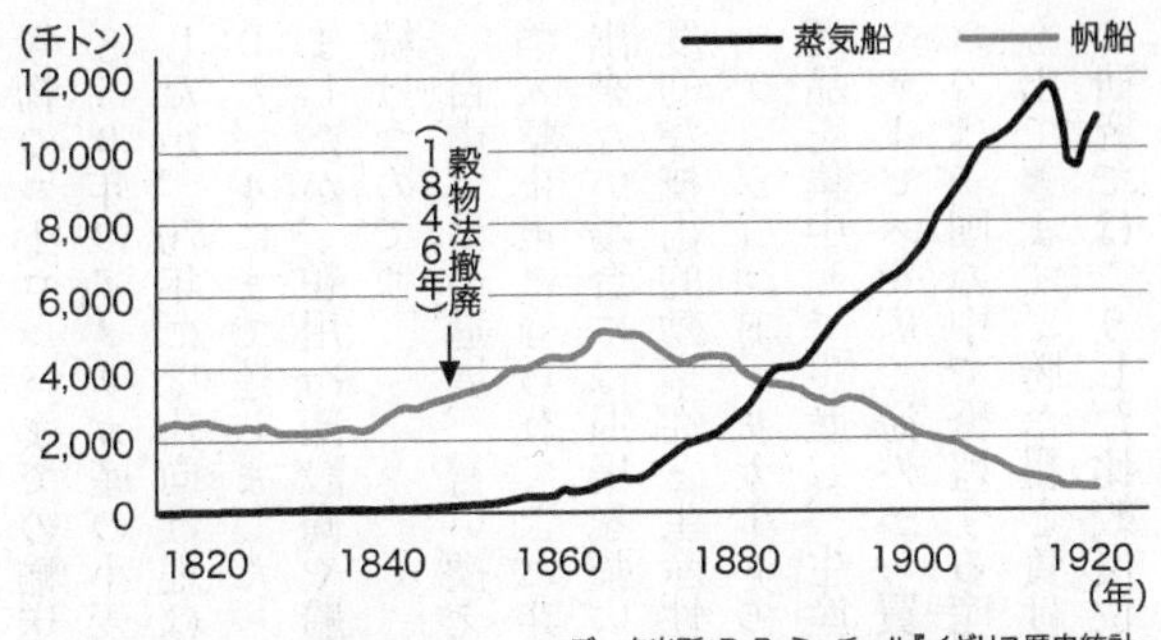

穀物法撤廃後に船舶量が増加した（数字はイギリス登録船舶のもの）

しやすくなりました。

格差拡大

通商条約や金本位制など、こうした自由貿易体制の進展に拍車をかけたのが鉄道や蒸気船などの交通機関の発達です。

フルトンの蒸気船は鉄道よりも早く発明されていましたが、外輪を推進力とする間は内航や河川の貨客が中心で、本格的に外航航路に進出するのは蒸気機関の性能向上とスクリュー推進になって以降です。グラフはイギリスで登録された帆船と蒸気船の純トン数（荷物積載量）の推移です。穀物法撤廃以降に帆船を中心に船舶量が増加している様子がわかります。帆船は60年代にピークを打ち、やがて蒸気船にその座を明け渡します。アメリカ大陸の鉄道網が東海岸の港に連結して、船舶の主力が帆船から蒸気船に移ると、北アメリカ産穀物のヨーロッパまでの輸送費は帆船時代と比べて4分の1にまで下落しました。1850年のアメリカ産の小麦の輸出は近隣の西インド諸島向けに800万ドルほどでしたが、70年には仕向け地はヨーロッパとなり6800万ドル、80年には2億2600万ドルにまで達しました。こうした傾向にヨーロッパでは保護主義的な動きもありましたが、船用冷凍設備や船舶の大型化もあり世界貿易額は第一次世界大戦まで伸び続けたのです。

自由貿易の進展、言い換えればグローバリゼーションの世界では、それまで関税や輸入禁止策に守られてきた非能率な産業は近代化や技術的な改善を求められ、それが出来ない場合には退場を強いられました。こうして19世紀後半のヨーロッパでは加速度的な技術的効率性と生産性の上昇がみられたのでした。ディヴィッド・リカードの比較優位の理想の世界では、参加国の国民は比較優位な商品を集中して生産し、生産性を向上させ、その代価で自国にない高品質で安価な財やサービスを広く海外から買えるようになるはずです。ところがグローバリゼーションでは一国の中で繁盛する産業もあれば、競争力を失い退出しなければならない産業も出てきます。勝ち組と負け組が峻別(しゅんべつ)されるのです。歴史・経済学者小野塚(おのづか)知二(ともじ)教授の研究[65]ではこうした比較優位と国際分業が産み出した、抑圧された側の民衆心理に宿った不満こそが、第一次世界大戦発起の原因ではないかと問題を提起しています。またトマ・ピケティ[66]が指摘しているように、19世紀以来の第二次グローバリゼーションが、今まさに進展している現代社会では、国別の格差が縮小する一方で、それぞれの国内での格差が拡大しているのはご存じのとおりです。

米国ではグローバル化したシリコンバレーやニューヨークなどの「イノベーション都市」[67]と旧来産業型のラストベルト地帯の格差が際立って、2016年の米国大統領選では、ポピュリズムと非難されながらも予想外のトランプ大統領が当選しました。昨今国際分業において抑圧される部門が存在する構造は今も19世紀後半と同じです。昨今の途上国の経済的躍進と、そのために職を奪われる先進国の非効率な産業の労働者が存在します。先進国の多くで見られる人種や宗教に対する不寛容とナショナリズムを基調とする排外主義的右傾化の傾向はこうしたグローバリゼーションの持つ性質と無縁ではありません。

第12話　兵器産業の国際化

銃の大量生産

種子島（たねがしま）に持ち込まれた日本の火縄銃は、西洋でいうマスケット銃の一種です。銃身の先から火薬を入れ、その上から鉛の丸い弾を押し込む。そして火薬に着火してその爆発力で弾を発射する構造です。これは1発撃つたびに火薬と弾の装塡に手間がかかるので、どんなに熟練した兵士でも1分間に3発の発射が限度だったようです。19世紀初頭のナポレオン戦争でも、まだマスケット銃同士の闘いで、3列ほどの横隊の歩兵が整列して、隠れもせずに向かい合って撃ち合う戦い方が主流でした。

現在に至る銃の進化には、構造上、2つの大きな技術的な革新がありました。それは砲身内部の①「施条」(ライフリング)と、弾の装塡を手元で行う②「後装」で、これは口径の大きい大砲でも同じことです。

「施条」とはマスケット銃の銃身の内側に旋盤によって渦巻状に溝を彫り、椎の実形の弾丸を回転させながら発射する仕組みのことです。フランスのミニエー大尉が考案したので当初はミニエー銃と呼ばれました。この銃では発射時の火薬の燃焼とともに、施条された溝に沿って排出される高速のガスによって、弾丸に回転がかけられて直進性と飛距離が伸びる仕組みです。

クリミア戦争(1853-56)のロシア軍は従来型のマスケット銃を使用していたので射程距離は200メートル程度でしたが、敵対した英仏軍はミニエー銃だったので1キロの距離から射撃できました。マスケット銃のように古いタイプで砲身内に溝が彫られていない銃や大砲を滑腔銃(砲)と呼び、一般に球形の鉛の弾丸が使用されていました。一方ミニエー銃のような溝のある銃を施条銃(砲)と呼び、現代の銃弾のように椎の実形の弾丸が使用されました。

もうひとつの革新が「後装」です。これは手元で弾を込める方法で「元込め式」とも呼ばれ、この反対は火縄銃のような「前装」で、銃身の先から弾を入れる従来の方法です。プロイセン軍はこの後装式で尚且つ施条されたドライゼ銃を開発して、1840年には全軍に装備すべく生産を開始しました。

ドライゼ銃では弾丸と紙の薬莢（発射用の火薬の包み）が一体化しており、兵士は伏せた状態や物陰に隠れたまま自分の体を敵にさらすことなく、手元で速やかに弾丸を装填できました。このため横隊を組んで整然と前進してくる敵に対して物陰から射撃できたために、プロイセン軍は60年代のドイツ統一戦争においてこの銃で敵を圧倒したのです。

105mm戦車砲の施条
（出典：L7 105mm tank gun Cut model on display at the Deutsches Panzermuseum Munster, Germany by Pollyanna1919）

　銃は技術的に進化したものの、製造上の問題点が残されていました。鉄道の登場や徴兵制によって数倍にも膨れ上がった数の兵士に装備するための銃や弾丸の生産能力です。銃はこの当時、最高の精密機械だったので製造には熟練した職人芸が要求されたのです。プロイセンのドライゼ銃の場合には当初年産1万丁を越えると品質保証が困難になったそうです。職人による手作業の限界でした。[68]

この数字は当時のプロイセンの現役兵と予備役兵32万人にドライゼ銃を1丁ずつ配るだけでも32年もかかる計算でした。こうした兵器の大量生産の問題は、特にクリミア戦争時のイギリス陸軍において生じました。イギリスは徴兵制を持たないために平時の現役兵は少なく、そのため戦時の志願兵急募による突然の増員に対して最新式の銃が不足したのです。

こうした経緯で注目されたのが大西洋をはさんだ新興国米国のオートメーション技術でした。アメリカは移民の国で若い人が多く、当時は常に熟練工の不足に悩んでいましたので、こうした自動生産技術の開発には熱心だったのです。

1851年のロンドン第1回万国博覧会では、アメリカのコルト社が大量生産用のフライス盤(金属切削加工機)を出展しました。[69]この機械は同じサイズのパーツを大量に製作できる点が強みで、コルトは展示場で2丁の拳銃をバラバラに分解して、パーツを混ぜた後に2丁の拳銃(けんじゅう)を再び組みなおして見せました。これはパーツごとに大量生産をしても同じ規格の部品の製作が可能で、後に別の職工が組み立てるだけで完成品が出来ることを示していました。それまでのヨーロッパの工芸品の銃ではできない芸当だったのです。

イギリスが先ずこの技術を取り入れて成功すると、各国がアメリカ式製造方法を採用して銃器の量産体制が確立されるようになりました。また自動化の恩恵で、弾丸も発射用の火薬が詰め込まれた金属製の薬莢と一体化して生産できるようになりました。弾丸と薬莢の一体化は装塡（弾込め）を容易にして、後に機関銃など銃の自動化へと繋がっていきます。

こうして1860年代末には、各国はわずか数年で必要量の銃の生産が可能な状態になり、ヨーロッパ中の兵隊に後装式施条銃が行きわたるようになりました。それまでの兵器の主な製造業者は各国の軍工廠（軍経営の兵器工場）でしたが、これ以降民間企業も参入して手工業だった銃製造が産業化されていきました。幕末や西南戦争を扱った小説や映画には火縄銃を始めミニエー銃やエンフィールド銃など様々な種類の銃器が登場しますが、それは当時の欧米が銃の技術革新の過渡期だったからです。

兵器の自由貿易

クリミア戦争のシノップの海戦（1853年）以降、炸裂弾の普及によって従来の木造戦列艦は鉄製の装甲艦にとって代わられました。すると今度は鉄の装甲を破壊するために、砲弾に詰め込まれる炸薬量の増加と、砲弾の発射速度を上げる必要ができました。この問題の解決方法は大砲の大型化と、銃の発達と同じように砲弾の速度を上げるための砲身の施条化でした。(70)

1862年に幕府海軍がオランダに発注した「開陽丸」にはプロイセンのクルップ社製の前装施条砲が18門装備されていました。また64年の馬関(ばかん)(下関(しものせき))戦争や薩英(さつえい)戦争でのイギリス艦隊にはイギリス、アームストロング社製の後装施条砲が装備されていました。しかし大砲は銃に比べて砲身内での火薬の燃焼による圧力が非常に高いために、当初は後装式の弾丸を込める部分の機構にガス漏れや爆発などの事故が頻発しました。

当時のイギリス海軍は薩英戦争での事故(365発中28発が不発)を機に、(71)アームストロング社製後装施条砲の採用を中止して、さらに既得権益者である工廠関係者からの圧力も手伝って、民間兵器会社への発注も停止してしまいました。調達元を官立のウリッジ工廠に一本化してしまったのです。薩英戦争は兵器の歴史に大きな影を落としていました。

このためアームストロング社はイギリス海軍という最大のお得意様を失い、生き残りをかけて他国の陸海軍に兵器を売り込みに行くしかなかったのです。当時の国際兵器市場ではイギリスのアームストロング社、プロイセンのクルップ社、フランスのシュネーデル・クルーゾー社、オーストリアのシュコダ社などの業者が争っていました。各社は当時の万国博覧会に製品を出品し、イギリスのアームストロング社はプロイセン陸軍に大砲の売りこみをかけたし、プロイセンのクルップ社の最初の大手客はプロイセン陸軍ではなくロシア陸軍でした。クルップ社主のアルフレート・クルップなどは普仏戦争の空気が充満する1867年のパリ第2回万国博覧会においても、平気でフランスのナポレオン三世に最新式の大砲を売り込もうとしていたほどです[72]。かなりの変わり者だったようですが。

兵器産業は当時としては設備に巨額の資本投下が必要でしたので、政府の発注が安定しなかったために他国の軍隊への輸出は重要なビジネスだったのです。こうしたオープンでグローバル化した国際兵器市場が存在したからこそ、製鉄所すら持たない日清・日露戦争当時の日本でも、日本海海戦の主力艦である戦艦「三笠」のように手抜きの無い世界トップクラスの戦艦を輸入することができたのです。こうした国際市場での激しい競争は兵器の進化を加速させました。特に当時の近代技術が高度に集積された軍艦の分野で顕著でした。

第13話　イギリス海軍の危機

ジューヌ・エコール（青年学派）

１８５2年にイギリスで特許法が改正強化されて知的財産権の保護や特許使用権の取引などが活発化すると、発明を秘密にするよりは、むしろ公開してビジネスにした方が有利になって、民生品とともに兵器に関する特許出願も増えました。イギリスの特許庁では、記録の残っている1617年から1850年までの間に小火器に関して300件ほどの特許を認めましたが、1850年からのわずか10年間だけでその倍の600件もの特許が認められています。

１８７1年にイギリス人ロバート・ホワイトヘッドが自走式の魚雷を開発すると、(73) 76年にはイギリスのソニークロフト社がその魚雷を装備した高速の水雷艇「ライトニング」号を開発しました。27メートルの船体に時速18・5ノット（34キロ）は当時の基準では快速艇でした。

機雷や魚雷などの船の喫水線下で爆発する兵器は、水の密度が空気より濃いために爆発の圧力が高く、水面下の船体を破壊できるために浸水によって敵艦を沈没させやすい特徴があります。

小型な水雷艇は建造費が安いのに一撃で50から100倍もの高価な装甲艦を倒せる

のでとても魅力的でした。この当時の大型艦の大砲にはまだ前装砲が多く、短時間に何発も撃てないために高速の小型水雷艇が近づいてくることを阻止できないという弱点がありました。

一方でイギリス海軍の仮想敵国であるフランス海軍は、米独伊の新興海軍の台頭によって相対的な地位低下に悩みながらも、普仏戦争後もドイツとの緊張に備えて陸軍に予算を傾斜させる必要があり、財政的な制約を受けていました。またフランスは大西洋とともに地中海側にも海岸線があり、勃興する独墺伊の海軍にも対処せねばならず、もはや正面を切ってイギリス海軍と対抗する経済的な余裕はなくなっていました。

こうした事情から登場したのがフランス海軍将校オーブを中心に策定された「ジューヌ・エコール」[74]という新しい海軍戦略です。限られた予算でも蒸気機関や魚雷、速射砲などの最新兵器を備えた運動性能の良い小型の高速巡洋艦や水雷艇を揃えれば、十分にイギリス海軍にも対抗可能だと考えたのです[75]。1881年から87年までこの考え方はフランス海軍で主流を占め、各国海軍にも影響を与えました。予算の乏しかった日本海軍でも日本名を「青年学派」と翻訳して研究され、日清戦争では速射砲を装備した軽快な巡洋艦を揃えて大型艦を揃えた清国北洋艦隊に打ち勝ちました。

フィッシャー大佐とメディア

1863年の薩英戦争におけるアームストロング砲暴発事故以降、イギリス海軍は兵器の発注を官立のウリッジ工廠(こうしょう)に限定しました。しかし、官僚的で技術革新の滞りがちな官立工場が旧式な前装砲技術に固執している間に、民間業者の作る軍艦や大砲などの製品は、自由貿易と激しい国際競争の下で急速に進化していきました。

1881年にアームストロング社のエルジック造船所がチリ海軍向けに、後にエルジック・クルーザーとして巡洋艦の標準形になるほどに高速で高性能な「エスメラルダ」(後に日本海軍が購入して「和泉(いずみ)」に改名)を起工すると、フランスのジューヌ・エコール戦略に対する不安も手伝って、イギリス海軍の若手士官達に危機感が走ります。

「イギリスのメーカーが何故他国の海軍のために最強の武器を提供するのか?」

また同じ頃に燃焼効率の良いニトロセルロース系の無煙火薬が発明されると、砲身内での火薬の燃焼時間が長くなりました。「ボッ」ではなく「ボゥー」と燃焼時間が長くなると弾丸に対する加速時間が長くなります。これは大砲の砲身を長くして加速時間を稼げば砲弾の初速が増して大砲の射程距離が伸びることを意味していました。

そして砲身を長くするとウリッジ工廠が製造可能な旧式な前装砲では、1発撃つごとに弾込めのために砲身を低い位置に直さなければならないことが問題になりました。

またこの火薬は燃焼後の残留物が少ないために発射後の砲身の清掃が必要なくなり、

巡洋艦「和泉」

連続的に砲弾を発射する速射砲に向いていました。砲弾を先込めする大砲では速射砲はできません。一方で、速射砲があれば近接する水雷艇を撃破できます。

しかし、こうした状況下でも貴族的な階級的背景を持つイギリス海軍首脳部は保守的で、前装砲から後装砲への装備転換の予算が確保できませんでした。産業革命に先行し技術的に常に先行していたはずのイギリス海軍の技術的優位性が危うくなっていたのです。若手士官たちの焦燥は募るばかりでした。

1884年に若手士官の代表的存在であったジョン・フィッシャー海軍大佐は、当時の有力誌「ポール・モール・ガゼット」のW・T・ステッド編集長に対して、海軍に関する秘密情報を意図的に流して、『海軍に対する責任（*The Responsibility for the Navy*）[76]』という問いかけ形式の「やらせ」の記事を書かせました。それは「我が国のフランスに対する海上優位などは既に存在しない、海軍に資金を投入しなければ国が危ない」というもので、掲載はタイミングよく国会の開会時期に調整されていました。19世紀後半の識字率の向上と新聞や雑誌メディアの発達（第9話・第10話）のもと、国民国家意識にめざめつつあった大衆は、この意図的に煽（あお）られた「国家の危機」という情報の前に不安感を募らせました。

さらにこの年は普通選挙運動が盛り上がり、自由党政府は有権者の範囲を成年男子の70％にまで広げる新選挙法案を提出したところでした。この選挙法改革で所得税や不動産税を支払う金持ちの有権者は少数派となり、選挙権を得た税負担の無い労働者や失業者達などの階層が軍事予算拡大を支持するようになりました。彼らにすれば戦備拡大による戦争勃発への危惧（きぐ）などよりも、予算拡大は単純に自身に負担の無い景気対策であり、失業対策だったのです。フィッシャーのこの国民を直接煽るやり方は海軍士官による政治介入であり、理性ではなく大衆の感情に国家の将来を委（ゆだ）ねる危険な兆候でした。国家の将来を国民投票に委ねることは必ずしも正しいわけではない事例です。

フィッシャーはこの策略で5か年計画・5500万ポンドの海軍拡張予算を獲得することに成功します。当時は国家の総支出が年8540万ポンドで通常の海軍の支出が年1070万ポンドですから、1年につき1100万ポンドの増加は10％の増加でした。

少ない額に見えますが、当時は海軍費の拡大は失業対策のための造船業を通じた景気刺激策としても捉えられ、これ以降、不況時には海軍予算が拡大するようになりました。普通選挙によって実現した民主主義とは生活に直結した現実主義であって、必ずしも理想的な平和主義ではなかったのです。

1889年には、フィッシャーはフランスとロシアの海軍が組んでイギリスに挑んできても負けない海軍戦略として「二国標準主義」を掲げて、イギリス海軍は2回目の5か年計画である海軍防衛法を成立させます。今度は2150万ポンドの予算を獲得しました。この艦船建造計画の70隻のうち約半数がアームストロング社など民間企業に発注され失業者を吸収していきました。

一方で今度はイギリスの艦隊拡張計画に刺激され、フランス海軍が危機感を持ちました。速射砲の普及は小型艦艇が大型艦に近接することを困難にしました。このためフランス海軍はジューヌ・エコールを放棄して再び大型艦による艦隊を建設し始めました。

第14話　近代的戦艦の登場

「ロイヤル・ソヴリン」級戦艦

1840年のアヘン戦争では小型蒸気軍艦の機動力が認識されました（第2話）。1853年の露土(ろと)戦争におけるシノップの海戦では、炸裂弾の登場によって伝統的な木造戦列艦の時代が終わりました（第4話）。こうして1860年代以降は鉄製軍艦の時代となったのですが、蒸気機関の信頼性はまだ低く、燃費の問題もあって、しばらくは風力による帆走を捨てきれないでいました。船体中央部は相変わらず帆柱に占拠されて、大砲は帆船時代と同様に軍艦の舷側(げんそく)に並べて搭載されていました。

1880年代に入って、蒸気機関も箱型の煙管式ボイラーから、高圧蒸気に耐える水管式ボイラーに進化して、発生させた蒸気を効率よく使い回す連成機関が実用化されると、蒸気機関の出力と燃費効率が上昇して、製品の品質の向上から信頼性も増してきました。

また銑鉄(せんてつ)を鋼(はがね)にするベッセマー法などの新しい製鋼技術の進歩や新型火薬の発明などにより、大砲が大型化して砲身が長くなり、その重量が増してきました。

こうなると艦に搭載できる砲の数も制限されて、従来の軍艦のように舷側に一列に並べるようなレイアウトが物理的にとりにくくなり、限られた数の大砲を主砲として

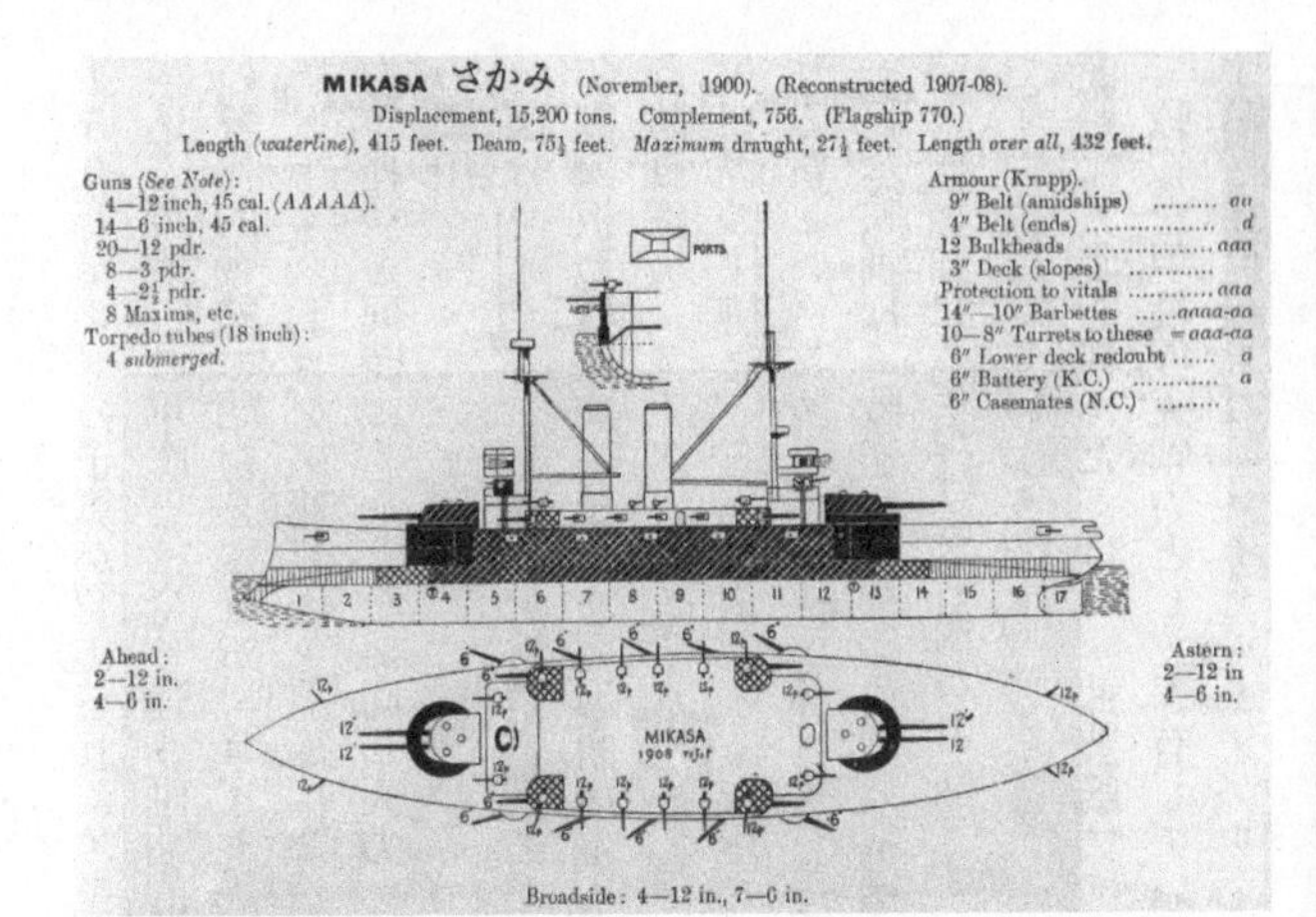

戦艦「三笠」の防御鋼板（出典：『ジェーン年鑑』1914年版）

軍艦の中央部に搭載するようになります。

さらに、主砲が艦の中心に搭載され旋回式の砲塔になると、帆走用のマストも邪魔になり、信頼できる蒸気機関とともに軍艦の外観が大きく変わりました。主砲の大型化とともに砲弾もひとつで数百キログラムと人間が持てないほどに重たくなりました。

砲塔は砲弾の貯蔵から装填までをシステム化して円筒状の容器内に収めて、被弾時の誘爆防止のためにユニットとして防御鋼板で覆う必要が出てきました。また主砲の破壊力の増大とともに、エンジン部分など艦の心臓部にも装甲が必要となりました。

1889年の海軍防衛法によって2

150万ポンドの予算が認められたイギリス海軍は、技術革新を見据えて、予算をつぎ込んで既存の軍艦とは全く違う画期的な戦艦を竣工させました。これが1892年の近代的戦艦の始祖とされる「ロイヤル・ソヴリン」級です。後装施条式34・3センチアームストロング連装砲を前後に2基、計4門の装備は、当時無敵の圧倒的な破壊力を持つと同時に、もし敵が同じ火力を持ったとしても、その破壊力に耐えうるだけの装甲を持っていました。

図はロイヤル・ソヴリンと基本構造が同じ1899年起工の我が国戦艦「三笠」の防御鋼板の概略図です。2つの防御鋼板に覆われた砲塔と中央防郭（シタデル）を覆う防御鋼板（アーマー）が示されています。このように帆走用のマストが取り除かれ、大口径の主砲と、それに耐えうる装甲を装備した艦種こそが戦艦（Battleship）と呼ばれる新しいクラス（基準）になったのです。

日本映画は『戦艦エムデン』や『戦艦バウンティ号の叛乱』など、どんな軍艦にも「戦艦」と名前をつける習慣があります。その影響なのか、日本では今でも新聞記事ですら誤用が多いようです。「エムデン」は「軽巡洋艦」であり、「バウンティ」号は商船に大砲を積んだだけの「武装艦」です。ましてや中国海軍も含めて、現代の海軍で戦艦を現役の実戦力として保有している国はありません。戦艦とは、例外はありますが、19世紀末の「ロイヤル・ソヴリン」からベトナム戦争までの限定された期間の、当時の国際政治に対して大きな影響力を及ぼした兵器のことです。

近代的戦艦と日本

イギリスの1889年海軍防衛法による海軍予算の2150万ポンドは、1ポンドを約10円として当時の日本円に換算すると2億1500万円に相当します。同年の日本の国家予算（一般会計歳出の合計）が約8000万円だったので当時の日英の経済力の差がわかるでしょう。

日本の予算のうち約30％に当たる2360万円はすでに陸海軍の軍事費で使われていたので、日本という国家は年間約5000万円で運営されていたことになります。それでも当時の極東を取り巻く状況では戦艦を欲しました。

世界初の近代的戦艦である「ロイヤル・ソヴリン」級と基本設計が同じ1893年発注の戦艦「富士」や「八島」（ともに1万2500トン）の建造費は、1隻約1050万円でした。あまり現実的ではありませんが、現在の国家予算に単純に例えるのであれば10兆円の船を2隻も買うことに相当します。戦艦は非常に高価なものだったのです。

1885年に清国の北洋艦隊がドイツ製の「鎮遠」、「定遠」という最新鋭の独クルップ社製後装施条砲を採用した7000トンクラスの2隻の鋼鉄装甲艦（まだ戦艦ではない)を就役させると、東シナ海での清国艦隊は戦力的に無敵の存在となりました。日本海軍はこれに対抗すべく、最新鋭の軍艦を2隻調達したいと政府に提案したのですが、その予算は当時としては非現実的な金額でした。

日本は1890年から第1回帝国議会が始まりました。有権者は直接国税15円以上納付の25歳以上の男子で、全国民の1・1%という制限選挙でした。地租を支払う地主層が主体の民党が議会を支配していたために、税負担を伴う予算拡張には基本的に反対の立場でした。

1891年の第2回、92年の第3回、93年の第4回議会でも戦艦購入の予算案は否決されました。そこで見かねた明治天皇が建艦詔勅というものを出して、予算案が再審議されてようやく議会を通過することが出来ました。建艦詔勅は天皇自ら皇室の費用を毎年30万円節約して6年間拠出し、公務員も俸給の10%を寄付するので、民党も協力して軍艦を作ろうじゃないかというものでした。しかしながら、この翌年の1894年に日清戦争がはじまってしまい、結局、この2隻の戦艦「富士」と「八島」は清国との海戦には間に合わなかったのです。

日清戦争が終わると、露仏独の三国干渉により今度はロシアが日本の仮想敵国として浮かび上がってきました。その海軍としての対策が10か年計画の六六艦隊計画です。1896年には艦隊計画10年分の予算総額である2億1310万円が議会を通過しま

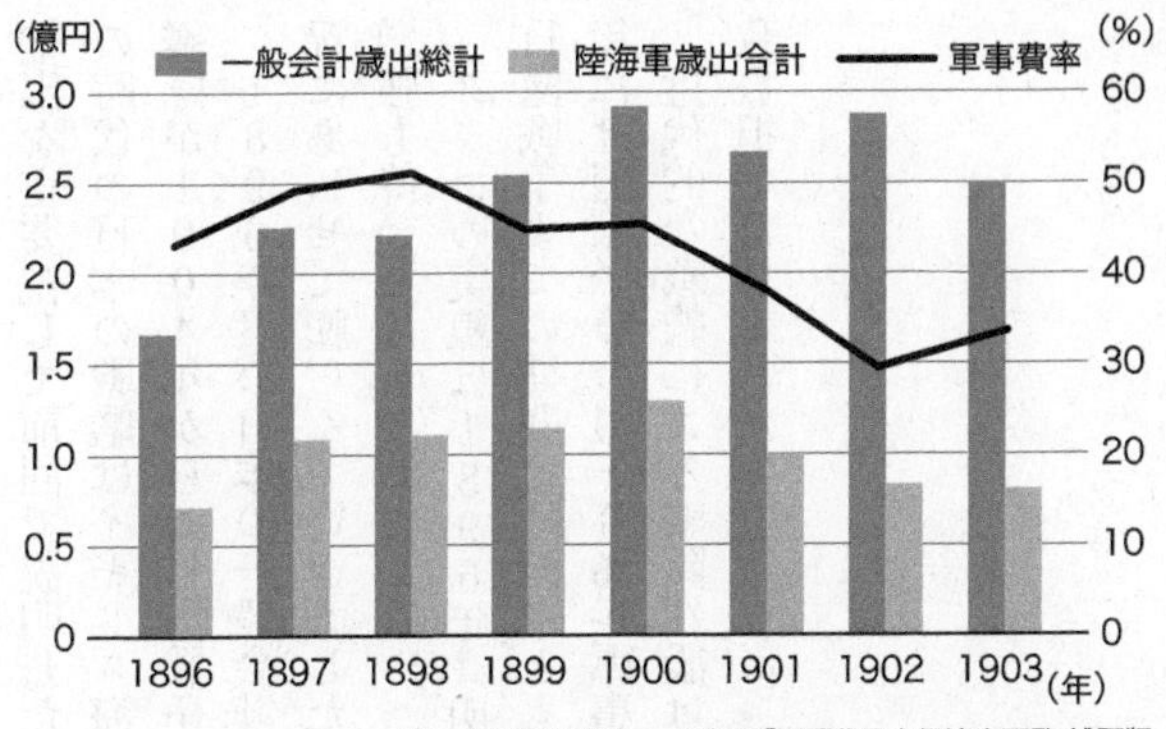

日露戦争以前の日本の軍事費

したが、これには清国から得た賠償金3億6000万円のうち約1億3000万円が使われていました。現代から見ると、まさに綱渡りの建艦計画で日清戦争の賠償金がなければ、日本海海戦もよほど違ったものになっていたでしょう。

六六艦隊計画とは戦艦6隻、一等巡洋艦6隻の艦隊を建設しようという計画です。戦艦はすでに「富士」と「八島」の2隻があったので、残り4隻の同クラスの戦艦を建造して、それに加えて一等巡洋艦6隻を建艦する計画でした。外交上の配慮からドイツとフランスにそれぞれ1隻ずつ発注された巡洋艦を除くと、すべての艦がイギリスに発注されました。

イギリスのヴィッカース社やアームストロング社などの民間メーカーも、自国海軍の発注だけでは設備を維持するに十分ではなく、輸出を重要視して前回で説明した事情からビジネスとして手を抜かなかったので、この時代の日本の戦艦はイギリス海軍のものと同性能か凌ぐものさえありました。この艦隊が１９０４年からの日露戦争における日本海軍の主力艦隊となったのです。

１８９６年度の日本の一般会計は１億６８００万円です。建艦計画の予算は毎年状況にあわせて膨らんでいきました。また一方で想定される対ロシア戦に備えて陸軍の増強も待ったなしでした。

グラフの実線は１８９６年（明治29年）以降の一般会計に占める軍事費の比率です。日露戦争までの期間は陸海軍とも毎年５０００万円ずつ合計１億円近くの出費で、98年には国家予算の51・8％が軍事費に投入されていました。

近代的な戦艦による艦隊建設は日本だけでなくヨーロッパの列強各国でも大きな財政負担となりました。

第４章　世界から見た日露戦争

司馬遼太郎（しばりょうたろう）の小説やＴＶドラマの『坂の上の雲』で日露戦争は日本でよく知られています。しかし、この戦争が様々な側面から後の第一次世界大戦に大きな影響を与えていたことはあまり知られていません。アカデミックな世界では「第０次世界大戦」とも分類されるこの戦争について、世界の流れの中でもう少し探ってみます。

第15話　マハンの『海上権力史論』

ヴィルヘルム二世の即位

普仏戦争を経て統一されたドイツ帝国は、プロイセンが主導権を持ちつつも25の邦国からなる連邦制の立憲君主国家でした。普通選挙による帝国議会を持ち、議会には政府提案の法律案を審議して予算案を承認する権限がありました。

ドイツでは統一後に人口増加や経済成長、工業化による急速な都市化がすすみました。すると劣悪な都市環境で働く賃金労働者が大量に発生して、こうした層がドイツの社会主義勢力の基盤となっていきました。

ビスマルクは民法典の統一や金本位制の採用、関税撤廃など当時の欧州の経済思潮であった自由主義を中心に経済発展を促しましたが、ひとたび政治的な流れが変わると農工業製品を守るために保護関税を採用するなど、柔軟な政策対応をしました。また社会主義勢力に圧力をかける一方で疾病（1883年）・労災（1884年）・老齢（1889年）など社会保険制度を充実させて大衆を懐柔しました。これらは被保険者自らも基金に拠出する形態で、恩恵的・救済福祉的な「救貧」ではなく先進的な制度設計でした。

普仏戦争の後、ヴィルヘルム一世が統治して首相ビスマルクが国家運営を託されている間のドイツは、国力増強に力を注ぎ、拡張的な外交政策は採らず、国際関係における現状変更の野心は見せませんでした。それでもドイツは人口増加と鉄鋼や電機、化学など、当時の先端分野における工業化とともに、国際社会における存在感を増していきました。ドイツの資本家たちもそう考えていました。戦争などせずともやがてはヨーロッパでの経済覇権を握っていたでしょう。

1888年に29歳の若いヴィルヘルム二世が即位して、高齢でそりの合わない首相のビスマルクを退陣させると、ドイツの外交政策はヴィルヘルム二世の意思を体現して帝国主義的で拡張的なものに変わっていきます。

1880年代末ごろからドイツでは社会民主党が議席を増やしてきました。保守政党が次第に勢力を失い、不安定化する国内政治の中で、皇帝がイニシアティブを発揮して、なおかつ国民の合意がとれたのが愛国心に訴える「世界政策」とも呼ばれる対外膨張政策でした。

ビスマルクは、将来のドイツが東西両面での戦争を避けられるように、またフランスを孤立させるためにロシアとの間に安全保障条約を締結していました。ところが1890年になって、バルカン半島においてロシアと、ドイツの盟友であるハプスブルクの対立が鮮明化するとヴィルヘルム二世はこれを理由に、ロシア側が希望したにもかかわらず条約の期限を更新しませんでした。

この結果はヴィルヘルム二世の予想外でした。インフラ投資の資金不足に悩むロシアは、翌年から軍事的観点に加え外資の導入も見込めるフランスと交渉を開始して、1894年には軍事同盟である露仏同盟を締結してしまったのです。ドイツにとってフランスとロシアという東西両面の敵の出現は、本来一番避けなければならないことでした。

一方でロシアはフランスの資本が導入されることによって、鉄道などのインフラの整備が進展しました。1891年のシベリア鉄道着工はその一環です。ロシアでは、ドイツ製に替わってフランスの鉄鋼や機械、兵器が輸入され、ドイツとは経済的に次第に疎遠になっていきます。ドイツ側では、軍事的にロシアとフランスに包囲されているという危機意識が次第に醸成されていきました。もとはといえばヴィルヘルム二世自身が播(ま)いた種でした。ドイツはオーストリア、イタリアとの間に三国同盟を結んでいたので、ヨーロッパ世界はドイツを中心とする①三国同盟と、②露仏同盟と、「栄光ある孤立」を守る③イギリスの三極の勢力構造になりました。

シーパワー

ヨーロッパ列強のパワー・バランスに変化の兆しが見え始めたこの時期に、米国の海軍大学校長で海軍史と海戦術を教えていたA・T・マハン大佐が『海上権力史論』[77]（1890年）を出版しました。この本は、ローマ時代の第二次ポエニ戦争から始まり、スペイン、オランダ、フランス、イギリスの海上における覇権と盛衰の歴史を追う中で、「シーパワー」という海上覇権の概念を導き出しました。

マハンは「貿易は国旗の後に続く（trade follows the flag）」と、商業圏の確保は国家盛衰の要諦(ようてい)であり、国旗を代表する海軍力こそがこれを可能にすると説きました。これは成長著しいアメリカの海軍は、拡張して貿易のための海上覇権を確保すべしという意図の海軍戦略のテキストでした。

シーパワーの確保には大艦隊の建設が必要です。世界中の野心的な皇帝、政治家や

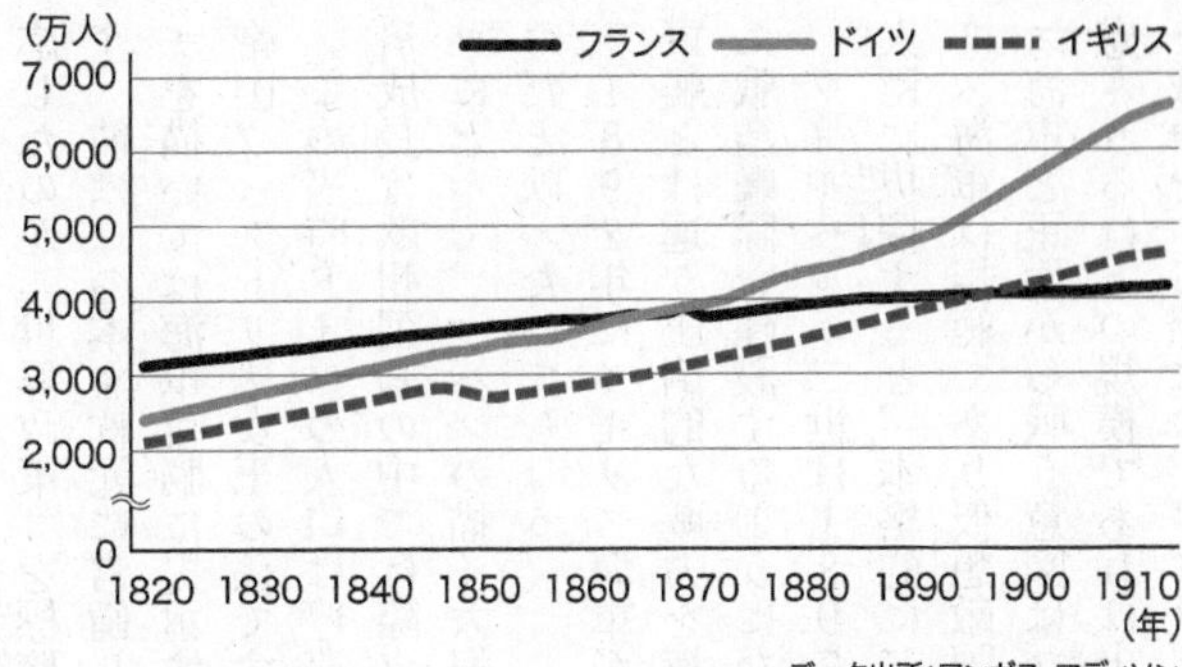

英独仏の人口推移

海軍軍人達は、大海軍を整備して海を制することこそが、貿易を制し経済を発展させる祖国繁栄への途であると、自分たちに都合よく理解しました。この本は英語圏だけではなく各国でベストセラーとなり、当時の知識層に対する海軍予算拡張のための啓蒙書となったのです。

日本海軍では１８９６年に水交社から金子堅太郎の翻訳で出版され、艦隊建設のための予算確保の一助となるべく読者は一般人へと広がりました。当時の新聞雑誌に数多くの書評が残されています。また日本の仮想敵国であったロシアも、シベリア鉄道建設にともない極東でのプレゼンスが増す状況にありました。そのためにこの本の影響を受けてバルト海、黒海とともに太平洋においてもロシア艦隊の充実を図ることになったのです。

世界の首脳の中でも、この本に特に激しく反応したのが「世界政策」を標榜するドイツ皇帝のヴィルヘルム二世だといわれていま す。彼はこの本を枕元に常備して毎晩のように愛読し、軍艦設計のアイデアのスケッチを描いては海軍首脳に提示するほどの入れ込みようでした。元はといえば彼は大英帝国ヴィクトリア女王の孫です。大艦隊の保有は子供の頃からの夢だったのです。

この当時ドイツの人口は停滞する隣国フランスをしり目に増加の一途をたどり、経済成長は欧州列強の中では際立っていました。植民地獲得競争に遅れて参加したドイツにとって、マハンの描く大海軍による商業圏の確保はまさに国家の目標とすべきものだと映ったのでしょう。

1892年にイギリス海軍が戦艦「ロイヤル・ソヴリン」級を就役させて、従来の軍艦とは違う圧倒的な威力を持つ近代的戦艦の原型を示すと、各国は、これをモデルに戦艦艦隊を建設するようになりました。

ヴィルヘルム二世は1897年に大艦隊の保有を主張するティルピッツ少将を海軍大臣に抜擢すると、本格的にドイツ艦隊の建設に着手しました。ドイツにとってイギリス海軍は規範であり仮想敵国でもありました。ティルピッツは巨大で精強なイギリス海軍と正面から戦う意図はなく、ドイツ艦隊は常にイギリス艦隊から脅威として配慮されるほどの規模であれば十分だと考えました。いうなれば、仮にイギリスが他国と戦争をする際には、ドイツとの連携を求めるような、そんな艦隊の存在を意図していたのです[78]。

ティルピッツは議会による単年度の予算制約の下では、長期の艦隊建設は毎年政争の具にされかねないことを危惧して、1898年には長期予算を確保すべく艦隊法を成立させました。これは艦隊建設の予算を議会の管理下にある一般会計から独立させて特別勘定を設けるものでした。さらに1900年には艦隊規模を拡大した第二艦隊法を成立させると、皇帝は気分の高まるままに「ドイツの将来は海上にあり」と宣言します。ティルピッツの意図とはうらはらに、イギリス海軍はこれをパクス・ブリタニカの海上覇権に対する挑戦だと受け止めました。ヴィルヘルム二世は大国としての敬意を、つまり「名誉」をイギリスに求め、イギリス側にはいつかドイツに追いつかれるかもしれないという「恐怖」がめばえていたのです。

第16話　パクス・ブリタニカの黄昏

イギリスの優位性

イギリス海軍は二国標準を標榜してきました。これは仮に世界第2位と第3位の2つの海軍国が共同で海上決戦を挑んできても、勝てるような戦力を持つと設定した戦力の基準です。19世紀の仮想敵国は主にフランスとロシアの組み合わせでした。ドイツとイタリアが統一されたのは19世紀後半であって、まともな海軍は他に無かったからです。

イギリス海軍（ロイヤル・ネイヴィー）の使命は世界に広がる大英帝国の植民地を守り、本国とのシーレーンを確保することにありました。またアヘン戦争やクリミア戦争、ボーア戦争などのように、遠隔の紛争地に他国の干渉を受けることなくピンポイントに兵力と兵站（へいたん）を送り込める海上輸送力の維持でした。これこそが広大な植民地を抱えるパクス・ブリタニカを支えた海上覇権だったのです。

しかしイギリスが切り開いた自由貿易の時代は、結果として欧米各国の経済成長を促して、技術的なキャッチ・アップを許すことになりました。現代のアジア、アフリカ諸国と同じです。鉄道を駆使したドイツの統一は、ヨーロッパ大陸中央部の経済的、軍事的な興隆を促進しました。かつて海軍力が戦争に際して効果的だったのは、馬車と人力の時代に陸上輸送よりも速く、安く、大量輸送が可能だったからです。島国ゆえに海軍を中心に据えて、大きな陸軍を持たなかったイギリスは、次第にヨーロッパの中で相対的な影響力を低下させ始めました。

またグラフにあるように大西洋をはさんだ米国の工業生産力の伸びには目をみはるものがありました。過去のイギリスを手本とするマハンの『海上権力史論』が影響力を見せて、列強各国が建艦競争に入った頃、実は皮肉にも大陸国家から見たシーパワ

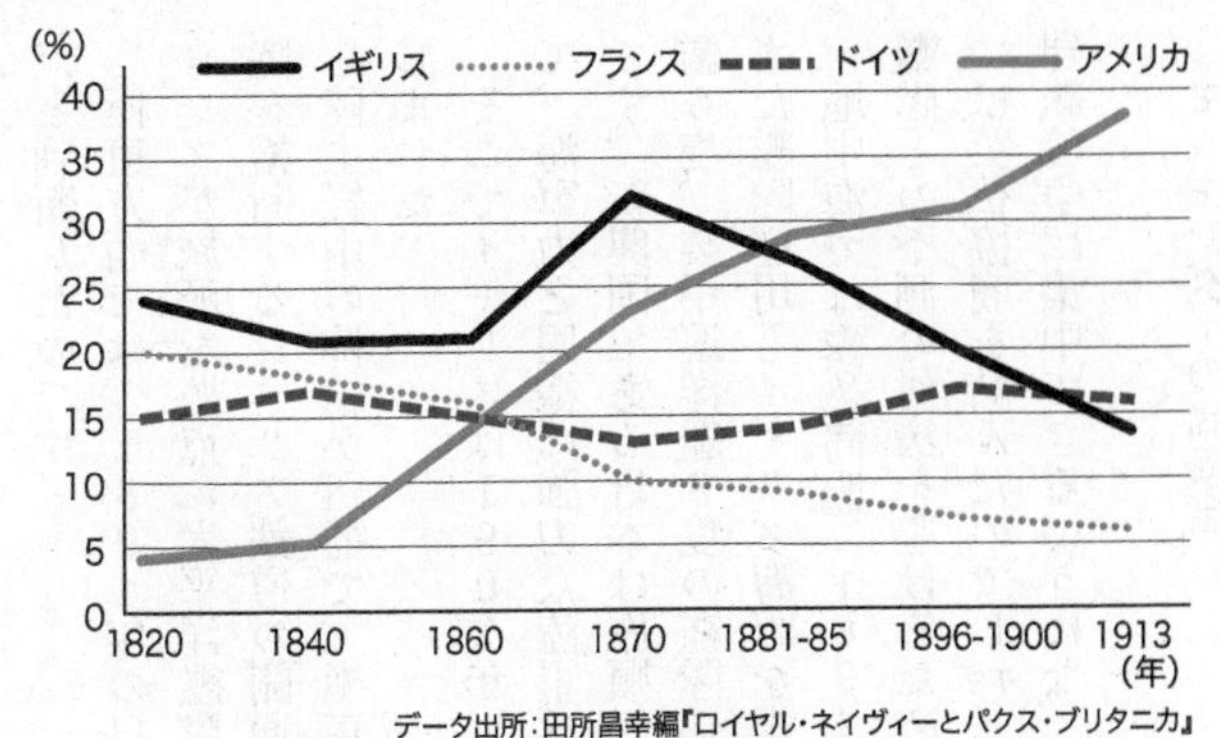

世界工業生産シェアの推移。19世紀後半は米国が急成長を遂げた

ーのもつ軍事上の圧倒的な優位性は薄れつつあったといえるでしょう。

こうした状況下で本来は陸軍国であるはずのドイツが海軍拡張計画に着手しました。イギリス海軍にしてみれば、北海を隔てた目の前の海上に強力な敵が出現した以上、もはや遠い海域でのシーレーンの確保はイギリス海軍単独では困難になったと認識せざるをえませんでした。

大西洋においては、イギリスはスペインに対して同情的だったにもかかわらず、米国への配慮から1898年の米西戦争への干渉を控え、1903年のアラスカとカナダのブリティッシュ・コロンビア州との境界線策定においては米国に対して妥協を見せました。もはやイギリス海軍は、北大西洋においてアメリカ海軍に対抗してカナダを守ることは困難だと判断したのです。

極東方面では、1894年の日清戦争後に三国干渉によってドイツが青島(チンタオ)に進出し、ロシアが旅順(りょじゅん)を拠点に太平洋艦隊を充実させ始めました。ロシアによるユーラシア大陸を横断するシベリア鉄道の開通は、ロシアが極東に海軍拠点を持ち、ヨーロッパから陸上経由の補給が可能で、極東において展開可能な陸軍の大部隊を持つことを意味しました。

そこでイギリスは1902年にそれまでの外交方針である「栄光ある孤立」を捨てて、海軍力と同様に強力な陸軍兵力を持ち始めた日本との間に、日英同盟を結んだのです。新興国である日本は旅順に進出したロシアを仮想敵国として、1896年に戦艦6隻、装甲巡洋艦6隻の艦隊建設を決めて、戦艦群をイギリスに発注していました。また艦隊運用もイギリス海軍を規範として高い練度を持っていました。

地中海では露仏同盟(1894年)が締結された結果、イギリス海軍は両国の合同艦隊との不測の対決を避けるためフランスに接近し、日露戦争が始まった1904年には英仏協商を結んだのでした。こうしてイギリスは限られた資源の中でドイツとの建艦競争に集中できるようになったのです。

マッキンダーの講演会

1904年1月24日。まさに日露戦争が始まろうとしていた時です[79]。イギリスの王立地理学協会ではオックスフォード大学地理学院の初代院長であるハルフォード・ジョン・マッキンダーが「歴史の地理学的展開」[80]と題する講演を行いました。19世紀中ごろにドイツから始まった地理学も、オックスフォード大学が学位を設定したのは1901年のことです。

マッキンダーの考え方はまるで人工衛星から地球を見下ろすように空間的に壮大なものでした。ヨーロッパに民族国家が成立したのは何故か？　それは、ユーラシア大陸のはるか東のフン族やモンゴル族などが、平坦なステップ地帯経由で何度もヨーロッパに侵入しては、圧力をかけたからだとしました。当時のヨーロッパの各民族は団結して自らを守る必要に迫られたのです。彼は地球上で圧倒的な面積を持ち、世界の中心であるユーラシア大陸の歴史的展開を中心に据えて、グローバルな地理学と政治学をクロスオーバーさせる思考方法を提示しました。地政学です。

地中海や北海沿岸、バルト海に限定されていたヨーロッパ人の海が、コロンブスやバスコ・ダ・ガマによって外への海路が開かれると、それまで中央アジア遊牧民のもっていたユーラシア大陸を横断できるという強みを無力化しました。陸地の文明はユーラシア大陸のあちこちで離れ離れになっているのに対して、海はどことでも繋がっています。ヨーロッパ人は沿岸地帯であれば、船で海からどこにでも自在にアクセスすることができるようになりました。「海を制する者は世界を制する」というマハンによって確立されたシーパワーの理論に地理学的な根拠を与えたともいえるでしょう。19世紀末までは、蒸気船の発達とスエズ運河の開通によって、シーパワーの機動性が世界を圧倒したかに見えました。

ところがマッキンダーはこの講演で、シベリア鉄道の全線開通見込を例にあげて、鉄道網の発達が海路よりも機動的な兵力移動と兵站を可能にすることでランドパワーを形成し、今度はこれまでとは逆にシーパワーを打ちのめす、ゆえに今後はユーラシア大陸の広大な地域が国際政治の回転軸（中心地）となるだろうと予見しました。マッキンダーは、仮にドイツとロシアが手を組むようなことがあれば世界制覇への道も開かれるかもしれないという分析を、日露戦争が今にも勃発しそうな緊張の中で披露したのです。

彼にしてみれば、日露戦争はシーパワー対ランドパワーの戦いでした。ヨーロッパ諸国の独立を促したのは、ユーラシア大陸を跋扈したタタール人（黄色人種）だというのが彼の考えです。この講演では黄禍論の時代を反映して、日本と清国が手を組んでヨーロッパへ攻め込む可能性にも言及しています。

この演説は鉄道や科学技術の発達がランドパワーの勃興を促し、今や大英帝国の世界覇権が終焉を迎えようとしていることも示唆しています。シベリア鉄道によって、極東に対してどの列強よりも素早く大量の兵力の展開が可能になったロシア、新興のシーパワーである日本がこれに立ち向かうことになりました。

マッキンダーを世界的に有名にしたのは第一次世界大戦終了後に著した『デモクラシーの理想と現実』です。日露戦争に敗れて、第一次世界大戦で崩壊したロシア帝国は、やがてソビエト連邦となり、シーパワーの米国と対峙して世界を東西に二分することになりました。

第17話　日露戦争と鉄道

第0次世界大戦

1890年にドイツがそれまでの独露再保障条約の更新を拒絶すると、ドイツからの資本導入が期待できなくなったロシアは、不足がちな国内インフラ投資に対する金融支援への必要性から、豊富な資本力を持つフランスとの間で露仏同盟の交渉を始めました。この交渉はやがて軍事同盟として1894年に成立しますが、その交渉の過程での成果のひとつがフランス資本の協力による1891年のシベリア鉄道の着工でした。フランスはこのためにパリ市場でのロシア国債発行とそのフランス国民向けの発売を許しました。

シベリア鉄道が、欧州からロシア領内を通過してハバロフスクを経て、そのまま南のウラジオストクへと至るならば、他国が異議を挟む余地はありませんでした。ところがロシアが近道として清国領内のハルビンを経由して、不凍港である旅順要塞に鉄道を直結するのであれば話は別です。これはロシアという強力なランドパワーの清国への進出を意味します。満洲の権益がロシアによって独占され、さらに列強が持つ既存の清国の利権が侵される恐れがありました。また不凍港である旅順要塞への鉄道の延伸は、ロシア艦隊の太平洋への海軍拠点構築を意味しました。

そして、そうした懸念を裏付けるかのように、ロシアは１９００年の義和団事件を機に東清鉄道南満洲支線沿いに陸軍部隊を常駐させ、事件後も満洲から兵を引こうとしなかったのです。こうしてロシアが満洲を実質的に軍事占領するに及んで、日本は防衛上の、英米は中国利権に対する脅威として捉えたのです。

１９０４年、日露戦争開戦時のシベリア鉄道は全線開通直前の状態でした。日本陸軍としてはロシア軍の欧州からの兵站線が完成して、大量の兵員や物資が極東に輸送される前に、ロシア軍を朝鮮半島から駆逐する必要があると考えました。日本陸軍は韓国領内のロシア軍を簡単に掃討すると、旅順と遼陽の間に上陸して旅順要塞へ至る鉄道線を遮断することによって要塞を孤立させました。

旅順はロシア東洋艦隊の根拠地であり、彼我の艦隊の戦力比較から欧州から増援の艦隊が到着する前にこれを封鎖するか撃滅しておく必要がありました。ロシア軍の本体は鉄道を背に欧州からの増援を吸収し、兵站を確保しながら鉄道沿いに北へ戦略的に後退していきました。同様に日本軍は重量物である砲弾の補給の関係から、鉄道線路沿いに進軍しました。このために日露戦争は東清鉄道南満洲支線（後の南満洲鉄道）沿いに戦われたのです。

データ出所：著者作成

南満洲鉄道

陸戦を決定づけた奉天会戦は日本軍25万人対ロシア軍29万人で戦われましたが、一会戦としては当時史上最大の規模でした。開戦前の日本陸軍は大砲1門につき月に50発の砲弾消費量を想定していましたが、緒戦の南山の戦いではわずか2日間で1門につき173発も消費してしまいました。全く予想外に膨大な消費量だったのです。奉天会戦では10日ほどの戦いで日本軍の740門の砲が合計34万発の砲弾を発射しました。これは1門につき460発です。また日露戦争全体では日本軍が105万発、ロシア軍が150万発の砲弾を発射しました。

野砲の砲弾の重量は1発平均6・1キログラム。野砲弾だけで計算しても少なくとも約6000トンの砲弾が満洲の野を輸送されたことになります。しかし、10年後の第一次世界大戦におけるソンムの戦いでのイギリス軍は、1400門の大砲で4か月の間に1400万発を発射しています。1門につき月間2500発は日露開戦前の日本陸軍の想定の50倍にあたります。大砲の発射速度、耐久性の向上もありますが、日露戦後の10年間にロジスティクスも格段にレベルアップしていることがよくわかります。

さて、日露両軍ともに戦争の長期化と予想を上回る弾薬消費量に、戦費の確保が大問題となりました。開戦前の日本は戦費を4億5000万円と想定していましたが、最終的には4倍の約18億円にまで膨らみました。また安全保障上ロシアの戦争による弱体化を望まないフランスは、戦争の継続を望まなかったので、パリ市場におけるロシア公債の起債を許さなくなっていきました。言い換えると戦費調達を許さなくなっていったのです。

このためロシアは戦費調達を次第にドイツに依存するようになります。1905年4月にはドイツから1億5000万ルーブル(1ルーブル≒1円)の短期借入を7%

の高利回りで行いました。しかも借入には「ヴィルヘルム二世の人質」と呼ばれるほどの、ドイツに有利な様々な貿易上の付帯条件がついてきました。前出の地政学者のマッキンダーは、この時のドイツによる条件付き借財に対するロシア側の不信感の醸成こそが、第一次世界大戦の重要な原因となったと指摘しています。

改軌問題

清国の鉄道は列強諸国の手によって敷設されたものが多く、黎明期から現代に至るまで主に標準軌（1435㎜）が採用されています。一方でロシアは東清鉄道南満洲支線においても欧州でのロシアと同じように広軌（1524㎜）を採用していました。また日本では現在のJRと同じ軌間の狭軌（1067㎜）が採用されて鉄道網が構築されていました。それぞれバラバラだったのです。

日露戦争中の満洲ではこの3つの軌間が併存することになりました。原田勝正氏[81]によると、参謀本部ではこの線路の幅の問題にどう対処するか揉めたそうです。アイデアマンで有名な参謀本部次長の長岡外史は、日本の機関車や車両の車軸を継ぎ足して広げて広軌に改修すればすむじゃないかとアイデアを出し、これに一同は納得したそうですが、車軸の継ぎ足しなど繋ぎ目の強度が脆弱で技術的にはあり得ない話です。参謀本部の兵站に関する知見は当時この程度のレベルだったということでしょう。こうした素人談義を救ったのが日本陸軍兵站の草分けである大沢界雄陸軍少将で、彼の意見で広軌は順次狭軌に改軌すべしと決定されました。

大沢は陸軍士官学校四期を恩賜（優等）で卒業し、陸軍大学ではドイツ参謀本部から派遣されていたメッケルの指導を受けました。プロイセン参謀本部伝統の兵站の重要性に感化され、当時日本では一段下に見られていた輜重科に自ら転科した人物です。

狭軌に改軌後の満洲では大量の蒸気機関車が必要となりましたが、とりあえずは日本国内から持ち込むとして、不足分は輸入に頼るしかありませんでした。日露戦争の臨時軍事費の支出項目の中では、米国に312両、イギリスに178両の機関車が発注されて合計1051万円が計上されています。日露戦争開戦の前年の国家予算が2億7000万円であったことを考えれば、機関車の発注だけでも巨額の出費を伴ったのです。

日本軍は粛々と広軌を狭軌に改軌して、日本から持ち込んだ機関車と車両を走らせました。なお、発注した機関車は終戦までに間に合いませんでした。終戦後、日本はポーツマス条約で南満洲鉄道の利権を獲得しますが、その際には中国の鉄道の標準軌に合わせるために、今度はもう一度狭軌から標準軌に改軌しています。

20世紀初頭の近代戦はまさに鉄道とともにありました。ロシアはこの敗戦によって清国領内を通過する南下策を断念しました。極東におけるイギリスとの摩擦がなくなったロシアは、この戦争による疲弊もあり、戦後の1907年には英露協商を結ぶに至ります。この協商によってイラン、アフガニスタン方面でのイギリスとの勢力範囲が確定すると、これ以降、ロシアに残された南下策の出口は、黒海からバルカン半島方面に絞られていきました。そこではドイツの影響力に頼る、老大国ハプスブルク帝国が行く手を塞いでいました。

第18話　無線と日露戦争

マルコーニ

電波とは光よりも波長の長い電磁波を指します。1864年にイギリス人のマクスウェルが電磁波の存在を予言して、電波は初めて人類に認識されました。その後1888年にドイツ人ヘルツが電磁波は発信して受信できることを実験で証明して、これが今では電波の「発見」だと呼ばれています[82]。

電波を使った無線の「実用化」はイタリアのグリエルモ・マルコーニによってなされました。彼の父は地元ボローニャの地主でイタリア人、母はアイルランド人でアニー・ジェムソンという名前です。彼女は、当時も今もアイリッシュ・ウィスキー最大手である「ジェムソン」のお嬢様でした。アニーがオペラを学ぶためにイタリアに留学していた時に2人は恋に落ちて結ばれたそうです。

マルコーニはボローニャ大学の教授の指導を受けながら無線通信の開発を続けて、日本ではちょうど日清戦争がはじまった1894年に、2・4キロ離れた地点での電波の送受信に成功しました。ただ、資本市場が未発達な当時のイタリアでの事業化はスポンサー探しも含めて困難でした。しかし母方の親戚はアイルランドの名門一族らしくロンドンで弁護士や会計士をしている者も多かったので、マルコーニは母と一緒にロンドンに出向いて無線通信を事業化することにしたのです。

こうして1896年にロンドンで特許を出願して、翌年の公開実験を経てマルコーニ社の工場を建てました。ジェムソンの親元からも資金が出たのではないでしょうか。

マルコーニが1901年に初の大西洋横断の無線実験に成功すると、学者達は捏造ではないかと疑いましたが、マルコーニはアメリカへ向かう船に無線機を搭載して、イギリスとの交信を毎日記録することで疑惑を振り払いました。何故マルコーニが疑われたのかというと、当時の科学者達は、電波は直進するものだから丸い地球では遠くまで到達できないと信じていたからです。

マルコーニはその後、無線電信の発明が評価されて1909年にノーベル物理学賞を受賞します。また、彼は1920年にイギリス初のラジオ放送を行い、これが1922年からは定期放送となって現在のBBCの起源となりました。無線機は第一次世界大戦の時点では実用化されていましたが、ラジオはまだありませんでした。

タービンの誕生

1897年にマルコーニの無線の公開実験が新聞で報じられた時、イギリスでは後に日露戦争で活躍することになる日本海軍発注の戦艦「富士」（テームズ鉄工所）、「八島」（アームストロング社）、それに巡洋艦「浅間（あさま）」（アームストロング社）が建造中でした。

戦艦「富士」は現地で日本海軍に引き渡されて、同年6月14日にイングランド南部のスピットヘッドで開催されたヴィクトリア女王即位60周年記念観艦式に日本の軍艦旗を掲げて参列しました。極東の日本にも最新鋭の戦艦ありと世界に向けて誇示したのです。

この時、予告なしに1隻の小型船が観艦式に飛び入りしました。イギリス人技術者、チャールズ・パーソンズの製作した小型快速艇「タービニア」号です。この船はそれまでのピストンの上下運動による蒸気レシプロ・エンジンではなく、彼の発明による回転運動のタービン・エンジンを装備していました。

「タービニア」号は大観衆の前で、捕らえようとするイギリス海軍のいかなる警備艇も寄せ付けない高速で逃げ回り、皇太子をはじめとする式典参列者に強烈な印象を与えました。このため、それまでこのタービンの採用に消極的だったイギリス海軍は、パーソンズにタービン推進の駆逐艦2隻を発注することにしたのです。

その後10年もしないうちにタービンは駆逐艦だけではなく主力艦のエンジンとして採用されることになります。日本海海戦は戦艦「三笠」など蒸気レシプロ・エンジン同士の最後の戦いとなり、第一次世界大戦ではタービン・エンジンが主力となりました。

36式無線機

話を無線に戻しましょう。この当時、発注艦船の工務監督のために日本から多くの海軍関係者がイギリスに駐在していたのは前述のとおりです。彼らはマルコーニの無線機実用化のニュースに敏感に反応しました。軍艦は移動するので通信のための電線を敷設できません。海軍関係者は無線に興味津々だったのです。

そこで早速日本海軍はマルコーニ社から無線装置一式を購入しようとしますが、100万円という特許使用料にたじろいでしまいました。今から思えば妥当な価格のようにも思えますが、なにしろ『坊っちゃん』の松山(まつやま)中学の月給が40円、同時期の石川(いしかわ)啄木(たくぼく)の小学校教員の月給が8円の時代です。当時の国家を挙げての電気・電信の研究所である電気試験所の年間経費が5万円、無線電信機開発の予算は100円しかなかったそうです。

そこで金の無い日本は自分達で無線機をつくることにしました。幸いなことに日本には優秀な科学者がいました。海軍は実用性を考慮して目標無線到達距離を150キロに設定すると、1901年には34式無線機でこれを達成。そして34式を改良したのが小説『坂の上の雲』[83]にも登場する36式無線機です。

こうして日本海海戦の始まる前には連合艦隊の全艦船や哨戒用の船すべてに無線機が設置され、艦隊内の連絡は無線で繋がっていました。また日露戦争前には当時内務大臣だった児玉源太郎が海底ケーブル網によって北九州から対馬海峡にネットワーク化された有線電信基地を整備して、これが海軍の無線と接続されて海戦の様子は東京においてもほぼリアルタイム（同日程度の意味）で連絡されるようになっていました。これによって「信濃丸」によるバルチック艦隊発見の第一報は旗艦「三笠」を始め全艦隊に速やかに到達したのです。

こうして無線を史上初めて実戦で活用した艦隊は日露戦争の時の日本海軍になりました。当時使用された36式無線機は横須賀に保存されている記念艦「三笠」の後部艦橋下の無線室で見学することができます。

一方でバルチック艦隊はドイツ、テレフンケン社製の無線機を装備していましたが、日本海海戦後の日本海軍による艦船鹵獲（敵の軍用品を奪い取ること）後の検分ではこの無線機が使用された形跡はなく、無線機とともに乗り込んだドイツ人無線技士はマダガスカルで脱走したと考えられています[84]。つまり、日本海海戦におけるバルチック艦隊は無線による艦隊内コミュニケーションという重要な機能を欠いていたのです。

イギリスは第一次世界大戦開戦と同時に、アメリカと接続したドイツの専用海底ケーブルを切断しました。ドイツはアメリカとの通信にイギリスの会社を経由する国際回線か無線を使用するしか手段がなくなり、傍受を避けるために通信の暗号化をすすめることになります。

暗号と言えば、これに対抗して解読する組織が作られます。イギリス海軍省暗号局、通称「40号室」ではこうしたドイツの暗号を解読して、やがてこの解読の成果が第一次世界大戦の戦局に大きく影響を及ぼすことになります。

第19話　戦艦ドレッドノート

フィッシャー改革

1884年に5か年の艦隊建設予算を獲得したイギリス海軍は、89年には「二国標準主義」を掲げて2150万ポンドの予算を、また93年にはスペンサー計画として3150万ポンドの予算を得て、その後も予算は拡張されていきました。イギリス海軍は1893年から1903年の10年間に「ロイヤル・ソヴリン」級以降の近代的戦艦だけで37隻も新造して、[85] 1890年に6万7000人だった海軍の人員は1904年には13万5000人にまで膨らんでいました。[86] このようにイギリス海軍は大幅に戦力が増強されましたが、マハン（第15話）の影響もあって、アメリカ、フランス、ロシア、ドイツ、日本なども競って海軍を拡張して戦艦を建造したので、イギリスはかつての圧倒的だった海上覇権を失いつつあったのです。

グラフは1850年から1907年までの、イギリスの国家予算（総支出）と海軍費とその比率です。1850－60年代の比率の突出はクリミア戦争後の木造船から鉄鋼船への更新費用です。

その後の海軍費は総じて抑制的でしたが、90年代に始まったドイツとの建艦競争に伴って右肩上がりを続けていました。この中で1900年の総支出の突出は第二次ボーア戦争の戦費の影響を受けています。この出費のために05年以降の海軍予算も削られることになり、当時海軍卿の地位にあったフィッシャー（第13話）が海軍のリストラに手をつけることになりました。

フィッシャーはまず旧式の艦艇を整理しました。下士官から将校への昇進を可能にして出身階層間の風通しを良くし、それまで差のあった兵科と機関科の地位を同等にするなど人事制度面でも改革を進めました。また戦艦の数だけを競う建艦競争に見切

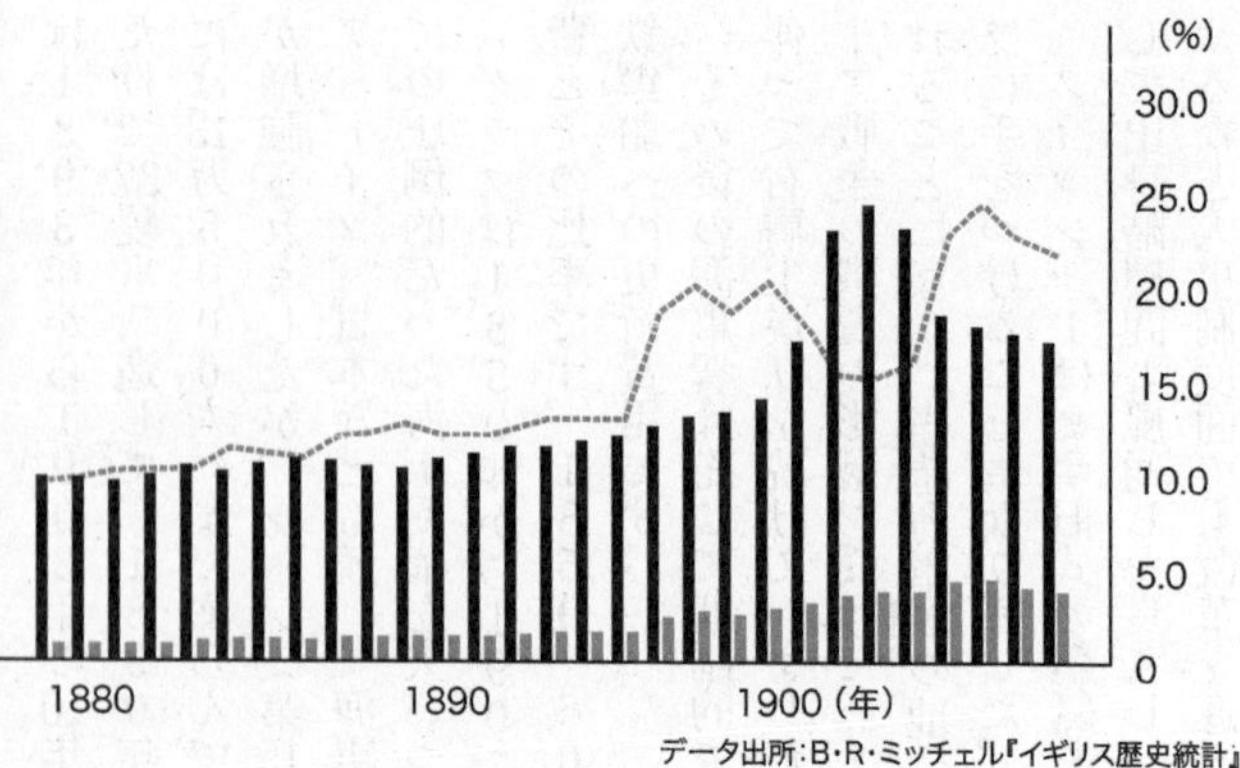

データ出所:B・R・ミッチェル『イギリス歴史統計』

りをつけて、イギリスの技術的優位を活かすべく画期的な新型戦艦の建造を企画しました。これが後にすべての戦艦のベンチマーク（評価の基準）となる戦艦「ドレッドノート」です。

弩級戦艦

日露戦争に参加した日本海軍の戦艦は合計6隻で、すべてがイギリス製でした。基本的な設計は1897年就役の「富士」級2隻（富士、八島）で、これは近代的戦艦の始祖である「ロイヤル・ソヴリン」級（第14話）に準じるものでした。また1900年から1902年にかけて就役した「敷島」級4隻（敷島、朝日、初瀬、三笠）は当時のイギリス最新鋭戦艦「マジェスティック」級に準じて設計されました。

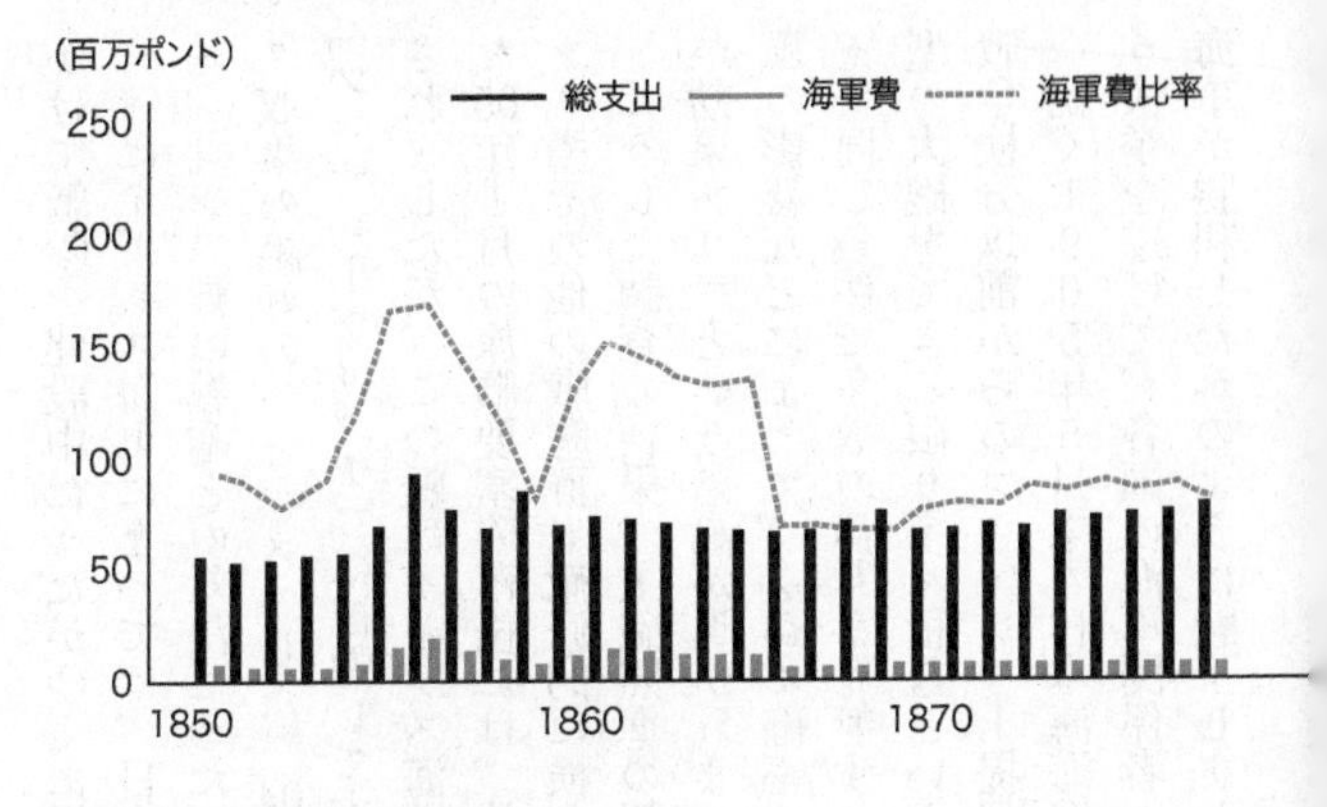

英国の総支出に占める海軍費

「富士」級の装甲は18インチの旧式の複合鋼板で、厚さだけは後の戦艦「大和」の装甲よりも分厚いものでした。「敷島」、「朝日」、「初瀬」ではニッケルを含むハーベイ鋼の採用によって、同じ防御力でも鋼板の厚さは「富士」級の半分の9インチになりました。また最新の「三笠」では装甲にドイツのクルップ鋼板が使用されて、厚さは同じ9インチでも60％ほど防御力が増していました。いかに当時の冶金技術の進化が速かったのかを、当時の防御鋼板の性能の進化が示しています。

一方で、同じころ旅順を根拠地とするロシア太平洋艦隊には02年就役のアメリカ製最新型戦艦「レトヴィザン」、03年就役のフランス製最新型戦艦「ツェサレーヴィッチ」が配属されていました。世界初の近代的戦艦同士による日露戦争の海戦は、各国が国家予算をかけて艦隊を建設中だったがゆえに世界中の耳目を集めたのです。

特にイギリス海軍にとっては、日本の保有するイギリス製戦艦とアメリカ、フランス、ロシア製の戦艦との対決だったので、砲撃の効果、被弾状況やその他細かいデータ収集の絶好のチャンスでした。04年8月の黄海海戦でロシア艦隊の旗艦を務めた「ツェサレーヴィッチ」は被弾して中立国であるドイツ領青島に逃げこんで武装解除されましたが、この艦はイギリス海軍によって詳細に被弾状況が調査されました。また05年1月の旅順要塞陥落後には、旅順港内に着底して無力化していた「レトヴィザン」やその他の戦艦群も徹底的に検分されました。

こうした調査の結果、主砲照準の観点から「多数の同一口径の主砲による一斉射撃が効果あり」という結論が導かれます。砲弾の弾着は砲の個体差、火薬の量や品質、風の影響などによってバラつく確率的特性をもつので、同じ性能の大砲を数多くそろえて同じ条件で多数の弾丸を発射すれば命中弾が増えます。これが破壊力の大きい大型の大砲をできる限り多く積むという大艦巨砲主義の始まりです。またこれは、日露戦争検分以前からのフィッシャー提督の信念でもあったのです。

続く1905年5月末の日本海海戦では日本艦隊がバルチック艦隊を撃滅するという快挙を遂げて、各国の海軍関係者のみならず世界中の大衆を、まるで自分達の国の海軍が勝利したかのように魅了しました。戦艦は価値のある持つべき兵器と認識され

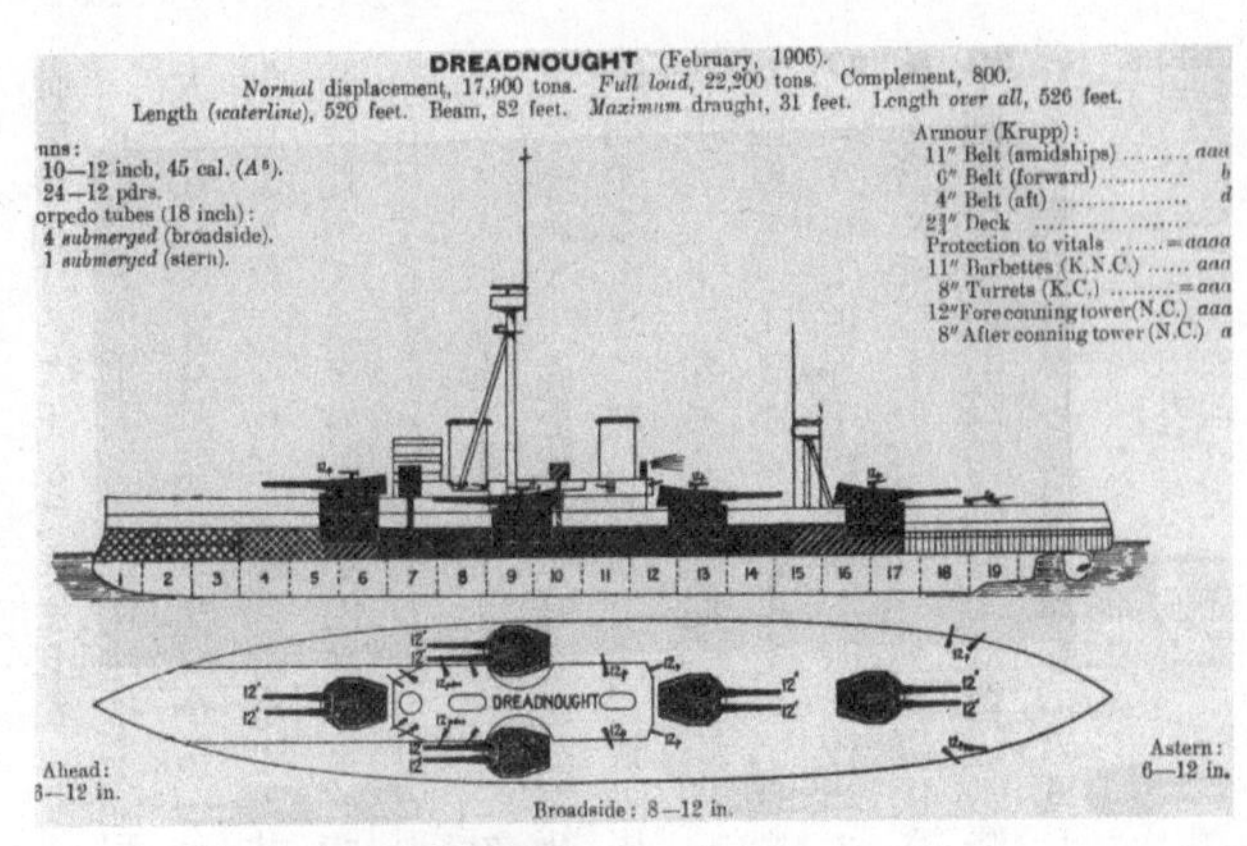

「ドレッドノート」の主砲位置

るようになりました。

1905年10月、年初から新型戦艦建造委員会を立ち上げていたフィッシャー提督はこれらの戦訓を取り入れて新型戦艦「ドレッドノート」を起工しました。[87] 起工というのは工事を開始したという意味です。就役は1906年12月と、わずか1年2か月という短期間での完成は、イギリスの卓越した工業技術と建艦能力の高さを世界に向けて証明することになりました。

戦艦「三笠」など従来の戦艦が4門の主砲を装備しているのに対して、この戦艦は10門の同口径の主砲を集中搭載していました。既存の戦艦が片舷4門の主砲発射が可能であるのに対して、「ドレッドノート」は8門の一斉射撃が可能です。また前方方向では既存の2門に対して6門の主砲が交戦に参加することができました。

「ドレッドノート」の革新性は主砲配置だけではなく、エンジンもそれまでの体積の大きなレシプロ蒸気エンジンから、コンパクトで高出力なタービン・エンジンへと進化しました。これにより機関室の天井が低くなり防御能力が増すとともに、従来の戦艦に比べて3ノット速い21ノットまで出せるようになりました。

「ドレッドノート」はその後の世界の戦艦のベンチマークとなり、海軍関係者は同じクラスの戦艦を、所属国を問わず「弩（ド）級戦艦」と呼ぶようになりました。そして、それまでの近代的戦艦を「前弩級戦艦」と呼んで、陳腐化した戦力として明確に区別するようになったのです。映画界で「超ド級作品」と呼ぶのはこの優れた「ドレッドノート」をさらに超越している「超弩級戦艦」が由来です。その他、名器マーチン社のフォークギターにもその名残を見ることができます。

こうして世界中が予算を振り絞って、競って建造していた前弩級戦艦は建造中のものも含めて、この時すべてが陳腐化されてしまいました。速度が遅く、1隻あたりの主砲が少ない前弩級戦艦では弩級戦艦に対する抑止力にはなりませんでした。各国はもう一度ゼロから海軍予算を積み増して、新たな艦隊を建設する必要に迫られたのでした。

第20話　高騰する各国海軍予算

ドイツ海軍

ドイツ海軍が初めて建造した戦艦は１８９３年の「ブランデンブルク」級４隻です。97年にヴィルヘルム二世がティルピッツを海軍大臣に抜擢すると、最初の艦隊法によって「カイザー・ヴィルヘルム」級５隻、１９００年の第二次艦隊法成立を受けて02年には「ヴィッテルスバッハ」級５隻、05年には「ブラウンシュヴァイク」級５隻、06年には「ドイッチェランド」級５隻と戦艦は加速度的に建造されていき、イギリスの「ドレッドノート」が登場した時点では、すでに合計19隻の前弩級戦艦が就役していました。

この中で最新鋭の「ドイッチェランド」級でも主砲は４門、速力は18ノットで日本海軍の戦艦「三笠」と同等の性能であって、「ドレッドノート」には対抗できず、第一次世界大戦の時点では陳腐化して主力艦隊に追随できませんでした。

さらに「ドレッドノート」の出現によってドイツ海軍にとってはもう１つやっかいな懸念材料が浮かび上がりました。ドイツはロシア海軍が跋扈するバルト海とイギリスに面した北海を直接結ぶキール運河を掘削していましたが、「ドレッドノート」の大きさ（幅）はこの制限を超えていたのです。ドイツは「ドレッドノート」に対抗できる新型戦艦艦隊を新たに建造すると同時に、それらが運河を通過できるように、莫大な予算をかけてキール運河の拡幅工事にも着手せざるを得なかったのです。この後ドイツは再び海軍拡張予算を計上して、第一次世界大戦開戦時までのわずか8年の間に、巡洋戦艦を含む弩級戦艦23隻を新たに完成させ、開戦時に建造中9隻の規模にまで拡大していきました。

アメリカ海軍

アメリカ海軍の最初の戦艦は1895年の「インディアナ」級3隻です。アメリカの戦艦はそれぞれBB－1、BB－2、BB－3と番号が振られているのでわかりやすく出来ています。因みに戦艦はBBで、空母はCVです。最新の原子力空母「ジェラルド・R・フォード」は原子力のNをつけCVN－78でアメリカ海軍創設以来78番目の正式空母であることを示しています。

アメリカは1901年のセオドア・ルーズベルト大統領就任時点で、「ケアサージ」級のBB－6までを保有していましたが、1898年の米西戦争を経てフィリッピンやハワイ、グアムなど太平洋方面に新しい領土が出来たために、大統領は8年間で21隻の戦艦と10隻の巡洋戦艦を建造する計画を立てて海軍を増強しました。ルーズベルト大統領は日露戦争の和平を仲介してノーベル平和賞を受賞していますが、一方で日露戦争中に大艦隊を建造していたのです。「ドレッドノート」が登場した時点では08年就役の「ミシシッピ」級BB‐23、24まで建造に着手していました。このためにすでに保有していた24隻の「三笠」クラスの前弩級戦艦のすべてが陳腐化されてしまったことになります。

ルーズベルト大統領は1907年に戦艦16隻のグレート・ホワイト・フリートを世界一周の旅に送りだしましたが、これは、もちろん日露戦争で勝利したばかりの日本への示威行為もありましたが、「ドレッドノート」に対抗する新型戦艦の建造予算獲得のための国民向けプロパガンダの意味もあったのです。確かに大艦隊でしたが、内実は早くも陳腐化しそうな戦艦群だったのです。それでもアメリカには国力があったので、第一次世界大戦開戦時には10隻の弩級戦艦を揃えて、加えるにさらに9隻が建造中でした。

日本海軍

日露戦争でロシア海軍を破ったばかりの日本は、日露戦争で失った2隻を除く「三笠」など既存の戦艦4隻に加えてロシアから鹵獲(ろかく)した戦艦群のおかげで隻数と排水量トン数では英独米に続いて世界第4位の規模を誇っていました。ロシアからの捕獲戦艦は、「丹後(たんご)」「相模(さがみ)」以下6隻あって、戦艦に準じる「浅間」以下装甲巡洋艦8隻を加えると合計18隻の規模で表面上は大艦隊でした。

さらに「ドレッドノート」出現時点では、イギリスのヴィッカース社で「香取」、アームストロング社では「鹿島」を、また横須賀海軍工廠では「薩摩」、呉海軍工廠では「安芸」などの前弩級戦艦が建造中だったので、主力艦合計22隻が一度に陳腐化してしまったことになります。

日本海軍は日露戦争時の財政負担や数だけとはいえ、大艦隊の維持費から思うように弩級戦艦の建艦予算がとれませんでした。第一次世界大戦勃発時の弩級以上の戦艦は「金剛」型巡洋戦艦が4隻（出揃うのは1915年）、建造中・計画中が「扶桑」、「山城」、「伊勢」、「日向」の4隻で合計8隻でした。戦艦に詳しい人は気がついたかもしれませんが、この第一次世界大戦中の8隻の戦艦は30年後の第二次世界大戦においても、現役の主力艦としてカウントされることになります。戦艦「長門」、「陸奥」も設計は第一次世界大戦中ですから、第二次世界大戦における連合艦隊戦艦12隻のうち、新しかったのは「大和」と「武蔵」の2隻だけでした。

イギリス海軍

イギリス海軍は1893年の「ロイヤル・ソヴリン」級（「富士」に相当）7隻に始まり、「バーフラー」級2隻、「マジェスティック」級（「三笠」に相当）9隻、「カノーパス」級6隻、「フォーミダブル」級8隻、「ダンカン」級6隻、「キング・エドワード七世」級8隻、「スイフトシェア」級2隻、そして「ドレッドノート」が完成して就役した後にも旧式戦艦「ロード・ネルソン」級2隻が完成しています。単純に合算すると「ドレッドノート」が完成した時点でイギリス海軍は50隻の前弩級戦艦を保有していたので、世界の海軍の中でも一番被害が大きかったと言えるでしょう。

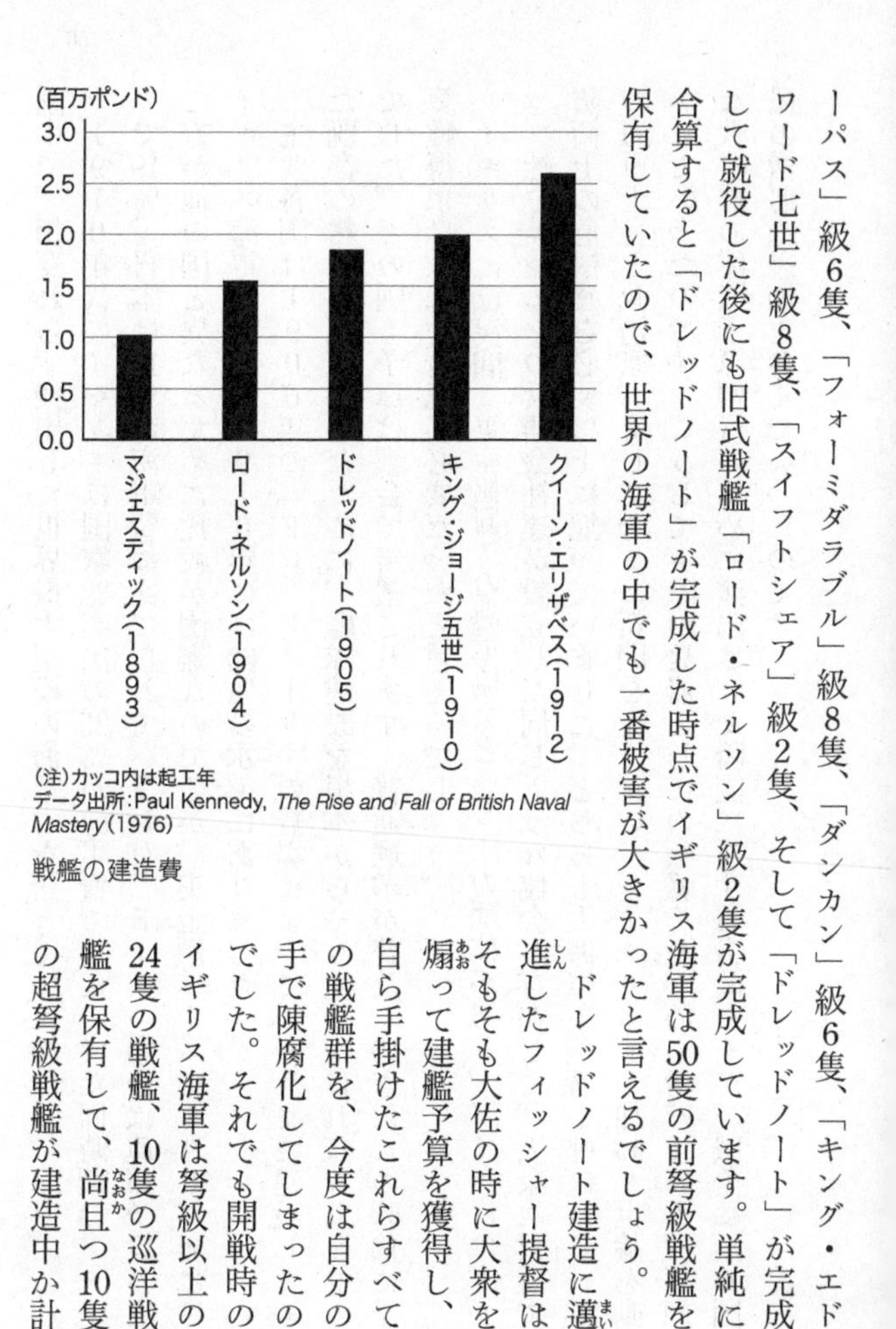

(注)カッコ内は起工年
データ出所:Paul Kennedy, *The Rise and Fall of British Naval Mastery* (1976)

戦艦の建造費

ドレッドノート建造に邁進したフィッシャー提督は、そもそも大佐の時に大衆を煽って建艦予算を獲得し、自ら手掛けたこれらすべての戦艦群を、今度は自分の手で陳腐化してしまったのでした。それでも開戦時のイギリス海軍は弩級以上の24隻の戦艦、10隻の巡洋戦艦を保有して、尚且つ10隻の超弩級戦艦が建造中か計画中で、相変わらず突出した世界最大規模の海軍力を誇っていたのです。

１９１０年代のイギリスは国家総支出の25%が海軍費でした。また同時期のアメリカで19%、日本は17%が海軍費にあてられていました。ドイツの場合は連邦予算の立て方が他の国と異なるために比較が困難なのですが、実金額ベースで１９００年にはイギリス海軍の30%、１９１０年には60%の水準にありました。

主要各国は１９０６年の「ドレッドノート」の登場によって、それまで建設してきた既存の艦隊が陳腐化したために、艦隊建設を根本からやり直さなければなりませんでした。どの国も予算は議会で審議されます。普通選挙が普及してきたこの時代に予算獲得には大衆の合意が必要だったと言えるでしょう。

イギリスには民間（軍産協同）の海軍協会という圧力団体があり、ドイツにはクルップ社やエッセンの兵器会社達が設立した同じような協会が存在して、大衆に対して防衛上の危機感を必要以上に煽っていました。どちらも大海軍主義者と呼ばれる一群の海軍士官と政治家、そしてそこに新聞を売りたいジャーナリストが加わり世論を動かしていったのです。こうして実際の兵器としての戦艦そのものの脅威よりも、高価な戦艦群の建造予算獲得のために演出された隣国に対する脅威こそが、戦争に至る国民の憎悪や恐怖を育(はぐく)んでいったのです。

第21話　英仏の接近

ファショダ事件

1875年にスエズ運河の権益を確保したイギリスは、1882年に軍事介入によってエジプトを事実上の保護国にしました。その後、ナイル川沿いに鉄道を敷設しつつ南下して白ナイルの水源であるヴィクトリア湖を目指しましたが、最終的な目的はアフリカ最南端のケープ植民地（現南アフリカ）と、大陸を南北に縦断する鉄道を敷設することでした。鉄道の軌間は狭軌で統一していました。

一方でフランスは、イギリスに負けじと、インド洋アデン湾沿岸にソマリランド（現在のジブチ）を確保して、反対の大西洋側のダカール（現セネガル）から東西の連絡を接続しようとしていました。この2つの大運動が交錯したのが1898年のファショダ（現南スーダン）事件です。フランス軍がナイル川の源流を扼（やく）する要衝ファショダを先に占領して、後れて北から登場したイギリス軍と対峙しました。

ファショダまで南下したイギリス軍は、当初は途中にエジプトに対して反乱をおこしたマフディー軍壊滅という別の大きな戦略目標があって、そこから南に延伸したのです。イギリス軍本隊は、後に陸軍大臣として第一次世界大戦を率いた高名なキッチナー将軍が、2万5000名の大部隊を率いていました。ナイル川を遡（さかのぼ）る小型蒸気砲艦5隻の他、野砲にマキシム機関銃も装備して、カイロから後方の拠点まで鉄道や電信も引かれて補給も十分でした。ウィスキー蒸留所の息子で、大戦中は大陸イギリス派遣軍の総司令官となるダグラス・ヘイグ、また若き日のチャーチルなど、後に有名になる士官が数多くいました。

対するフランス軍はマルシャン海軍大尉率いるフランス人12名とセネガル人兵150名の編制で、現在のコンゴの首都ブラザビルを出発して、借りたベルギーの蒸気船でウバンギ川を東へ遡りました。マルシャンは3か月かけて行けるところまで船で行った後は、ジャングルをかきわけて東行すること8か月、ようやくファショダに到着したのでした(88)。

途中で他の2つの探検隊とすれ違っていましたが、マルシャン達もその姿は軍隊というよりはほとんど探検隊だったようです。それでもファショダに到着すると彼らはフランスの国旗をかかげて、ここは我が植民地だと主張しました。そしてしばらくすると、そこにイギリスの大部隊が北から現れたのです。

大尉は大変な探検を成就したという興奮で、きっと少し頭がおかしくなっていたのでしょう。この時はフランスの名誉をかけてあくまで戦うつもりでした。フランス語で大尉と会見したキッチナーは、若くて勇敢な彼に対してスコッチを飲ませて懐柔しました。残念ながらこの銘柄がスコッチの名門「ヘイグ」なのかどうかはわかりませ

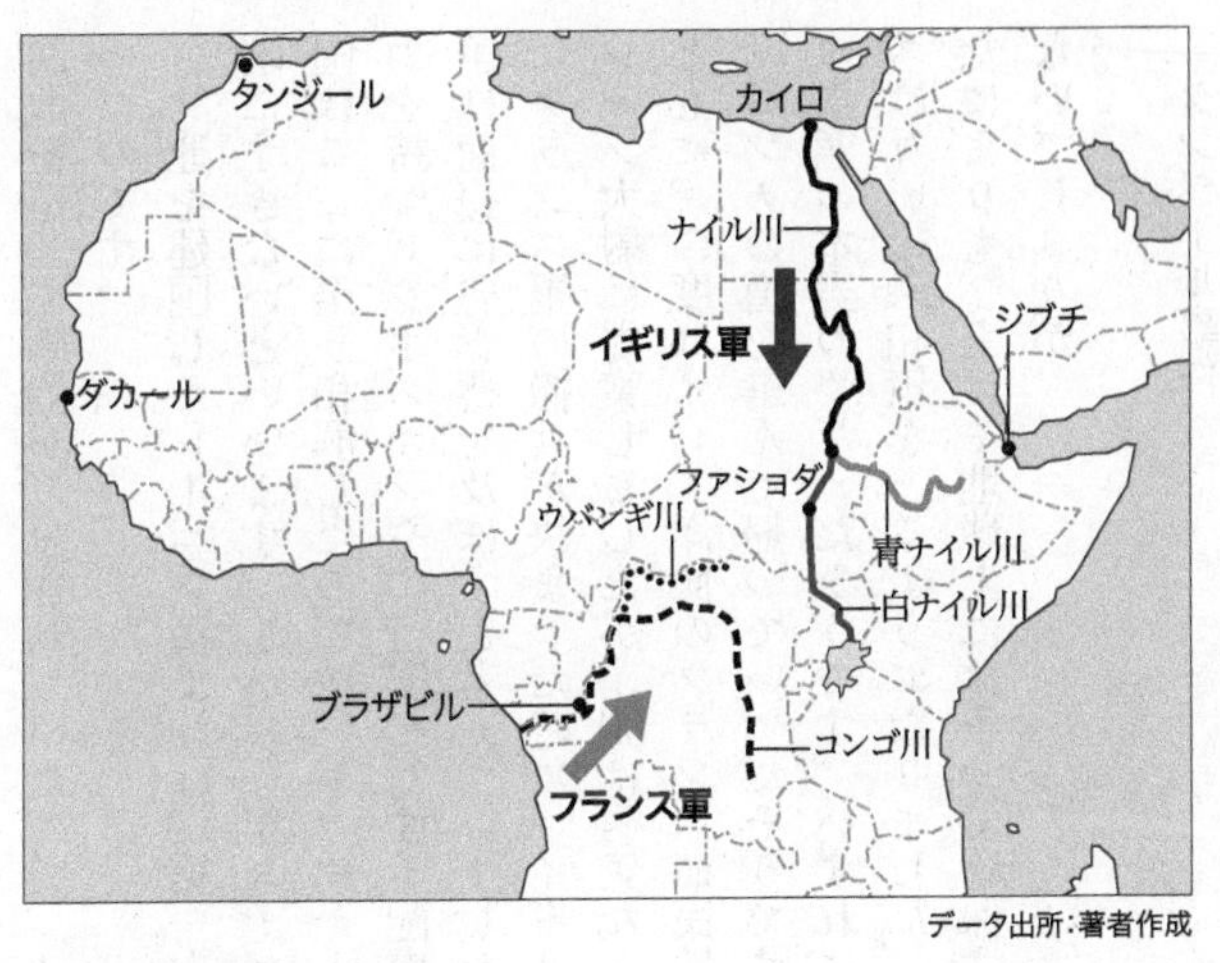

ファショダ事件

んが、キッチナーは将軍として英仏関係に深慮しました。戦うかどうかは是非お互いに本国に問い合わせようではないかと提案して、偉大な探検隊であるフランス軍部隊の命と名誉を守ったのです。

ところがこの両軍接触のニュースは、ニュースと言っても連絡がつくのはイギリス側だけですが、イギリス・フランス両国のメディアが大げさに取り上げて、あたかも南北に進むイギリスと東西に進むフランスがアフリカの中央部で激突したかのように報道したのでした。しかしこの時のフランスは、ユダヤ人将校ドレフュス大尉に対する冤罪（えんざい）スパイ事件、すなわちユダヤ人差別問題で、軍の腐敗を巡って国論が二分されていたので、イギリスと事を構える力など残っていなかったのです。

ソ連を建国したレーニンによれば、第一次世界大戦は資本主義的帝国主義の最終段階にすぎないといいます。しかし長年ヨーロッパの覇権を巡って対立してきた英仏両国はここに至り和解したのです。キッチナーの深慮は、両国の国内政治において影響力を持つビジネスマンや銀行家に対する配慮であったに違いありません。彼らは、戦争は商売に悪影響を及ぼすと考えていましたから(89)。

フランス軍の撤兵が決まった時に、イギリス軍は蒸気船でカイロまで送ろうとマルシャン大尉に提案しましたが、彼は病気などが原因ですっかり少なくなった部下達とともに、今度はインド洋側のフランス植民地であるジブチを目指して、ジャングルとサバンナの道を選んで帰っていったそうです。これがアフリカ植民地を巡る一触即発の事態の本当の姿だったようです。いずれにせよ、この事件以降のイギリスとフランスは互いに融和策をとるようになりました。ドイツという共通の敵が現れたことと、なによりも、もはや地球上には争って確保すべき場所が無くなってしまったためではないでしょうか。

タンジール事件

1904年2月に日露戦争が勃発すると、日英同盟を組むイギリスと、露仏同盟を結ぶフランスの間で、戦争が偶発的に勃発する可能性が増しました。それを避けるためもあって両国は開戦間もない4月に英仏協商を結びました。この時に互いの植民地に関する利権を調整して、エジプトでのイギリス利権の承認と交換にフランスはモロッコでの利権を認められました。

ファショダ事件での和解に続き、この協商はイギリスとフランスの間で、中世から続く長い間の仮想敵国の関係が解消されたと評価されました。このおかげでイギリス海軍は地中海での戦力ウェイトを落とし、進境著しいドイツ艦隊がいる北海に戦力を集中できるようになり[90]、さらに非常時のバルト海への進出とドイツ港湾の封鎖作戦も検討できるようになりました。

日露戦争の最中の1905年3月、ロシア軍が奉天で日本軍に惨敗すると同盟国フランスのドイツに対する立場は悪くなりました。ドイツはこの事態を前に、ロシアは東洋に釘付けで、イギリスはボーア戦争の影響で疲弊して、フランスは戦争の準備が出来ていないと考えました。そこでヴィルヘルム二世はドイツのいやがらせに対するフランスの抵抗度合いをテストする意味で、言い換えれば威力偵察としてジブラルタル海峡に面した要衝であるモロッコのタンジール港を突然訪ねたのです。皇帝はここで英仏協商を牽制して、わざわざフランスの利権を否定する発言をしたためにヨーロッパ中に緊張が走りました。これがタンジール事件（第一次モロッコ事件）です。

この時、フランスでは外務大臣デルカッセを中心に対独開戦論が強く主張され、国境に騎兵部隊を配置しましたが、ドイツ側でも一部陸軍兵力の動員が行われました。イギリス艦隊が北海で示威行為をすると、ドイツのキール運河沿いでは小学校が2日間休校になったほどでした。日本がロシア、バルチック艦隊の極東への到着を待ち構えている頃、実はヨーロッパはまさに一触即発の状態にあったのです。しかしこの時、フランスにしてみれば仮にドイツと戦争になったとして、本当にイギリスの援助が貰えるかどうかは不透明でした。そのために開戦には踏み切れずに外交交渉に委ねざるを得なかったのです。フランスはドイツにモロッコの権益の一部を認めました。アルヘシラス条約です。

1907年になると、日露戦争と革命に伴う国内問題で疲弊したロシアがイギリスと露英協商を結び、ロシア、フランス、イギリスの三国協商体制となります。一方でドイツは自分達の三国同盟があるものの、三国協商の英仏露によってドイツは包囲されていると強く意識することになりました。このタンジール事件があった年、当時のドイツ参謀本部総長アルフレート・フォン・シュリーフェンは、日露戦争で劣勢なロシア軍を観察して、フランス・ロシア両国を攻撃する有名な作戦計画を立案しました。これがシュリーフェン・プランです。

第22話　シュリーフェン・プラン

ドイツの宿命

ドイツは、古くは18世紀のプロイセン王フリードリッヒ大王の時代からフランスとロシアという大国に挟まれていました。そのため最悪の事態として常に東西両面の敵に挟撃されるというリスクを抱えていました。それでもヴィルヘルム一世（在位：1861－88）の時代には首相ビスマルクによる巧みな外交術によって常に敵を一方だけに限定し、ドイツ統一戦争を戦い抜いてドイツの統一を果たしたのでした（第7話）。しかしヴィルヘルム二世の時代に入ると、ドイツは再びフランスとロシアと陸続きの両面に敵を持つに至ります。

ところが日露戦争が起こると、フランスと軍事同盟を結ぶロシア陸軍の主力が極東に釘付けになりました。またフランスに接近していたイギリスも第二次ボーア戦争によって財政がひっ迫し、新たな戦争への参加は困難だと考えられました。ヴィルヘルム二世はこの間隙（かんげき）をついてフランスへの威力偵察を敢行して、タンジール事件を引き起こしたのです。

極東で日露戦争が戦われているちょうどその頃、ただでさえ勤勉で鳴るドイツ参謀本部に、ひときわ勤勉実直な参謀総長がいました。徹夜などは日常のこと。クリスマス休暇前には部下に宿題を与え、休暇欲しさに徹夜で宿題を仕上げた部下にはご褒美として追加の宿題を与えたという、アルフレート・フォン・シュリーフェン（1833−1913）です。

先々代の参謀総長大モルトケ、先代のヴァルダーゼのドイツ参謀本部の伝統的な両面戦争の考え方では、まずはロシア相手の東部戦線に攻勢をかけて、フランス相手の西部戦線では攻勢防御の姿勢をとるのが基本でした。普仏戦争を指導した大モルトケは、パリ包囲後もフランス市民がゲリラ化して戦うのを見て、戦争はそれまでの国王、貴族や官僚たちが戦う官房戦争から国民の戦争へと変化しつつあると感じ、以降の戦争は長期化が必至だと考えていたのです。

もしもシュリーフェンが政治に関与するような軍人であれば、国民に対してフランスへの敵愾心を煽り、陸軍拡張予算の獲得を模索したことでしょう。しかし彼は戦争技術の専門官僚として所与の条件の中で作戦を立案しました。作戦に必要な100万人規模の軍隊を維持する巨額の戦費から逆算すると、次の戦争は短期間で終わらなければ国家財政的に戦線を維持できないと考えたのです。そのためには敵を短期間で屈服させる包囲殲滅戦がどうしても必要でした。

シュリーフェンが生きる20世紀初頭のドイツは、大モルトケの頃に比べて人口と経済力でフランスを大きく凌駕するようになりました。またロシアは革命や日露戦争の奉天会戦において大敗を喫したことから、ヨーロッパ方面での陸軍の回復には相当な時間が必要だと考えられました。これはドイツにとって絶好の機会だったのです。

シュリーフェンはロシアの通信網や鉄道網が未整備な状況から、ロシアはドイツ国境線への兵員動員に少なくとも6週間はかかるだろうと想定しました。そして、まずは西のフランス軍を短期間で包囲殲滅し、その後に鉄道網を駆使して速やかに兵員を西部戦線から東部戦線に移動させて今度はロシアと戦う両面戦争を計画したのです。これがシュリーフェン・プランです。

正確には公式文書ではなく、覚書として後任のヘルムート・ヨハン・ルートヴィヒ・フォン・モルトケ（1906年から参謀総長、以下叔父のモルトケと区別して小モルトケ）に引き継がれて第一次世界大戦に向けて手直しが加えられたと考えられています。小モルトケは第一次世界大戦勃発時の参謀総長です。シュリーフェン・プランは現代でも歴史的論争の対象として活発に研究・議論されていますが[91][92][93]、ここでは開戦に至るまで非公式にドイツ参謀本部内で継承された一連の対フランス作戦のアイデアであるとして扱うことにします。

仏露撃破の青写真

そもそも戦力を分散しなくてはならない二正面作戦は愚策です。だからこそビスマルクは外交を駆使してフランスを孤立させ、常に敵を一方向に限定していたのです。しかしビスマルク更迭後のドイツは、皇帝ヴィルヘルム二世による世界政策の推進、またイギリスとの建艦競争もあって外交上孤立している状態に追い込まれました。ハプスブルクという旧大国の同盟国はありましたが、経済的な国家規模は小さく、既に頼りがいのあるパートナーではありませんでした。

図はシュリーフェン・プランを説明した地図です。1905年当時の作戦の原型を示しています。

普仏戦争以降、フランスはドイツとの国境線に強固な要塞を築いていました。計画当時に極東で戦われていた日露戦争・旅順要塞攻略では近代的要塞は簡単に陥落できないということを証明していました。

そこでシュリーフェンはフランス要塞群の北側、ルクセンブルク、ベルギー、オランダの国境を侵し、これらの国の領土を通過して、防御の手薄なフランス北部から攻め込み、首都パリを大きく迂回(うかい)して包み込み、要塞に張り付いているフランス軍を背後から包囲して、一気に殲滅しようという作戦計画を練ったのです。

オランダとベルギーは列強によって中立が保証されていたので、ドイツ軍の侵攻は

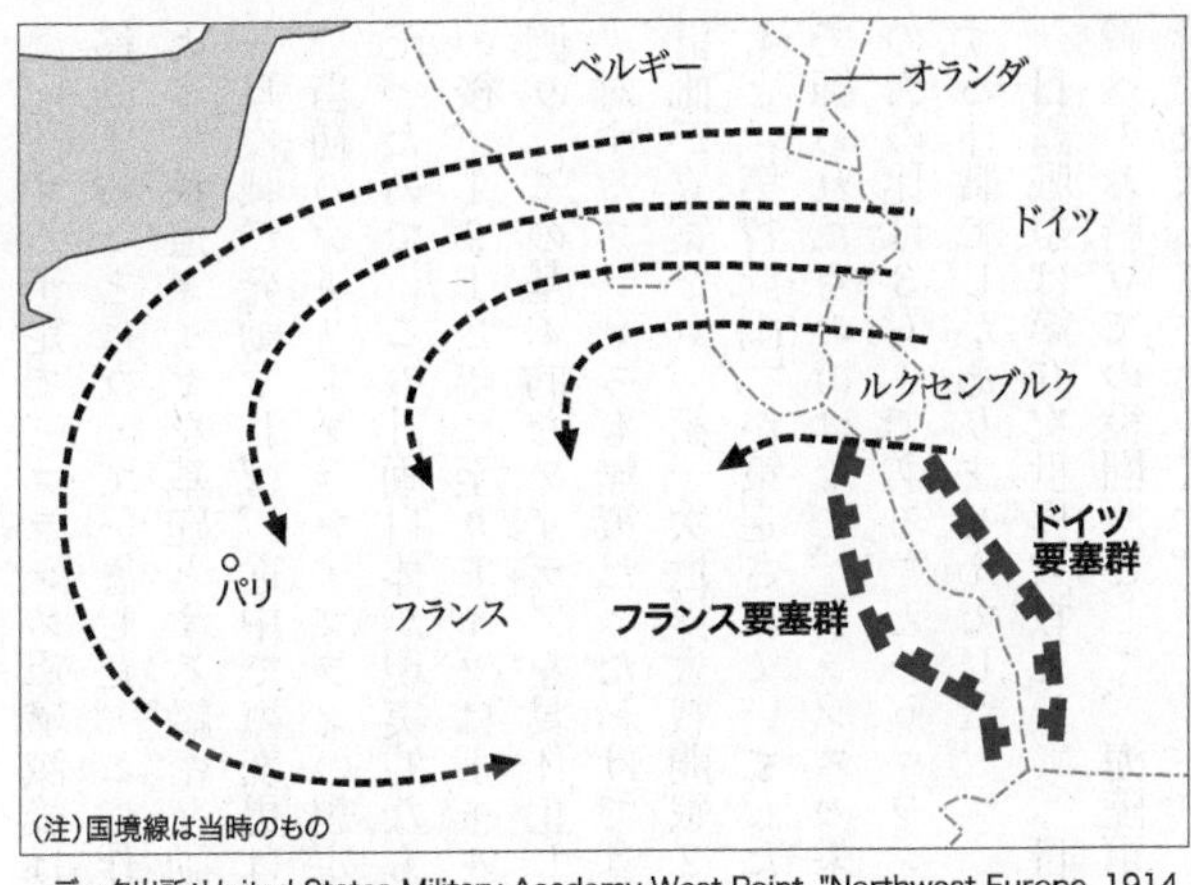

データ出所：United States Military Academy West Point, "Northwest Europe, 1914, Western Front, The Schlieffen Plan and the French Plan" を参照の上作成

シュリーフェン・プラン

イギリス軍の戦争への介入を呼び込みかねません。しかしイギリス陸軍の戦力は徴兵制も無く限定的でした。シュリーフェンは10個師団程度のイギリス軍が上陸してフランス軍左翼に協力するであろうと想定して、ドイツ軍の右翼の戦力を厚くして、侵攻軍の旋回の外縁を大きくドーバー海峡に接する地点までとったのです。

一方でドイツ軍左翼は自国の要塞地帯でフランス軍の主力を食い止め、あるいは誘引すべく少し後退して、後にフランス軍を袋のねずみとする作戦でした。当初はドイツ軍の主力のほとんどを西部戦線に配置してフランス侵攻にあてて、残りの部隊を当面の防衛用に対ロシアの東部戦線に配置する予定で、フランス軍殲滅後は鉄道を利用して主力兵力を直ちに東部戦線に移動することになっていました。この作戦は時間との闘いです。そのため参謀本部によって鉄道ダイヤを基礎とする緻密な動員・作戦計画が立案されました。こうして、一旦作戦が発動すれば、途中での変更は難しいと認識されていたのです。

当初のシュリーフェン・プランの想定戦力では現実の作戦を戦い抜くには兵員不足だったので、この計画自体が現実的なものではなかったとも考えられていますが、その後、１９１２年に至りドイツは小モルトケのもとで陸軍改革を通じて規模の拡大を図り、この基本的なアイデアを具体化していきました。

対するフランスも無策だったわけではありません。対ドイツ戦ではいくつもの侵攻計画が立案され、第一次世界大戦開戦2年前の１９１２年にはジョッフル参謀総長のもと「第17計画」が策定されていました。しかしこれはシュリーフェンのように知性で練られたものではなく、フランスの栄光の時代、ナポレオン以来の「精神力と物量の力の比は3対1である」というフランス軍伝統の精神論による、ただひたすら突撃する作戦でしかありませんでした。

日露戦争は第0次世界大戦として、日本史の中だけに留まらず、後の第一次世界大戦へのお膳立ての役回りとして、海陸軍とも様々な局面でヨーロッパ諸国に重大な影響を及ぼしていたのです。

第５章　20世紀の新しい産業

いかに日露戦争が第０次世界大戦と呼ばれようとも、第一次世界大戦との差は顕著です。その規模もさることながら、日露戦争では、自動車も戦車もなければ航空機も潜水艦もありませんでした。もう少し細かいことを言えば兵士の頭を守るヘルメットもなかったのです。わずか10年違いで起きたこの２つの戦争、この短い10年間は20世紀を代表する新しい産業が勃興（ぼっこう）した時期でした。

第23話　石油産業

ロックフェラー

地表に自然に噴出していた石油については、紀元前３０００年のメソポタミアの時代から記録が残っています。しかし産業として石油が採掘されたのはそれほど昔のことではありません。アメリカのドレーク大佐がペンシルバニア州タイタスビルで石油を掘り当てた１８５９年がその始まりとされています。

「大佐」という称号は、アメリカの物語によく登場しますが、軍隊の正式の階級ではなく、ケンタッキー・フライドチキンのカーネル（大佐）・サンダースのように州の名誉称号であったり、箔付けのあだ名のようなものであったりします。この時も知らない土地で仕事がやりやすいようにと、ドレークを大佐と呼んだのです。

当初の石油の用途は高価な鯨油の代わりで、主に照明用の灯油としてランプに使われました。我々は学校で「１８５３年のペリー艦隊来航は、日本に捕鯨船の補給基地が欲しかったからだ」と教えられました。実はその直後に高価な鯨油は灯油にとって替わり、鯨油採取のための捕鯨船は北太平洋では採算が合わなくなっていました。１８６２年の灯油の生産量はすでに50万トンに達し、各家庭の石油ランプを灯して庶民階級の夜の読書を可能にしました。

イギリスやアメリカの鉱山法では地下資源は地主のものになります。アメリカの石油ビジネスでは、土地は買った者勝ちだったので、油田が見つかるごとに山師達が殺到して付近の地面を買い漁ることになりました。石油掘削が儲かるビジネスだと噂が広がるとペンシルバニアからケンタッキー、カナダへと油田の地域は拡大して、石油ランプの普及とともに灯油は瞬く間にヨーロッパへも輸出されるようになりました。アメリカでは石油王で有名なロックフェラーが１８７０年にスタンダード石油を創設して、その10年後には早くも中小の油田を統合して、当時の全米の石油の約80％を生産し独占していました[94]。

１８９０年に西海岸でロサンゼルス油田が発見され、１９０１年になるとテキサスでも石油が噴出しました。こうした地域では１エーカー（約４０４７平方メートル）あたり10ドルだったような土地が、あっという間に90万ドルに化けました[95]。テキサスでは大富豪のメロンが出資してガルフ石油が設立されましたが、テキサスの産油は油質が重く灯油には向かなかったので、ここでは最初から灯油の用途ではなく動力用の燃料として売り込むことになりました。１９０５年当時のこの地域を走るサンタフェ鉄道では、相当数の蒸気機関車が石炭の代わりに重油を燃やしていました。また石炭が不足していたロシアでも事情は同じで、蒸気機関車は石炭の代わりに重油を燃やしていたものが多かったようです。

ここでいう石油の性質の「軽い」とか「重質」であるとかは沸点（蒸発する温度）によって分別されます。原油は製油所の加熱炉で約３５０℃に加熱され石油蒸気の状態で蒸留塔に送られ沸点によって順に分別されていきます。沸点の低い順番から（気化しやすい順番）ガス、ガソリン・ナフサ、灯油、軽油、重油、そして最後にはアスファルトなどが残ります。

バクー油田

ヨーロッパでは1873年にロシア帝国、カスピ海沿岸のバクー(現在はアゼルバイジャン)で、スウェーデン人のロバート・ノーベルが石油会社を始めました。彼はノーベル賞創設者のアルフレッド・ノーベルの兄です。この事業には当初フランスの銀行のクレディ・リヨネが融資していましたが、1883年にカスピ海と黒海を結ぶ鉄道にマーチャント・バンカーのフランス・ロスチャイルドが出資することで、その後のビジネス発展の糸口をつかみました。市場は当初こそ油田に近いロシア国内だけが対象でしたが、鉄道とつながった黒海を起点とする河川交通網の利用によって、1880年代には早くも欧州の石油市場の20~30%のシェアを握るに至りました[96]。西ヨーロッパの市場では既にアメリカ産石油の市場支配力が強かったので、バクー油田のビジネスは輸送コストの競争上の観点からも東へ向かって展開することになりました。このノーベルとロスチャイルドの共同ビジネスに加わったのが、ユダヤ系イギリス人でマーチャント・バンカーのマーカス・サミュエルです。

彼は1892年に、それまでは禁止されていたスエズ運河のタンカーの通行許可を取得すると、黒海、ボスポラス海峡、地中海、スエズ運河経由でアジア市場に石油の販売を展開し始めます。サミュエルはアジアの貝殻の飾り物のビジネスから身を起こしたので、会社のシンボルは現代の我々にもお馴染(なじ)みのホタテ貝のシェルです。シェルは1907年にはオランダの東南アジア植民地の油田と結びつきロイヤル・ダッチ・シェルとなってアメリカのスタンダード石油と世界市場を二分するほどに成長しました。これはちょうど日露戦争が終結し戦艦「ドレッドノート」が就役した頃の話です。

石油王サミュエル

マーカス・サミュエルは日本と縁が深い人です。1876年には弟のサムを中心として横浜にサミュエル商会を開設しました[97]。同商会は雑貨類から絹、茶、紡績機械や鉄道資材なども扱っていましたが、当時のイギリスの一般的なマーチャント・バンクの例にもれず金融業も営み、日本の公債発行の引き受けなど証券業務も手掛けていました。日清戦争の際には輸入物資を軍に納入し、日露戦争ではシンジケート団にこそ入りませんでしたが公債発行ビジネスを求めて大蔵省や日銀、政府高官にも接触しています。

また1906年には関西鉄道英貨公債100万ポンド、翌年には横浜市築港公債31万7000ポンドなどの引き受けも執行しています[98]。そして日本においても石油ビジネスを始めたのです。日本における外資の石油ビジネスではアメリカのスタンダード石油が、1893年にソコニー[99]の日本支社を横浜、神戸、長崎に開設していました。

一方でサミュエル商会はライジングサン石油を設立してこれに対抗しました。当時の石油の主な用途はまだランプだった時代です。

サミュエルはバクー産石油、インドネシアの油田で作られるロイヤル・ダッチ社を手掛ける一方で、サミュエル商会自身でもボルネオで油田開発に乗り出しました。しかし産出したボルネオの石油は灯油収得率が低く、むしろ重油の生産に向いた品質でした。またサミュエルは1901年にテキサスで油田が発見された時、テキサスの石油にも手を出していましたが、ここの石油もボルネオと同様に灯油よりもガソリンや軽油、重油向きの性質だったのです。[100]

重い油質ばかりを製品に持つサミュエルとすれば、いつまでも灯油の市場に頼っていても仕方がありませんでした。さらに1901年の夏にはテキサスで石油が生産され過ぎて1バレル3セントまで下落していました。水ならばコップ1杯5セントもしたのですが。

重油は石炭に代わってボイラーで燃やせます。そこで彼はすべての蒸気で動く船舶の燃料を、石炭から重油に替えることに注力しました。いわば新しい市場の開拓です。石油産業の黎明(れいめい)期はエンジンが燃料である石油を求めたのではなく、燃料がそれを燃やしてくれる蒸気エンジンのボイラーを求めたのでした。サミュエルは販売ターゲットをイギリス最大の燃料需要家であるイギリス海軍に絞りました。

第24話　イギリス海軍の燃料転換

石炭から石油へ

戦艦「ドレッドノート」（第19話）は、かつてない強力な主砲配置とともに、主機関を従来の蒸気レシプロ・エンジンから蒸気タービンに転換して高速化したことが画期的でした。

蒸気レシプロ・エンジンとはボイラーで発生させた蒸気をシリンダーに送り込み、ピストンを上下させ、その上下運動を、クランク軸を介して回転運動に転換しスクリューを回す仕組みです。レオナルド・ディカプリオ主演の映画『タイタニック』（1997年）では出航直後のシーンで、回転数を上げる蒸気レシプロ・エンジンが精密に描写されています。一方でタービン・エンジンでは、ブレードと呼ばれる細かく数多くついた翼に高圧蒸気をあてて直接回転運動をさせるので、船は高速を出すことができるのです。

実は1912年就役の「タイタニック」号のエンジンは、いかにも過渡期の船らしく2基のレシプロ・エンジンに1基のタービン・エンジンという両方備えた動力構成でした。しかしレシプロは巨大なピストンが上下する様子が豪快で絵になる一方で、

タービンはカバーをつけてしまうと地味過ぎて映画には登場させて貰えなかったので
す。

「ドレッドノート」では蒸気を供給する汽缶（ボイラー）の燃料を従来の石炭だけではなく重油も一緒に燃やせるようにしていました。重油は同じ体積の燃料庫に貯蔵するならば石炭の2倍のカロリーを持つので、両者を併用することによって艦の航続距離をその分延ばすことができました。また石炭では肉体労働によるボイラーへの投入や、艦への積み込み作業が兵員達の重荷となっていましたが、石油はパイプを繋ぐだけで給油ができるので燃料補給作業が格段に迅速で容易になりました。

「ドレッドノート」が登場した１９０６年の段階で、小型の駆逐艦などでは既に重油だけを使う石油専焼の艦船もありましたが、石油の持つ数多くのメリットを認識しつつも、イギリス海軍は主力艦の燃料すべてを石油に転換するわけにはいきませんでした。

石炭であれば、大ブリテン島には世界でも最も高品位なカージフ炭が豊富に埋蔵され、これが蒸気船時代のイギリス海軍の優位を支えていた一大要素だったのですが、石油となると話は別でした。原油原産地の確保や本国までの輸送ルートの確立など様々な地理的、戦略的な問題点が残されていたからです。

また、イギリスは世界中に石炭給炭基地網をすでに構築してありました。これまで投入した資源、組織としての努力、伝統などをサンクコストとして切り捨てるには決断は容易ではありませんでした。しかもこの当時の石油は、まだ世界中あわせても本当に十分な埋蔵量があるのかどうか、また本当に石炭に取って代われる燃料なのかもまだ疑わしかったのです。

しかし兵器は各国の競争の中で進化していくものです。建艦競争のライバルであるドイツ海軍がイギリスに先駆けて石油に転換するのではないかとの噂も流れました。またレシプロ・エンジンからタービン・エンジンへの転換は高圧蒸気を要求し、ボイラーの性能の向上を促しました。石炭よりも石油です。

イギリス海軍にとって戦艦艦隊運用のメリット・デメリットのバランスが石炭から石油に傾いたのが第一次世界大戦開戦2年前の1912年のことでした。

石油への転換を推進してきたフィッシャー提督が率いる燃料油委員会が後押しをして、時のチャーチル海軍大臣がこれを決断しました。この年起工の戦艦「クィーン・エリザベス」級5隻以降のイギリス海軍の戦艦のすべてを石炭から脱却し石油専焼と決定したのです。この当時のイギリスは国内に油田がありませんでした。従って海軍への燃料供給を確実なものにするために、制海権下に油田とその輸送ルートを持つ必要がでてきたのです。そこでイギリス海軍が目をつけた石油生産の根拠地が中東でした。これ以降、中東はイギリス海軍の存在、ひいてはイギリスという覇権国家にとって必要不可欠な地となったのです。

ブリティッシュ・ペトロリアム

この当時のペルシャとは現在のイランのことです。南はペルシャ湾からインド洋に面し、北はカスピ海に接しています。インド植民地への回廊を確保したいイギリスと伝統的に南下策をとるロシアとのグレート・ゲームの交点であり地理上の要衝でした。当時この地域は将来石油が出そうだとは考えられていましたが、グラフにあるように生産量はまだまだ微々たるものでした。当時の石油生産はアメリカとロシアの2か国のシェアが圧倒的だったのです。

1905年頃、ウィリアム・ダーシーという民間のイギリス人がペルシャのかなりの部分の石油採掘権を購入して、ロイズ銀行から融資を受けて油田を開発していました。しかし石油はなかなか思うようには産出してくれず、資金繰りに困っていました。ダーシーはフランス・ロスチャイルドに接触したりサミュエル商会（後のロイヤル・ダッチ・シェル）に接触したりと、経済的に非常に不安定な状態にありました。言い換えれば、経営の状況次第ではペルシャにおけるイギリスの石油利権の喪失となりかねなかったのです。

石油の安定供給先を求めていたイギリス海軍省はこの話を聞きつけ、当時スコット

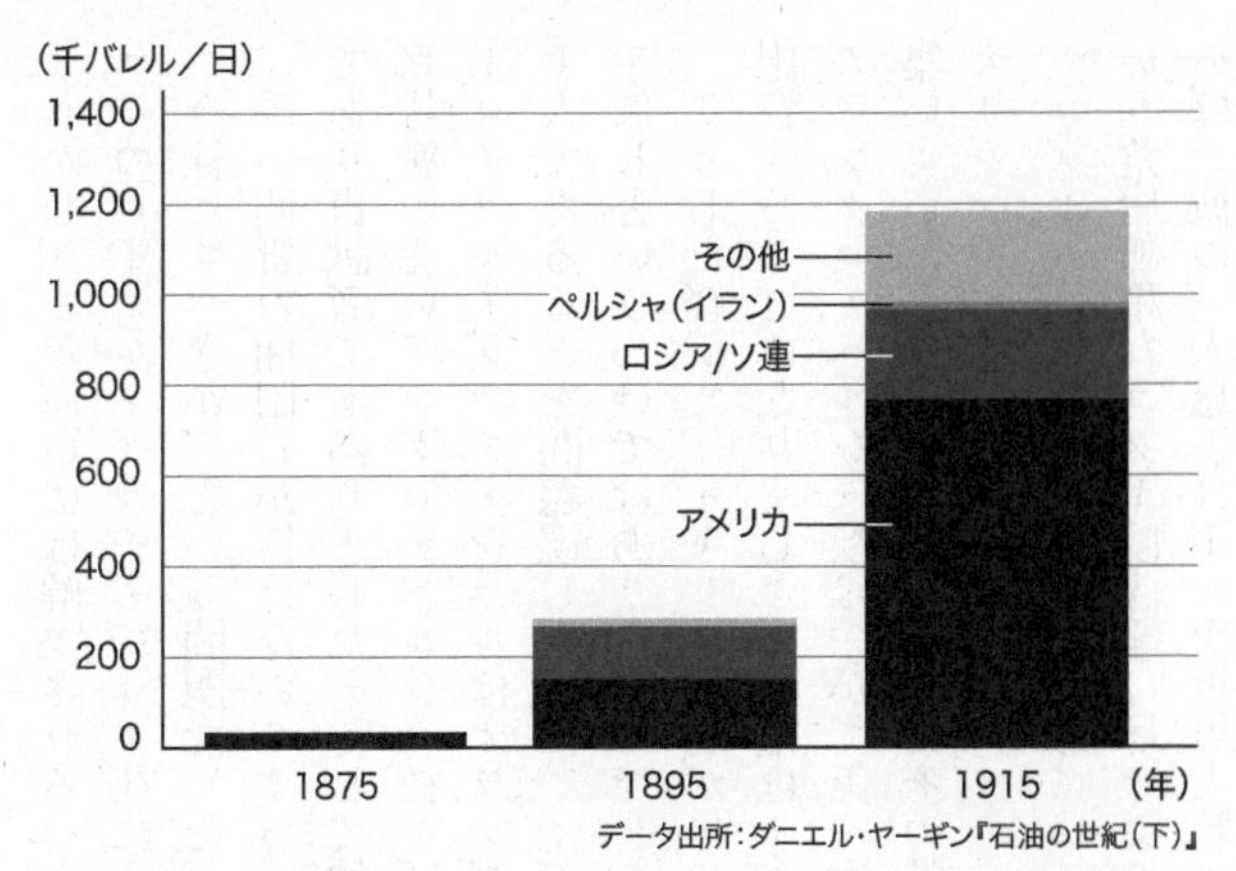

原油の国別生産高

ランド人達が経営していたビルマ石油にダーシーのビジネスを援助するように頼みました。これに対してビルマ石油は、ペルシャが将来に渡ってイギリスの保護下にあることを条件に承諾したのです。

日露戦争後の1907年には英露協商が結ばれましたが、その際に南東ペルシャはイギリスのものであると両国の間で合意され、そして出来過ぎのような気がしますが、都合よく翌年の1908年にこの地に後に中東最大となるマスジュテ・スレイマン油田が発見されたのです。

ビルマ石油は翌年アングロ・ペルシャ社と社名を変えてロンドンで株式を公開して油田開発のための資金を資本市場から集めました。こうしてイギリス海軍は燃料転換を決断したのです。

しかし、まだ海軍には解決されるべき問題が残っていました。主要供給元をサミュエルのロイヤル・ダッチ・シェル社にすべきか、あるいはペルシャのアングロ・ペルシャ社にすべきか、という問題でした。

重い油質の油田しか持たないサミュエルは、海軍の燃料石油化啓蒙運動の中心人物であり貢献者でもありました。そして彼は、この時、株式公開したもののいまだに財務状態の悪いアングロ・ペルシャ社を買収しようとしていました。海軍側としては、①ロイヤル・ダッチ・シェルはオランダの会社でもあることと、②サミュエルがユダヤ人であることを問題視しました。イギリスはユダヤ人に対して概ね寛容でしたが、手放しというわけではありませんでした。

こうした経緯で、イギリス政府がアングロ・ペルシャ社をテコ入れするために自ら出資することになりました。石油はイギリス政府が直接関与する戦略物資となり、このアングロ・ペルシャ社はやがて第一次世界大戦中に、イギリス国内で石油販売網を築いていた会社を買収して、後にその社名を使用するようになりました。現在のブリティッシュ・ペトロリアムです。

ユダヤ人は戦争を利用して儲けている、陰で資金を提供して戦争を仕掛けているという荒唐無稽なユダヤ陰謀論は尽きませんが、サミュエルの名誉のために付言するならば、彼の一人息子は第一次世界大戦のフランスの塹壕戦で戦死し、2人いた義理の息子もこの戦争で失っています。また各国のロスチャイルド家の若者たちも、それぞれの国の兵役について、数多く犠牲となりました。イギリスにせよ、あるいはフランスやドイツにせよ、ユダヤ人にとって第一次世界大戦は、愛国心を誇示できる数少ない機会のひとつだったのでしょう。第二次世界大戦におけるアメリカの日系二世部隊を思い出させます。

第25話　自動車

内燃機関

19世紀後半、石油は鯨油に代わる家庭用ランプの燃料として広く普及しましたが、直ぐにライバルが登場してきました。１８７９年に白熱電球を発明したエジソンは、１８８２年には主幹事証券であるJPモルガンの建物の前でウォール街を飾った白熱電球を一斉に灯す派手なデモンストレーションを行いました(101)。

ひとたび電線が工場や家庭に引かれれば、ユーザーはランプよりも、スイッチひとつで簡単に点灯消灯ができて、煤や火事の心配がない電球を選びました。１８８５年のアメリカの使用電球数は25万個でしたが、１９０２年にはこれが１８００万個にまで増えていました。

電球が普及していく一方で、今度は石油の需要を革命的に増やす発明がありました。ガソリンやディーゼル・エンジンと呼ばれる内燃機関の発明です。

蒸気機関は燃料をボイラーで燃やして水を沸騰し蒸気を発生させます。そしてその蒸気をシリンダーに圧入することで動力を得ていました。シリンダーの外で燃料を燃やすから外燃機関と呼びます。原子力も炉内で蒸気を発生させて、その蒸気の力でタービンを回すから外燃機関です。

一方で内燃機関ではシリンダー内に気化した燃料を送り込み、これを燃焼（点火爆発）させてピストンを動かして動力を得ます。

内燃機関では熱効率のロスは少なくてすみます。また蒸気機関車のように重くて嵩張る大きなボイラーも、また蒸気を発生させるための水タンクも必要がありません。小型軽量ですぐに起動できるエンジンは小型船舶あるいは鉄道、自動車、航空機にとって欠かせない動力となったのです。

蒸気機関の自動車もありました。また１８６０年代にモーターが発明されると電気自動車も数多く試作されましたが、その課題はレベルこそ違え、現代と同じくバッテリーの容量の限界でした。

ガスを使う内燃機関も試されて、ガソリン・エンジンの先駆となりましたが、そうした試行錯誤の時代が長い間続いたので、自動車の発明者を特定することは困難なのです。

しかし、2015年はメルセデス・ベンツ社が主張する自動車誕生130年でした。1886年の秋にドイツのダイムラーとマイバッハが462cc、1・1psのガソリン・エンジンでドライブをして、またそれとは別にカール・ベンツも同時期に今日的なエンジンにラック・アンド・ピニオン式のステアリング装置を装備して自動車を走らせていたからです。1889年のパリの万国博覧会会場で、ダイムラーはV型2気筒エンジンの製造ライセンスをフランスのパナール社とプジョー社に販売して、両社は1891年から自動車の商業生産を開始しました。

パナール社製造の自動車

初期のドイツの自動車メーカーであるベンツ/マイバッハ社やダイムラー社の製品は主にフランスで販売されました。フランスは金持ちも多く、ナポレオン時代に由来する道路がよく整備されていたという事情があったのです。

一方で産業革命の先進国イギリスは1865

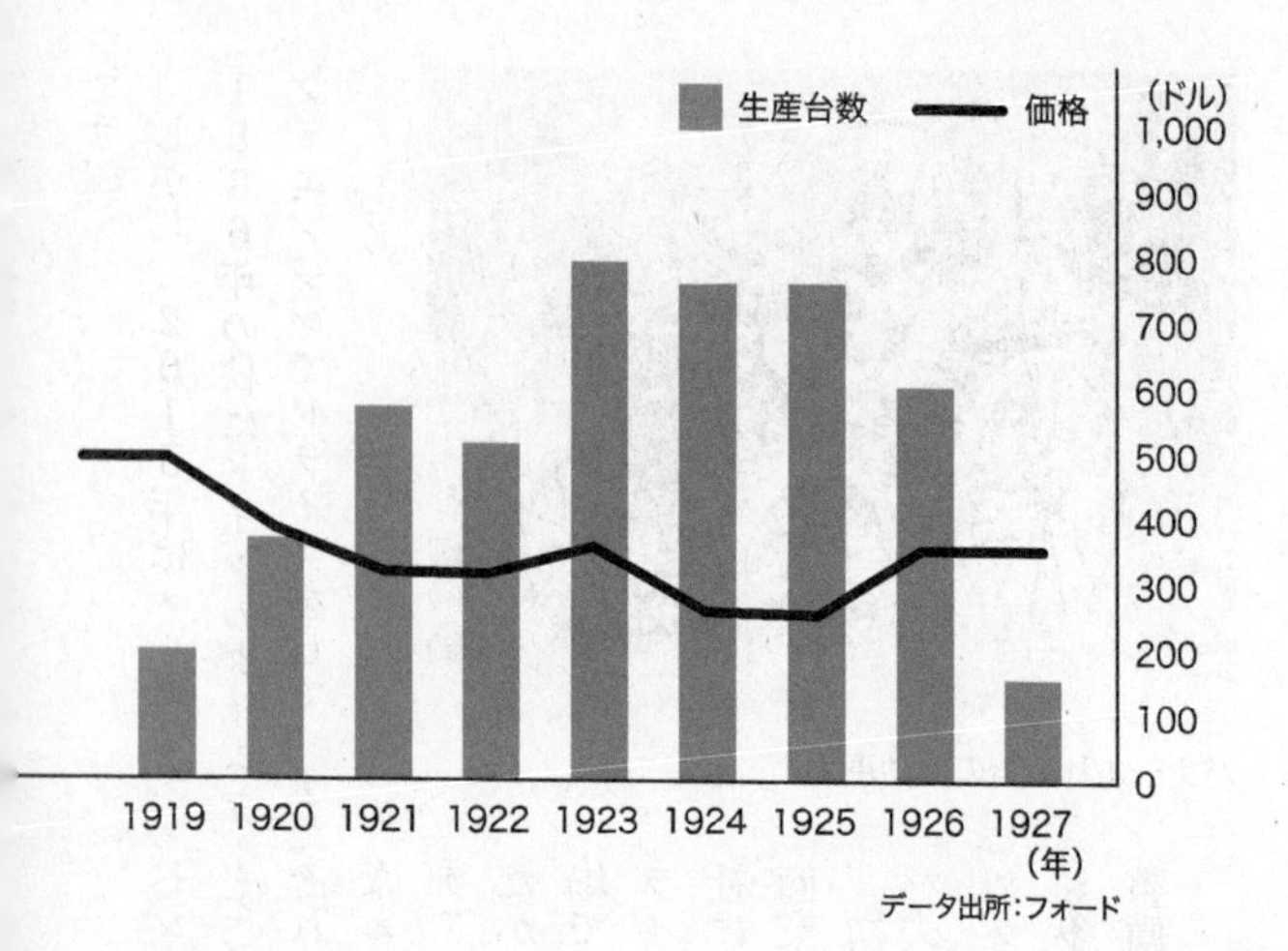

年に出された赤旗法（自動車に対して厳しく速度を制限して、かつ赤旗を持った人の先導を義務づけた。馬車屋という既得権益者を守る法律）が障害となって、１８９６年にこの法律が失効するまで自動車の開発は活発に行われませんでした。そのためイギリスは鉄道では世界をリードしながらも、自動車の生産についてはドイツやフランスに対して10年ほど遅れを取ることになったのです。現代の自動車会社の世界シェアと合わせて考えると興味深い史実です。

１８９４年のフランスの自動車レースでは予選に１０２台、本選には21台が勝ち上がりましたが、平均速度は18キロで自転車レースとほとんど同じ速

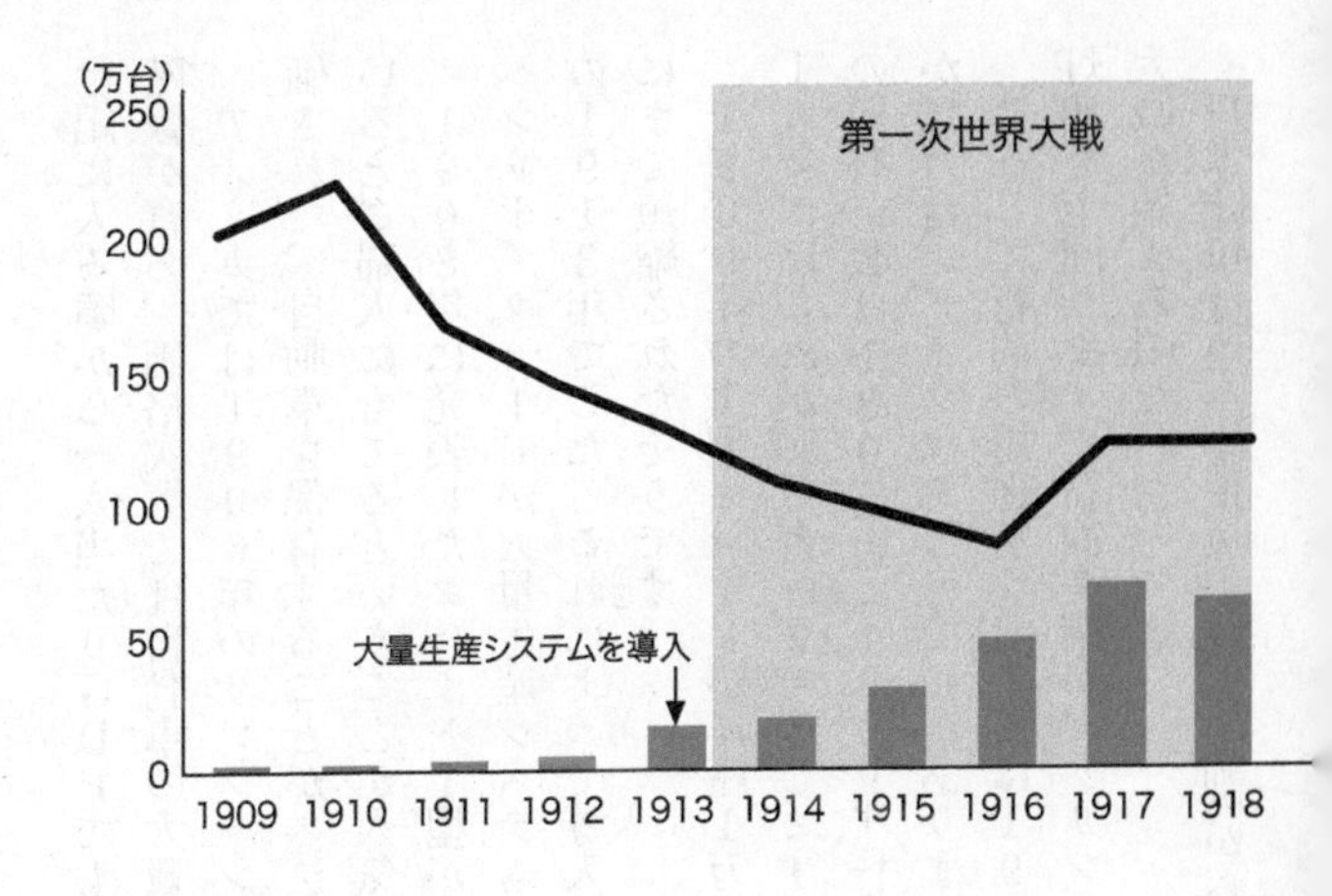

初期の自動車生産台数

度だったようです。

翌年にはパリ－ボルドー間往復1200キロのレースが開催され、15台のガソリン自動車、6台の蒸気自動車、1台の電気自動車が参加しましたが、上位入賞はすべてダイムラーのエンジンを積んだパナールとプジョーの自動車でした。これによって自動車におけるガソリン・エンジンの優位が確定しました[102]。

アメリカの自動車

19世紀後半の急成長するアメリカは、熟練工が常に不足していました。小銃、時計、ミシン、自転車などはすでに人手による作業を最小化して大量生産を実現していました。またアメリカは20

世紀に入る頃から一人当たりＧＤＰでもイギリスを凌駕しはじめ、消費者となる中産階級が育ち、価格次第では自動車の大量販売も可能な状態に入っていました。

アメリカでは１９０６年のサンフランシスコ大震災における自動車の救援活動が評価されて、自動車を保有することがステータスシンボルとなったそうです[103]。保有しているとご婦人にもてるということが人気の秘訣であったと記述があります。

１９０８年に発表したフォードＴ型が人気化して、その旺盛な需要に応えるために、ヘンリー・フォードが大量生産システムの導入に踏み切ったのは第一次世界大戦直前の１９１３年でした。これによって導入前の１台の製造時間12・5時間が2・6時間にまで短縮されたそうです[104]。

１９０９年のＴ型フォードが年産１万台だったのに対して第一次世界大戦中の１９１６年にはこれが50万台にまで達します。開戦の年、１９１４年のアメリカの自動車の保有台数は１３０万台（１９２０年には９２０万台）、イギリスが25万台、フランスが10万台、ドイツは6万台でしかありませんでした。日本はわずか１０００台でした。

こうして石油の用途別シェアでは１９１１年にガソリンとナフサの合計がようやく灯油を上回ります[105]。石油産業がガソリン中心の時代に入ったのはちょうど第一次世界大戦が始まる頃だったのです。

日本陸軍は第一次世界大戦の戦訓から動力の馬車からトラックへの転換のために

「軍用保護自動車法」を制定し乗用車より先にトラックの普及に努めようとしました。それを受けて石川島(いしかわじま)や東京瓦斯(ガス)電気工業がトラック製造に進出したのですが、結局予算の制約もあって陸軍はあまり本気にはならなかったようです(106)。

結果論から言えば、国民一人一人を豊かにして自動車を買えるようにすることが将来の陸軍を機械化する本当の秘訣だったのですが、当時は思いもよらないことだったのです。その後日本で自動車が普及するのは、１９２３年の関東大震災後に震災で破壊された東京市電の代替バスとして、フォード社から８００台分のトラックのシャシーを輸入したことがきっかけでした。

第26話　潜水艦 ‐ ディーゼル・エンジンと電動機

ディーゼル・エンジン

第一次世界大戦は、自動車や航空機、潜水艦が初めて戦場に登場した戦争でした。これらに使われたエンジンは、それまでの石炭を使う蒸気機関ではなく、石油を燃やす内燃機関だったことに特徴がありました。

20世紀初頭時点でのデータでは、外燃機関である蒸気機関の熱効率（燃焼による熱を力に変える効率）は10％、これに対して内燃機関ではガソリンが15％、軽油や重油を使うディーゼル・エンジンは26％もありました。現代ではこれらの数値も改善されてガソリンが32％（2015年型トヨタ・プリウスでは40％を達成した）、ディーゼルは46％ほどです。

ディーゼル・エンジンでは空気を圧縮して、そこに霧状の軽油や重油を噴射して着火するので、高圧に耐える仕組みが必要で、精密な機械工作が要求されたのでガソリン・エンジンに比べて実用化が遅れました。また高圧縮のせいで振動騒音が大きくなるというデメリットもあります。ディーゼル自家用車がガラガラと少しうるさいのはこのためです。

しかし乗り心地を追求する自家用車ではなく、軍用としてのディーゼル・エンジンの最大のメリットは、燃費性能とともに燃料の引火点が高いことにあります。戦闘中に被弾しても爆発しにくいのです。

ディーゼル・エンジンはドイツ人ルドルフ・ディーゼルの特許取得から始まっています。ドイツやアメリカで数年かけて関連特許を取得し、1897年のドイツ技術者協会総会では約50社が彼からライセンスを購入したそうです。また1904年には潜水艦であるUボート用のエンジンとして初めてドイツ海軍に引き渡されています。[107] 潜水艦は英語ではサブマリンですが、ドイツ海軍では「アンダーシーの船」の略称でUボートと呼ばれました。

外洋を航海する客船や商船にとって、燃費は運用コストに直結する重要な要素です。ディーゼルによる航続距離の延伸は、余分な給油地を省き航路設定を自由にして時間短縮に寄与しました。しかし大型エンジンの工作は難しく、ディーゼル・エンジンの大型船舶への本格的な普及は第一次世界大戦が終了してからのことです。横浜に保存されている１９３０年竣工の氷川丸(ひかわまる)[108]では、デンマークＢ＆Ｗ社製のちょっとユニークな船用複動式ディーゼル・エンジンを見学することができます。

ディーゼルは円運動の蒸気タービン・エンジンに比較して速度が出ませんでした。石油が安かった１９６０年代までは大型タンカーや、北太平洋航路のコンテナー船などは速度が重要視されたために重油ボイラーによるタービン船が主流でした。しかし石油危機をきっかけに燃費が重要視されると、ボイラーとタービンの組み合わせからディーゼル・エンジンへの主機換装工事が幅広く行われました。そしてそれ以降の大型商船ではＬＮＧ船などの例外を除き、主機にはディーゼル・エンジンの採用が標準となっています。

速度が要求される軍艦の世界ではディーゼル・エンジン普及後も、最新のガス・タービンも含めて戦艦「ドレッドノート」由来のタービン・エンジンが主力です。現在でも海上自衛隊では速度が重要な戦闘艦はタービン、補給艦などには経済的なディーゼル・エンジンが装備されています。

電動機（電気モーター）

潜水艦が実戦で初めて戦果をあげたのは南北戦争の時の南軍の「H・L・ハンレイ」号です。船体の外に取り付けた魚雷で北軍の小型帆船を撃沈しました。動力は人力で、乗員9名中の8名が遊園地にあるペダルボートのようなペダルを漕いで艦を推進しました[109]。当時既に蒸気機関はあったのですが酸素消費量の多いボイラーを、密閉して水中を潜航する潜水艦の中に持ち込むことは不可能でした。

また酸素補給ができず、排気ガスを放出できない水中で、ガソリンやディーゼル・エンジンを使用することもできませんでした。そうしたわけで水中の潜水艦の動力は排気用の煙突を持たない電動機（モーター）の開発を待たなければなりませんでした。

1873年のウィーンの万国博覧会ではジーメンス社のゼノブ・グラムという人物がダイナモ発電機のデモを展示しようとしていました。蒸気機関でダイナモを回して電気をつくるところを見せようとしたのです。

ところが2台あるダイナモを助手が間違えて配線したために蒸気機関に接続していなかった方のダイナモも同時に回転し始めたのです。これはどういう意味かというと、本来は発電用のダイナモであっても、逆に電気を通せば今度は電動機として作動することがわかったのです[110]。これが巷間伝えられるモーターの発明の瞬間です。

ドイツUボート３型

「棚からぼたもち」状態のグラムは、このダイナモならぬ電動機を使って、別のアトラクションを急造して、この博覧会では一番の注目を浴びました。

回転させても酸素を消費しない電動機は、蓄電池の発達とともに潜水艦の水中動力として使用されるようになりました。近代潜水艦の祖と呼ばれたアメリカ人ホランドが１９００年に製作したホランドＳＳ－１は水中航行用に電動機と水上用にはガソリン・エンジンが搭載されていました。

またちょうど日露戦争のあった１９０４年に就役したドイツ・クルップ社製のロシア潜水艦「フォレル」号は、シベリア鉄道でウラジオストクまで陸送され日本海軍の攻撃に備えていましたが推進力は電動機のみで航続距離が短くて出撃の機会がありませんでした。

日本も１９０４年に上記の米国人ホランドが設立したエレクトリック・ボート社[111]にホランド型潜水艦を発注していましたが、デリバリーは05年7月以降になってしまい日露戦争には間に合わなかったのです。

ガソリンに比べて引火しにくい重油を使用するディーゼル・エンジンが潜水艦に搭載されたのは、１９０９年から13年に就役したドイツ海軍U３級の後期型からです[112]。水上速力は15ノットを出せました。こうして潜水艦はかろうじて第一次世界大戦に間に合った新しい兵器だったのです。開戦直後の１９１４年8月の各国の潜水艦保有隻数は、イギリス82隻、フランス49隻、アメリカ30隻、ドイツ29隻、イタリア19隻、日本海軍が12隻でした。

潜水艦は水上航行の際にはディーゼル・エンジンを回して航行しながら充電して、潜航時はバッテリーと電動機で推進しました。現代のハイブリッド車と同じです。当時の潜航能力はバッテリーの容量の制約を受けてまだ数時間の水準でした。

現代の原子力潜水艦では核分裂により生成される熱エネルギーで水を蒸気にしてタービンを回すために、水中でも大気を必要とせず長時間の潜航が可能です。政策として原子力潜水艦を持たない我が国などでは、補助的な出力ではあるものの、大気を必要としない発電機を利用した非大気依存推進（ＡＩＰ）が実用化されています。

第27話　航空機の登場

ライト兄弟

ウィルバーとオービルの「ライト兄弟」は街の発明家でしたが、偶然に飛行機を発明したわけではありません。彼らは、グライダーの実験で墜落死したドイツのリリエンタールが使ったグライダーの翼の形状や空気力学の著作を参考にしていましたし、当時すでに論文を参照できた航空工学学会の成果も利用していました。またライト兄弟は自分たちの実験風洞も持っていました。彼らは多くの先駆者の業績を土台にして、初の動力付き飛行機のフライトに成功したのです。

自動車が流行する直前の20世紀初頭のアメリカでは、約３００社の自転車メーカーが毎年１００万台以上の自転車を販売していました。こうした自転車のオートメーションによる大量生産全盛の中で、ライト兄弟は今でいう手造り製造販売の自転車の店を経営していました[113]。彼らは職人技で自転車を製造しており、機体製作の基本的な技術を持っていたのです。

エンジンの方では、１８７６年にドイツ人ニコラス・アウグスト・オットーが自動車用にエンジンを商用化して、その後ダイムラー・エンジン会社などによって同種のエンジンが製造販売されていました。1895年の段階で、エンジンは既に世界で5万台ほどの販売実績があったそうです。しかしこうしたエンジンは空を飛ぶには重すぎました。飛行機に積むには、エンジンに要求される出力重量比（馬力／エンジン重量）が重要でした。したがって、ライト兄弟は自分達でスペックに見合う軽くて馬力があるエンジンを造らなければならなかったのです。

彼らはそれまでの風洞実験やグライダーによる実験、あるいは先達の研究成果から自分たちの飛行機の離陸に必要な速度を毎秒10メートルと正確に計算し、そのために必要なエンジンは重量が82キログラム以下で最低でも8〜9馬力と見積もっていました。要するに彼らは大企業ではありませんでしたが、先人達の各種研究成果を伝統的職人芸と組み合わせた結果、飛行機を発明することができたのです。

1903年12月17日ノースカロライナ州キルデビルヒルズの砂丘で「ライトフライヤー」号は12秒間で37メートルほど飛行しました[114]。これはまさに日露戦争開戦の直前で、ロンドン金融市場では既に日本公債は日本敗北の予想からまとまった売りに値を下げていた頃です。ライト兄弟の傍らでは、情報を聞きつけたスタンダード石油のセールスマンがガソリンと潤滑油を用意して待機していたそうです[115]。

長岡外史

ライト兄弟の初飛行や1909年のブレリオによる英仏海峡横断に触発されて、日本では同年に陸海軍共同で臨時軍用気球研究会が発足しました。ここではプロペラ・ヒゲで有名な陸軍の長岡外史軍務局長が会長となり、気球に限らず兵器としての航空機普及を目論みました。翌年1910年には陸軍の日野熊蔵、徳川好敏両大尉を操縦技術習得のために欧州へ派遣しました。2人は同年末に帰国して代々木練兵場（代々木公園）で初飛行をしています。表参道には、「昔は滑走路だった」という都市伝説があるのですが、それはたぶんこれからきているのでしょう。当時の初飛行は10万人の見物人が集まり大盛況だったそうです。[116] ちなみに当時はまだ1910年。明治天皇はご存命で、したがって明治神宮はまだ無く当然表参道もありませんでした。

　翌1911年3月には「空の黒船」と呼ばれたアメリカ人ボールドウィンが率いる興行飛行団が来日して、大阪城東練兵場でショーを開催しまし

初飛行の「ライトフライヤー」号

た。なんと40万人の観衆を集めたそうです。当時の日本人は好奇心がとても旺盛です。飛行機は一大ブームとなっていたのでしょう。1912年には陸軍、海軍ともそれぞれ操縦将校第一期生5名を指名して、各航空隊の基礎造りが始まりました。

第一次世界大戦開戦直前の各国保有機数はフランス156機、イギリス150機、ドイツ231機、これが終戦時の1918年11月にはフランス3437機、イギリス3800機、ドイツで2898機に達しています[117]。飛行機は第一次世界大戦を通じて次世代の兵器として確立されたのです。

ところで、1965年公開のイギリスのコメディ映画『素晴らしきヒコーキ野郎』は、フィクションながら1910年のロンドン－パリ間の飛行機レースを題材としています。実機による撮影も多く、黎明期の飛行機を知るには格好の教材です。若き日の石原裕次郎（いしはらゆうじろう）も日本代表選手役として堂々とした演技を披露しています。

第6章　第一次世界大戦勃発

日露戦争によってロシアが疲弊する中で、欧州各国の勢力バランスが微妙に変化し始めました。イギリスとフランス、ロシアが近づき、ドイツはハプスブルク、イタリアと三国同盟を結びながらも孤立感を高めていきます。そして高まる国民国家意識の中で人種の坩堝（るつぼ）であるバルカン半島を起点に、いよいよ戦争が始まります。

第28話　開戦への助走

アガディール事件

19世紀末から第一次世界大戦開戦までの、平和な時代を、人は回顧して「ベル・エポック（良き時代）」と呼びました。戦争は誰の得にもならないので、起こるはずがないと考えられました。しかしそれは戦後の事後的な回顧の中での物語でした。現実には各国は着々と戦争に近づいていきました。

独仏がモロッコの利権をめぐって対立した1905年のタンジール事件（第21話）

では、フランスがモロッコの警察権と予算権限を握る一方で、同地での他国の活動も認めるアルヘシラス条約が結ばれました。ドイツは発展する経済と膨張する人口を維持するために植民地の拡大は必然と考えていましたが、いかんせん英仏に較べて後発であり、植民地化できる空白の土地はほとんど残されていませんでした。

当時ドイツで伸び盛りの投資銀行ウォーバーグ商会は、個人商店ゆえに財務諸表の開示から免れ、豊富な資金を使って政府の秘密行動に参画することがよくありました。

ウォーバーグは政府（必ずしも皇帝ではない）の意向に沿ってドイツのモロッコへの進出機会を探り、1910年にハンブルク・モロッコ協会を設立すると、今も存在する鉄鋼会社マンネスマンと組んでモロッコ・マンネスマンという子会社を作りました。ただし実態はまだ何もありませんでした。

1911年5月、モロッコ現地部族の反乱鎮圧にフランスが出兵して首都フェズを占領すると、ドイツ外務省は条約違反だと非難して、これを機会にマンネスマンが進出予定の鉱山があるモロッコ南部を頂戴（ちょうだい）しようと画策しました。「恫喝（どうかつ）」すればフランスはいくばくかの利権をよこすだろうと考えたのです。いかにもヴィルヘルム二世の仕業に見えますが、実は皇帝はあまり乗り気ではなかったようです。

皇帝は「ドイツ人はイギリス人を嫌っているが、私だけはイギリスの味方である」と発言して両国で騒動を引き起こした1908年のデイリー・テレグラフ事件の舌禍以来、政府内部での指導力が低下していました。外務省はウォーバーグに依頼して、モロッコの銅資源は、ドイツにとって軍艦を派遣して守らねばならぬほど「死活的な権益である」とのでっちあげのレポートを書かせると、現地のドイツ人保護のために砲艦「パンター」号を派遣することにしました。

実は、これにはもうひとつ大事な仕事がありました。モロッコ南部にはドイツ人が1人もいなかったので、荒れ狂う現地部族に殺されそうな、可哀想で保護すべきドイツ人もわざわざ派遣する必要があったのです。ウォーバーグは「パンター」号が7月1日にモロッコ南部のアガディールに進出するので、それまでにこの「殺されそうなドイツ人」も現地に到着しておくように指示しました。ドイツ外務省はドイツ人が現地で残虐行為に遭っているとフランスを批難して軍艦派遣を正当化し、モロッコ南部の権益を確定しようとしたのです。また対外強硬策を主張することが多いドイツの新聞各紙も、ありもしない架空の残虐行為を記事に仕立ててヒステリックに騒ぎ立てました。ところが残虐行為を受けているはずのドイツ人がアガディールに到着したのは「パンター」号到着から4日後の5日の夕刻でした[118]。このドイツ人は山岳地帯を馬で強行突破したために確かにボロボロになっていたそうです。ドイツの見え透いた行為に対してフランスの投資家がドイツ市場から資金を引き揚げて、そのためにドイツで株式市場が暴落すると、ヨーロッパ中に戦争近しという興奮が広がりました。この1

911年7月に生起したアガディール事件は多くの歴史家が第一次世界大戦の端緒であると指摘しています。

6年前のタンジール事件があった頃のイギリスは、まだボーア戦争での財政的影響を引きずっており、フランスと共に戦う余力は無く外交交渉に頼りましたが、今回は具体的な戦争の準備に入りました。

11日には、イギリス陸軍作戦部長ウィルソンが早速パリへ行きフランス陸軍と調整して英国海外派遣軍規約を作成しました[119]。21日には平和主義者であるはずのイギリスの蔵相ロイド・ジョージが恒例のロンドン市長公邸講演で勇ましい演説を行いました。イギリスは大国であり、理不尽なものに対して引き下がったりはしない。つまりフランスのために共に戦う覚悟であると宣言したのです[120]。8月に入るとアスキス首相が帝国国防委員会の秘密会を開催して、事が起こればイギリス陸軍がベルギー方面に上陸する基本方針を決めました[121]。

アインクライズング

この騒動は、11月に入って外交的に収束されましたが、英仏独、どの国民にも不満を残し、それぞれのメディアや、これを機に軍備拡大を狙う右翼団体がナショナリズムを盛り上げて国民の間にお互いの敵愾(てきがい)心を醸成しました。フランス国民はいつまでも普仏戦争の勝者としてふるまうドイツの恫喝に自尊心を傷つけられ、大国意識を持つドイツ国民は国際情勢の中で自身の地位が低下したと考えました。さらにイギリスがフランスに寄り添う態度にドイツは孤立して「アインクライズング」（包囲）されているという意識が強くなっていきます。

またこの時、ドイツ参謀本部では、参謀総長小モルトケの下に若手参謀ルーデンドルフ中佐が台頭しました。皇帝の威信低下とともに参謀本部の発言力が強まります。彼らは、盛り上がるナショナリズムに「全ドイツ連盟」や「ドイツ国防協会」という右翼団体を利用して、建艦競争で海軍に傾いた軍事費を陸軍に取り戻そうと画策しました。(122)クラウゼヴィッツは「戦争とは政治の手段である」と論じましたが、後に大戦中のドイツを指導することになるルーデンドルフは「政治とは戦争指導の手段でしかない」と考えていたのではないでしょうか。

ドイツ陸軍大増強

アガディール事件を契機に、各国は国民の支持を得て予算を投じて具体的な軍備の拡充を始めました。1912年6月、ドイツは戦艦の建造ペースを維持する第五次艦隊法を成立させると同時に、この年まで横ばいだった陸軍の平時兵員目標数も増加させました。

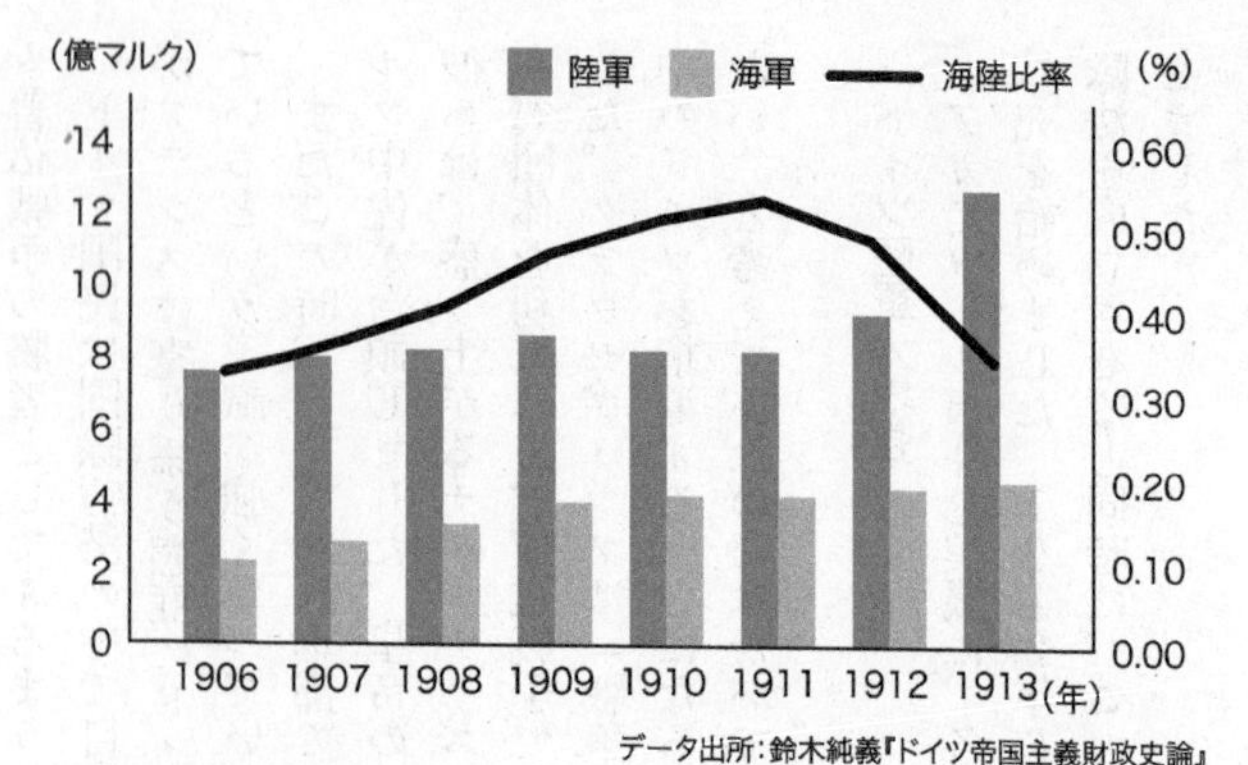

ドイツ帝国陸海軍の予算比率。開戦を前に軍事予算は拡大した

フランスとロシアの関係も強化されます。7月にはフランス首相ポアンカレがロシアを訪問し、貧弱なロシアの鉄道インフラに対して軍事目的用に50億フランの無利子借款を約束しました[123]。またロシアはこの時、独仏開戦時には2週間以内に背後からドイツに攻撃をかけると約束しました。

11月には英仏両海軍が戦時の行動範囲の取り決めをしました。ドイツと開戦した場合、フランス海軍は地中海に集中し、イギリス海軍は英仏海峡から北海に及ぶフランス北辺の防備を担当することになりました。これで英仏協商は、事実上の軍事同盟になりました。

年が明けて1913年に入ると、ドイツは陸軍大増強法案の審議を開始しました。この法案は極めて異例なことに、議会は陸軍の要求よりも多い予算を割り当てました[124]。グラフを見れば明らかなように1913年の陸軍の予算は例年にくらべて突出しています。ドイツ国民はアインクライズングに対して軍備を増強して防衛せねばならないと考えたのでしょう。

同時期にフランスはドイツのシュリーフェン計画に相当する陸軍のドイツ攻略作戦「第17計画」の採用を決め、8月には2年の徴兵期間を3年に延長することで常備兵力を増やしました。翌年、つまり第一次世界大戦開戦の年である1914年4月に入ると極秘の「W計画」が策定され、英仏両参謀本部によって、宿営地や糧秣集積所の位置など開戦時の兵站の詳細までが詰められました。もはやどの国の軍隊も近いうちに戦争があるだろうと考え始めていました。

第29話　「東方問題」と世界大戦

オスマン帝国

現在のトルコ共和国は主要部分がアナトリア半島にあります。ボスポラス海峡が首都イスタンブール（コンスタンチノープル）を分かち、ここがヨーロッパとアジアの境だと認識されています。しかしオスマン帝国以前のアナトリア半島は、アケメネス朝ペルシャの時代を経て、紀元前2世紀以降、長い間ローマ帝国の領土でした。

ローマ帝国の東西分裂後もここは東ローマたるビザンツ帝国の一部であり、11世紀初めの住民構成ではギリシャ系やアルメニア系のキリスト教徒がほとんどでした。しかし、この頃から中央アジアからトルコ系の遊牧民が侵入し、ルーム・セルジューク朝（ルームとはローマの意味）の盛衰を経て、13世紀頃には民族入り乱れた群雄割拠の様相を呈しました。

その中のひとつがトルコ人オスマン一世を始祖とするオスマンで、勢力の弱ったビザンツ帝国を侵食し、1453年には首都コンスタンチノープルを陥落させてローマ帝国の長い歴史に終止符を打ったのです。オスマンは東ローマの首都に王朝を築いた以上、ローマ帝国の継承者であるという意識を持っていました。

また、オスマンはイスラムの守護者を自負していましたが、多様な民族を包括する帝国統治のために、差別こそあれ、その他の宗教にも寛容でした。キリスト教である東方正教会は、ビザンツ帝国が滅亡した後もコンスタンチノープルを中心にオスマンの統治下で命脈を保ち続けました。オスマン朝はその後も版図を拡げ、最盛期には地中海南岸から紅海沿岸、神聖ローマ帝国の首都ウィーンを脅かすまでに拡大しました。

しかしヨーロッパが大航海時代を経て、アメリカ大陸を発見し、黒海や中東を経由せずにアジアと海路による直接交易をして経済力をつけ始めると、オスマン帝国は17世紀末の第二次ウィーン包囲戦をピークとして、その後はゆっくりと衰退の途をたど

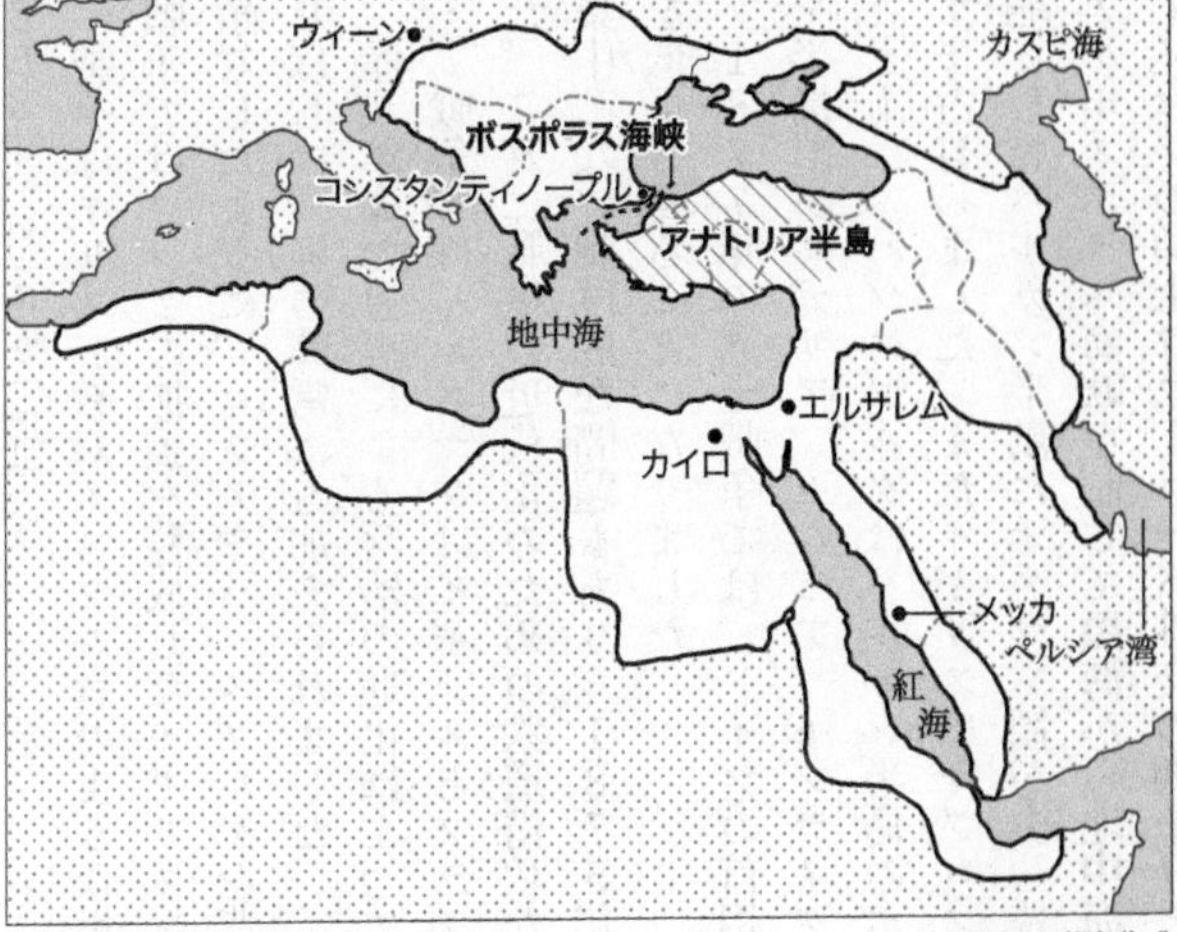

データ出所：著者作成

オスマン帝国の最大版図

ります。

ヴォルフガング・アマデウス・モーツァルトの「トルコ行進曲」はオスマン襲来100周年のトルコブームに沸く18世紀末のウィーンで書かれたものです。ヨーロッパにおけるイスラム教徒の軍隊の脅威はそれほど古い話ではないのです。

欧州外交の調整弁

オスマンはハプスブルクや拡大するロシアの南下に伴い、少しずつ領土を失いながら露土戦争と呼ばれる長い戦いを続けました。ギリシャのオスマンからの独立戦争（1821年）やクリミア戦争（1

853年）もその一環です。

戦争はキリスト教対イスラム教のような単純な対立の構図だけではなく、クリミア戦争ではロシアの拡張を警戒したイギリスとフランスがオスマン側についてロシアと敵対したように、ロシアやハプスブルクを背後から牽制する勢力として、オスマンはしばしば列強の陣営にも加えられました。

産業革命の恩恵による兵器の進化によって、戦争に巨額の資金が必要になったクリミア戦争では、オスマンはイギリスとフランスからの借款によって戦費を調達しました。これに戦後の近代化のための鉄道借款などが加わると、オスマンは中央に税収が集中しない制度的な問題もあり、1875年には国家破産を宣言して国際的な発言力を低下させることになりました。

1877年の露土戦争では、ドイツの首相ビスマルクの戦後の調停によってバルカン半島のブルガリア、セルビア、モンテネグロ、ルーマニアがオスマンから独立するとともに、ハプスブルクはバルカン半島のボスニア・ヘルツェゴビナをオスマン領のまま占有しました。またイギリスはキプロス島の領有を認められ、ビスマルクは調整地としてバルカン半島にオスマン領が少し残るように裁定しました。勝ち過ぎたロシアがボスポラス海峡を制して黒海から地中海へ出ないように勢力を均衡させたのです。オスマンの領土はヨーロッパ外交の調整弁として切り取られました。

1908年7月、オスマン国内で「統一と進歩団」などによる青年トルコ人革命が成立し、専制政治を終了させ帝国憲法を復活させると、バルカン半島の帝国領地にも議会への代表者の選出を求めるようになりました。このためバルカン半島の周辺諸国や機会主義者達はオスマンの統治権が再び強まることを警戒しました。[125] そこでハプス

第二次バルカン戦争終結後のバルカン諸国

ブルクは、10月にそれまで一方的に占有していたボスニア・ヘルツェゴビナを併合して正式に自分の領土に組み入れたのです。

ここにはセルビア人が多く住んでいましたので（42％）[126]、将来の民族統一を基本に併合の機会を模索していたセルビアはスラブ系人種のよしみで、ロシアに頼ってハプスブルクに対してクレームを入れました。ところがハプスブルクの背後からはドイツが後押しをして、翌年3月、ロシアに対して最後通牒まで突き付けることによって引き下がらせたのでした。ロシアはこの時、日露戦争敗戦と革命による財政上の疲弊が残り、ドイツと正面切って戦争をするわけにはいかず、このことでスラブ人種の盟主としての面子をすっかり失ったと考えました。名誉を傷付けられたとして、後々の遺恨となったのです。

1911年にイタリアがオスマンの現リビアの領土を求めてしかけた伊土戦争が起こると、隙を見たバルカン諸国は列強に後押しされ、翌年ヨーロッパに残されたオスマン領に殺到しました。これが一次、二次と続くバルカン戦争であり、この結果オスマンから切り取れる領土はヨーロッパの領域からは、ほぼなくなったのです。これが第一次世界大戦前夜のバルカン半島の状況でした。

東方問題

ナポレオンが敗れ、1815年にヨーロッパの勢力均衡のためのウィーン会議が開催されて以降、普仏戦争を含むドイツ統一戦争こそありましたが、ヨーロッパ全体を巻き込む大きな戦争は約1世紀に渡って途絶えました。しかしその一方でオスマン帝国の領土は露土戦争やバルカン戦争を通じてヨーロッパ外交の調整弁として切り取られ続けました。これをヨーロッパでは東の紛争問題として「東方問題」と呼びました。

津田塾大学の藤波伸嘉准教授は、ヨーロッパがオスマン領のヨーロッパ部分を、分け前として、いつでも切り売り可能な「分銅」のように取り去った後は、つまりいく度かの露土戦争に続く第一次、二次バルカン戦争の後は、ヨーロッパ外交はその先に、妥協点を模索し、分かち合える分銅を失ってしまったと指摘しています[127]。

第一次世界大戦の起点となったサラエボ事件は、ハプスブルクのセルビアに対する宣戦布告を引き起こしましたが、その実態は領土拡張を求める第三次バルカン戦争だったといえます。しかしヨーロッパが調整弁としての分銅（オスマン領）を失った以上、それは調整不能な世界大戦に展開せざるを得なかったのです。

「東方問題」とはヨーロッパから見れば、勢力均衡のための「外交問題」でした。また、緩やかに多民族、多宗教を抱え込んでいた帝国としてのオスマンの一体性は、この間に有力な各在地勢力である名望家が、彼らのスポンサーをオスマンから列強にくらがえすることで崩壊していきました。新たに国境が引かれて、独立したバルカン諸国にしてみれば、その入り組んで融合しないモザイク状の民族分布から、「東方問題」は現代にまで連なる複雑な「民族問題」となって残っています。この構造は第一次世界大戦の勃発(ぼっぱつ)によっても未(いま)だ終わりません。オスマンは第一次世界大戦の戦中、戦後を通じて、今度はその版図の中東部分が、列強によって切り刻まれていくことになります。

第30話　宣戦布告

サラエボ事件

1914年6月28日、サラエボでハプスブルク皇太子がセルビア民族主義者によって暗殺されました。これが第一次世界大戦の引き金となるサラエボ事件です。サラエボはハプスブルクに併合されたばかりのボスニア・ヘルツェゴビナの州都でした。ボスニア・ヘルツェゴビナはもともとオスマンの領土でした。そこにはスラブ系で正教徒のセルビア人、セルビア人ながらイスラム教に改宗したボシュニャック人、その他クロアチア人などが住んでいました。モザイク状に分布する多数の民族がオスマンの緩やかな統治の下に長年暮らしてきた地域でした。

ところが露土戦争の戦後処理の結果1878年にハプスブルクの保護領となり、1

908年には、国境を接するセルビアやその援助にまわったロシアの反対にもかかわらず、ハプスブルクによって強引に併合されました（第29話）。こうしてハプスブルク領内に取り込まれたボスニア・ヘルツェゴビナに住むセルビア人は、隣国セルビアの民族主義者達と結びつき、独立を目指してテロ活動を行ったのです。

一方でハプスブルクにしてみれば、セルビア国と連携した領内のセルビア人による国内テロ活動の鎮圧は政治的な課題になっていました。こうした状況下で、サラエボ事件が発生しました。ハプスブルク政府はこの事件を単なる報復処置だけではなく、懸案であった政治的課題の解決に利用しようと考えますが、その解決方法とは隣国セルビアを併合してしまうことでした。この事件は併合に向けたよい機会だと考えられたのです。

THE OSAKA MAINICHI SHIMBUN

大阪毎日新聞

墺國皇嗣 同妃 兩殿下暗殺さる

サラエボ事件を伝える新聞記事（『大阪毎日新聞』1914年6月30日付）

サラエボ事件は当時の日本

の新聞紙上一面で「墺塞（オーストリア・セルビア）事件」として大きく取りあげられました。しかしそれは、皇族暗殺というセンセーショナルなニュースだったからで、世界ではこの時期、他にも大事件が数多く発生していました。ロシアでは労働争議があり、アメリカはメキシコと揉めていたし（米墨事件）、イギリスはアイルランド問題で沸騰していました。

また日本ではもっぱら米国西海岸における日本人差別問題に興味が集中していたので、サラエボ事件はすぐに忘れ去られました。

サラエボ事件を受けて、ハプスブルクの老皇帝フランツ・ヨーゼフ一世はドイツのヴィルヘルム二世に援助を請う書簡をしたためました。もしもハプスブルクが、これを機にセルビアの併合を強行するのであれば、セルビアを援助するロシアが干渉してくるに違いありません。そこでロシアとの戦争をも辞さぬ準備のために「もしもハプスブルクがロシアと戦争をするのであれば、ドイツは味方につく」という確約が必要だったのです。1908年にボスニア・ヘルツェゴビナを併合した時と同じです。

ドイツは、後に「白紙の小切手」[128]とよばれるこれに同意する書簡をいとも簡単に与えてしまいました。ヴィルヘルム二世にすれば1908年の時にも、セルビアの後ろ盾となったロシアがドイツを前にして引き下がったように（当時のロシアは日露戦争で疲弊していたのですが）、今度もロシアは屈服するだろうと考えたのです。またドイツ参謀本部はフランスのロシアに対する軍用鉄道建設資金の借款（第28話）に注目し、1916年になるとロシアの鉄道網が充実するので、どうせいつかフランスやロシアなど協商国と戦争になるのであれば、できるだけ早い方が良いと考えていました。ヴィルヘルム二世は希望的観測をもとに「いままでもよくあった、いつものやつ」と事態を軽く考えていましたが、参謀本部は本気で、勝算を持って協商側との戦争を覚悟しました。やるなら今だと。

　ハプスブルクは開戦準備に手間取り、7月23日になってようやくセルビアに対して最後通牒をつきつけました。これが1か月も無為に時間が経過した理由です。この最後通牒は併合を意図したもので、はなから受け入れ不可能なものでした。これを見てセルビア人などスラブ人種の盟主を自負するロシア皇帝は激怒しました。セルビアの後ろ盾であるロシアが舐（な）められた、「名誉」が著しく傷つけられたと感じたのです。「墺塞事件」がすでに風化していた日本の新聞にも忽然（こつぜん）と「露帝激怒」の文字が並び、欧州で緊張が高まったことを伝えています。ロシアは、ドイツと開戦した場合のフランスの援助の有無を確認すると戦争を辞さぬ構えをとりました。

　7月25日にはセルビアによって、ハプスブルクの要求を飲むような体裁を極力とりつつも、大半の要求を拒否する返事がありました[129]。セルビアの併合が目的のハプスブルクには最初から回答の是非は関係なく、28日に至ってセルビアに対して宣戦布告をしたのです。

ハプスブルクとセルビアが戦争になれば、両国の後ろ盾となっているドイツとロシアが戦争に巻き込まれ、ロシアが巻き込まれればその同盟国であるフランスも巻き込まれます。

大規模な世界戦争の危機が俄かに高まりましたが、それでもまだ金融市場は開いていました。ナポレオン戦争以来100年間にわたりヨーロッパには平和が続いていました。各国の経済は証券市場や貿易を通じて複雑に絡み合い、戦争をすることに経済的な合理性など全くありませんでした。金融市場をリードする大物の金融業者達は、自分たちの階層が持つ国際的な人脈や関係から、この危機は最後の最後には、きっと誰かが何とか調整するものだと信じていたのです(130)。

サラエボ事件の一報はすぐにニューヨーク株式市場に伝えられましたが、まだそこには戦争の臭いはせず、株価は反応しませんでした。市場が戦争を警戒し始めたのは、事件から1か月ほど経ってから。ハプスブルクがセルビアに最後通牒を突きつけた7月23日からでした。ウィーンやブダペストの株式市場からは急激に資金が引き上げられ、27日にはどちらの市場も閉鎖されましたが、この時点ではすでにパリやベルリンも売り物で溢れていました。

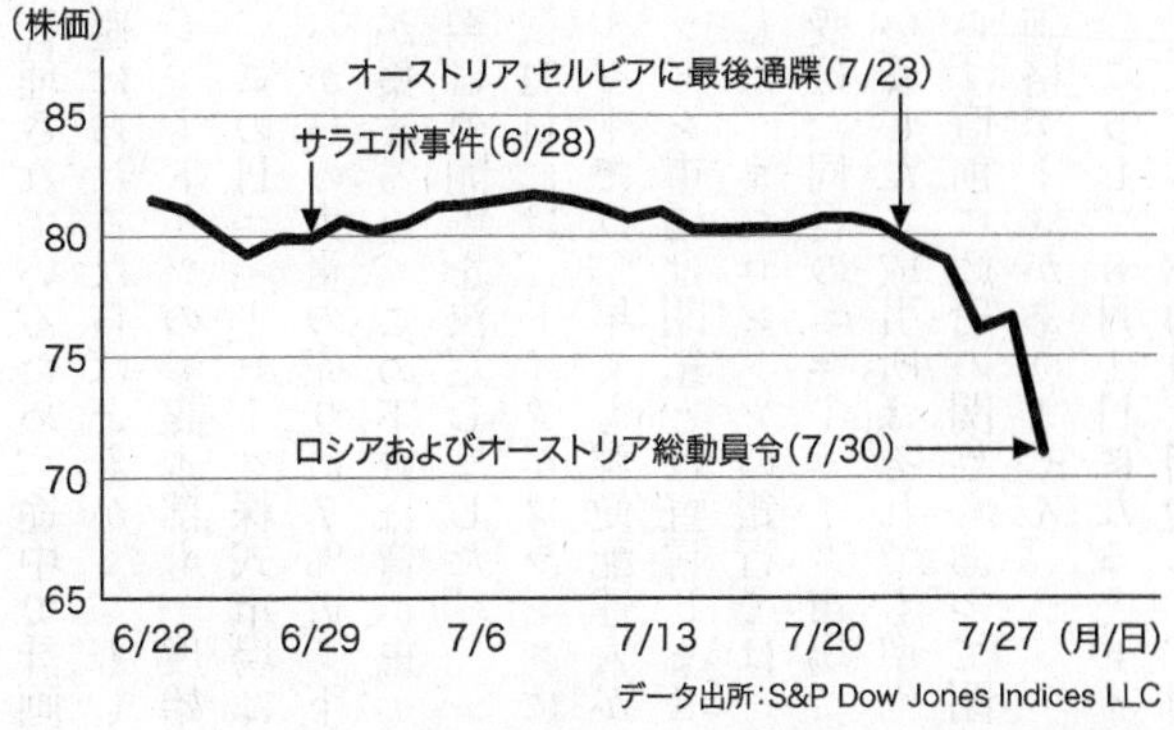

1914年の米国ダウ株価指数の推移。サラエボ事件に株式市場は無反応だった

総動員令発令

世界が、二度と取り戻せない一線を越えたのは7月30日の木曜日でした。この日ロシア皇帝は全軍に動員令を発令しました[131]。またイギリスはいざ戦争になっても中立を守って欲しいというドイツの要望を拒絶しました。

現実の戦争勃発を目前にして、ヴィルヘルム二世はようやく危機感を持ちました。親戚(しんせき)であるロシアの皇帝ニコライ二世に連絡して、総動員令を停止して部分動員に縮小するよう交渉したのですが、時すでに遅く、ドイツも実質上の総動員をかけており、すでに戦争への歯車は回り始めていました。もはや開戦への主導権は皇帝達ではなく、実務を担当する軍部が握っていました。鉄道時代の総動員令は精緻(せいち)な時刻表によって管理されているため、途中で計画を変更すれば作戦に混乱が生じます。本当に開戦が避けられるならばともかく、もしそれが敵の罠であれば、緒戦が不利になります。ロシアもドイツの参謀本部も一度始めた総動員は止められないと皇帝に伝えました。

この日ニューヨーク株式市場は、総動員令発令を実質的な開戦と捉えて、ヨーロッパからの大量の売りに7%近く下げる大暴落を演じました。それでも引け後に業者達が集まると、この下げは買い場ではないかと議論になって(中長期的には正しかった)、翌日の開場を決定しました。

31日には、ドイツがフランスに最後通牒を送付すると、独仏に挟まれた中立国のベルギーでは、早くも郵便配達人が各家庭に召集令状を配達し始めました。この日のロンドン市場は閉鎖とは宣言しませんでしたが、市場価格は存在せずに実質上の閉鎖でした。またロンドンの銀行では一時的に紙幣の金との交換が停止されました。これを受けた同日のニューヨーク市場では、寄り付き前にすでに大量の売り注文が集まっていました。取引所はそれでも準備をしていましたが、10時のオープニング・ベルを鳴らす直前に政府の関与もあって閉鎖を決めたのです。ですからこの日からしばらくは価格データがありません。

こうして8月1日になるとドイツが正式に総動員令を発令してロシアに宣戦布告、フランスも総動員を開始して、同日午後7時にはフランスを目指すドイツ軍の一部が早くもルクセンブルクとの国境を侵し始めました。

ドイツのフランスに対する最後通牒の期限である3日になると、ドイツはフランスに対して宣戦布告しました。この日ドイツ軍が中立国のベルギー領に侵入すると、翌4日はこのことを理由に、今度はイギリスがドイツに宣戦を布告しました。そして6日にはイギリス陸軍の大陸派遣を決定しました。各国とも戦争は一気に勝敗がつくだろう、また鉄道の時代の戦争は軍資金が巨額なので財政的な理由からも短期間で終了するだろうと考えていました。動員された兵士達は、「クリスマスには故郷に帰れる」と信じて出征していったのです。

第31話　1914年の幻想

誰も戦争を望まない

この本では、政治、経済や産業・軍事史を中心に据えて、ここまで第一次世界大戦開戦の経緯を追ってきました。結果を知り、因果関係を遡って追うことが出来る現代の我々から見れば、開戦はまるで必然であるかのように見えます。ベストセラー『ブラック・スワン』で有名なナシーム・タレブは近著『反脆弱性』[132]の中で、「歴史の大半はブラック・スワン的な事象で成り立っている」と書いています。であれば、こうしてひとつひとつの因果関係を追いストーリーを作り上げるのは、行動経済学上の有力なバイアスである「後知恵」の弊害を逃れられないでしょう。実際には当時の多くの人達から、戦争の勃発は意外性をもって受け止められました。まさに白鳥とは白い鳥であって、黒い白鳥などいるわけがないブラック・スワンだったのです。

開戦の年の1914年、一部の野心的な政治家や軍人を除く一般的な人達は、世界を巻き込むような大きな戦争が起こるとは考えていませんでした。当時のこうした、現代から見ると非現実的な誤解や認識を歴史家のJ・M・ウィンターは「幻想」と呼びました[133]。

有力な政治家も影響力のある経済人も、また一般の人達も、この「幻想」をもとに判断し、想像力の欠如から戦争を抑止する努力を怠りました。今後の戦争の進行を記述する前に、世界が戦争の危機に直面した時に人々が抱いていた「幻想」を整理して、あたかも暴落に備える慎重な株式投資家のように、現代への教訓としたいと思います。

開戦の年である1914年の初めの数か月、国際情勢はここ数年になく好転しつつあるようにみられていました。バルカン問題は小康状態にあり、英独の建艦競争は建艦速度の緩和が期待され、ドイツが降りたような形になっていました。また「3C・3B政策」と呼ばれ、英独による帝国主義の衝突の象徴とされたドイツのバクダッド鉄道建設問題についても、実際にはイギリス側による出資が協議されていました。

人々は以下の理由で戦争は起きないだろうと「幻想」を持ちました。

1. 経済的なメリットがない戦争は起こらない。

英独建艦競争のピークである1907年、イギリスの造船業者はドイツから500万ポンド相当の鉄鋼製品を輸入し、ドイツもイギリスから300万ポンド相当の鉄鋼製品を輸入していました。イギリスのヴィッカース社が建造した我が国の戦艦「三笠」の防御鋼板はドイツのクルップ社製でした。両国の技術が混ざっていたのです。

死の商人とも呼ばれたイギリスの造船業者も、事業の半分は商船建造で、戦争で貿易が中断されると困ることになるはずです。ドイツの電機AEGやジーメンスは武器も製造しますが、中核のビジネスは世界に販売する民生品で貿易の中断は死活問題でした。オーストリアの重機シュコダ社は巨大砲で有名でしたが、ナイアガラの滝やスエズ運河の閘門(こうもん)用のタービンはここの製品です。

『大いなる幻影』で有名な作家ノーマン・エンジェルは「資本家に祖国はない。資本家はもし彼が現代的タイプの資本家であるなら、武器や征服、国境をめぐっての詐術など、彼の目的には無益で、むしろ害になることをよく知っている」と著書の中に書きました。

1912年には、英独の建艦競争の緩和を目的として、ドイツの実業界ナンバー1でハンブルク＝アメリカ汽船会社社長のアルベルト・バリンとイギリスの金融家アーネスト・カッセル卿(きょう)の間で非公式な会合が持たれました。カッセルはバリンに海軍大臣のチャーチルを引き合わせ、ドイツがイギリスと戦わずにすむ条件を聞き出しました[134]。

実業界の多くは、こうしたヨーロッパをカバーする人的関係によって緊張は調整され、戦争にはならないだろうと信じていたのです。ベルギーの高名な社会主義指導者エミール・ヴァンデルヴェルデは、戦争は起こるかと聞かれ、「今日ヨーロッパには多くの平和勢力が存在している。まずその第1がユダヤ系の資本家たちであり、彼らこそ、多くの政府を財政的に支援しているからである」と答えました。

戦争の危機が迫った時、イギリスのロスチャイルド商会はタイムズ紙上で戦争反対を訴えました。だからこそ金融市場は最後の瞬間まで戦争を織り込まなかったのです。

日露戦争で日本の軍資金ファイナンスを積極的に支援した米国大手銀行クーン・ローブ商会社主のヤコブ・シフは日露戦後も高橋是清(たかはしこれきよ)と継続的に書簡を交換していましたが、その中身は平和を希求する姿勢に満ちています。しかし、それでも戦争は起こったのです。

2．不安定な政府は戦争を避けるだろう。

イギリスはアイルランドに国内自治の問題を抱えていました。フランスはジャン・ジョレスが率いる平和主義のフランス社会党が台頭し、ドイツでも社会民主党が国会で単独第1位の政党になっていました。ロシアでは日露戦争の際に発生したロシア第一革命（血の日曜日事件）でも際どかったように、もし戦争でもしようものなら、皇帝を中心とする現体制の維持は保証されないだろうと考えられていました。

各国の社会主義者の国際組織である第2インターナショナル（一度破たんして1889年に再結成された）では、1907年シュトゥットガルト大会で、戦争勃発を食い止めるためにはあらゆる手段をとると宣言していました。ところが動員が始まった時、フランスの警察には開戦時に社会動乱を防止するために逮捕されるべき社会主義者達がリストされていましたが、逮捕する必要はありませんでした。何故なら社会主義者達のほとんどが愛国心に燃えて軍隊に入隊したからです。ドイツでもロシアでも社会主義者達は主義よりも愛国心が先行し、ドイツ帝国議会では開戦直後の戦費調達の公債発行議案に第1党の社会民主党が喜んで賛成を投じました。北アイルランドでもイギリス政府に反抗した多くの若者が、イギリス軍に志願したのでした。

3. 戦争は伝統的な外交戦略で回避できるだろう。

約1世紀の間、ヨーロッパでは外交によって大戦争が回避されてきたことが根拠です。しかし計算外だったのは大衆の持つ力の増大でした。国家主義者や右翼団体、さらに新聞などのメディアによる、大衆に受けの良い愛国的なプロパガンダは国民感情を盛り上げました。こうした国民感情は「火をつける」ことは容易でしたが、制御することは困難で、外交政策に大きく影響を与えました。日露戦争後のポーツマス会議では、大衆は戦勝にもかかわらず日本が賠償金を得られなかったことに激怒して、戦争継続を訴えて日比谷焼打ち事件を引き起こしました。大衆が政治に参加する以上、エリート達による道理だけでの外交はできなくなっていました。これは当時の「デモクラシー」のひとつの帰結です。第一次世界大戦において、多くの大衆は歓呼で開戦を迎えたのでした。

4. どんな戦争もすぐに終わるだろう。

知識層においては、国家予算に制約がある以上、金のかかる近代戦は規模の限界があるのですぐに終わると考えていました。また大衆レベルでは、徴集兵の突撃中心の軍隊訓練を通じて戦争はすぐに決着がつくものだと理解し、どうせすぐに終わる戦争ならば、やってもよかろうと誤解しました。

また、国民全員が関わりを持つ、総力戦のような戦争は想像が出来なかったので、まさか自分も銃を取るとは思わなかった人も大勢いました。しょせん自分以外の誰かが戦う、他人事だと幻想していたのです。

徴兵制の無い現代の我が国は、戦争は一般人には他人事です。中国がアヘン戦争以来の屈辱の歴史の中から次第に経済的に力をつけ、彼らがそれにふさわしいと考える地位、すなわち「名誉」を国際社会で望む以上、現代の状況は多少なりとも第一次世界大戦前夜のヨーロッパに似ています。戦争は金融市場の暴落と同じで、忘れた頃に突然やってきます。100年前にヨーロッパの人々が抱いていた「幻想」を、もしかしたら現代の我々も抱いているのではないでしょうか。

第32話　西部戦線攻撃開始

シュリーフェン・プラン

ドイツ軍は7月31日に「戦争切迫宣言」を国内に周知させると、その翌日からシュリーフェン・プランに従って動員を始めました。当初の総動員数は約200万人、このうち後方に必要な50万人を残して、第1から7軍までの135万人をフランスに急襲をかける西部戦線に配置し、第8軍15万人をロシアからの侵攻に備えて東部戦線へ振り向けました。西が9に対して東1です。

ドイツ軍は1870年の普仏戦争の時にわずか2か月でパリの包囲に成功した経験から、今回は動員39日目までにパリを陥落してフランスを降伏させ、40日目には鉄道を駆使して、ロシアがいる東部戦線に主力を移動させる作戦でした。

領土が奥深いロシアに勝利するには時間がかかると想定される一方で、フランスは弱いだろうという前提でした。このため、時間との勝負ですからロジスティクスが作戦の鍵(かぎ)を握りました。西部国境に向けて13路線が複線で整備され、ピーク時には1日550本の列車がライン川を越えて前線へ向かう輸送能力が準備されていました。

右翼の第1から第4軍までが、中立国であるベルギーを通過してフランス国境へ殺到し、その中でも最右翼の第1軍が西から包み込むように攻略する、というのが作戦

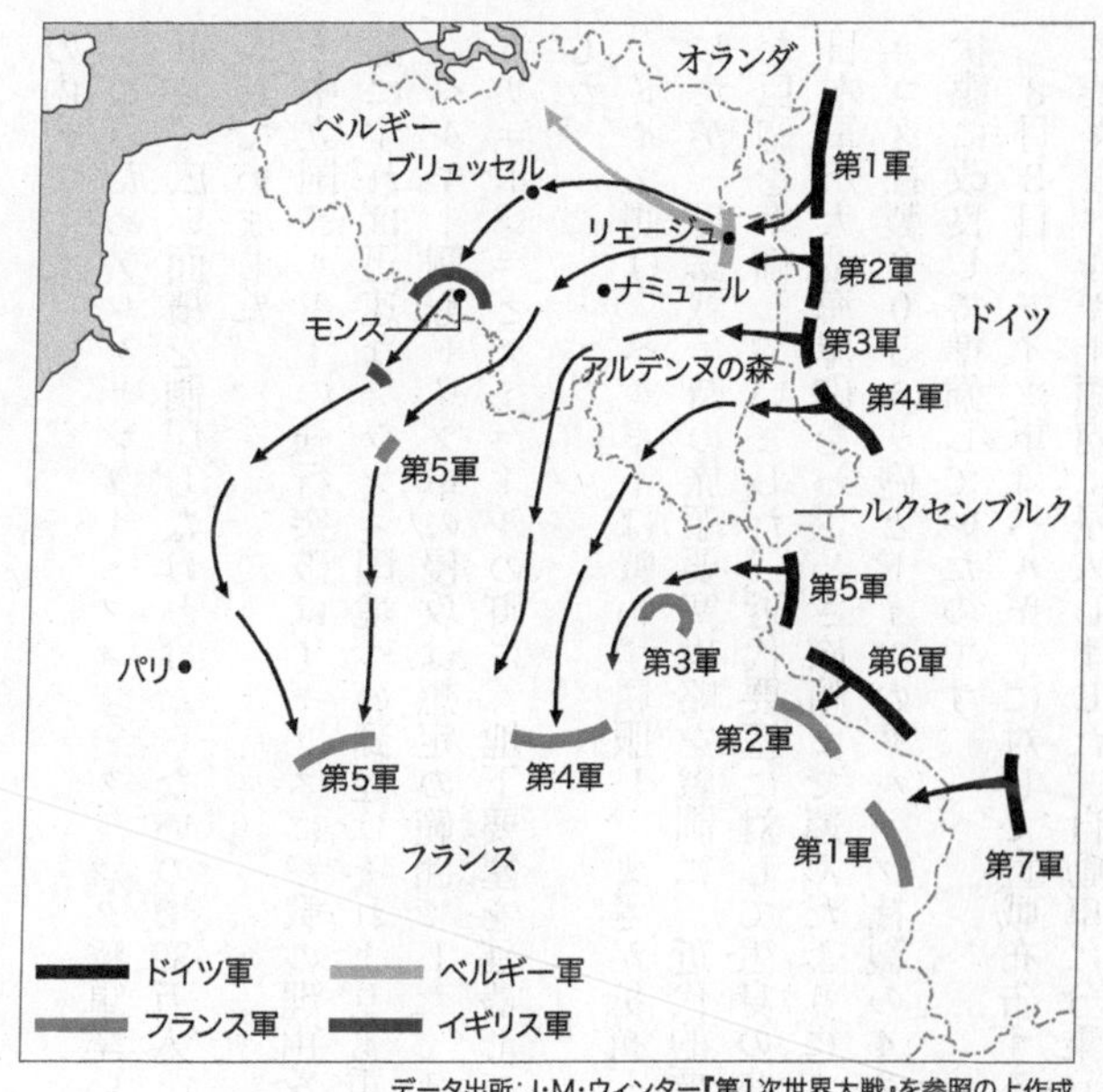

ドイツ軍によるベルギー・フランスへの侵入

の内容でした。

このためアレクサンダー・フォン・クルック将軍率いる第1軍は一番長い距離を行軍し、広い面積を制圧しなければならないので32万人という7軍団中最大の兵力が割かれていました。

中立国ベルギーの強行突破はイギリスに参戦の理由を与えましたが、ドイツ参謀本部にすれば迅速なフランス国境への到達はそれよりも重要な要素だったのです。

ベルギー側もドイツ軍の侵攻は想定の範囲でした。1880年頃から要衝の地であるリェージュとナミュールの町に、地下要塞（ようさい）を建設してドイツ軍の侵攻に備えていました。

ドイツ側は、ベルギーは戦わず屈服し、まさか抵抗してくるとは考えていませんでしたが、日露戦争時の旅順要塞攻略を戦訓に、近代的要塞を物理的に破壊できる特別な巨砲を準備していました。近代要塞に対して生身の歩兵突撃は効果がありません。日本軍が大型海岸砲をわざわざ旅順まで運んだように、ドイツ軍はハプスブルクのシュコダ社製305ミリ砲とドイツのクルップ社製の420ミリ砲を鉄道で移動可能な状態に改良して準備していたのです。

8月3日、ドイツ軍はベルギーに対して宣戦布告すると、翌日から騎兵部隊を先頭に続々とベルギー領内に侵入しました。自動車に分乗した歩兵部隊がこれを支援し、その後から自転車中隊を先頭に隊伍を組んだ徒歩の主力が電話線を敷設しながら行進していきました。ドイツ参謀本部の準備は万端で、歩兵は缶詰や携帯食糧を含む約30キロの装備を担いでいましたが、各連隊は調理用の炊飯車を同行しており、進軍する車上では晩ご飯のためのシチューが調理されていたそうです。

最初の障害だったリエージュの要塞を孤立させて、町を解放させたのは昇進したルーデンドルフ将軍でした。彼はアガディール事件の際に小モルトケと組み、右翼団体を使って陸軍増強の運動を展開した野心溢れる若手参謀です（第28話）。彼はこの時、指揮官が戦死した旅団を独断で代理として指揮をして功を成しました。この戦功がこれ以降の彼の働き場所を提供することになります。

第17計画

一方のフランス軍では、ドイツ参謀総長の小モルトケに相対する総司令官のJ・J・ジョッフルの指揮のもと、アルデンヌの森を突き抜けて中央突破でベルリンを目指す「第17計画」が準備段階に入っていました。別働で第1軍によって普仏戦争で奪われたアルザス・ロレーヌ地区を奪回しようと侵攻しましたが、すぐにドイツ軍によって押し戻されました。

ジョッフルは理詰めのドイツ軍に対して、物量よりも気合で戦う精神主義者でした。

また周囲の推薦にも拘(かか)わらず、干渉されることを嫌い、先任の名将ガルニエ将軍を一線に採用せず閑職に放置しました[135]。

ドイツ軍にすればフランス軍の「第17計画」はシュリーフェン・プランに織り込み済みです。フランス軍中央が攻撃に専念してその戦力が多ければ多いほど、本命であるドイツ軍右翼の侵攻作戦は楽になる計算です。しかしフランス側もドイツ軍右翼が強力であればあるほど、中央部分が手薄になり有利だと、どちらも「確証バイアス[136]」によって自軍に都合よく考えていたのです。

イギリスでは8月5日の帝国国防委員会に、ファショダ事件で指揮をとった陸軍元帥キッチナーが陸軍大臣として参加していました。イギリス陸軍のフランスやドイツとの最大の差異は、海軍国であるがゆえに徴兵制度が無く、陸軍の兵力が極めて少ないことでした。だからこそドイツは中立国ベルギーを侵犯するにあたり、イギリスの参戦をあまり重要視していなかったのです。キッチナーは専門家としては珍しく、この戦争は長く続くと予想して、今後の兵員育成の核として手元の貴重な6個師団すべてをすぐさま大陸へ送ることに反対しました。その結果イギリスは8月9日になって4個師団8万人に派遣軍の規模を縮小して、3万頭の馬匹と野砲315門をフランスへと送ったのです。

ドイツ軍の侵攻はとても速いものでした。8月20日にはクルックの第1軍が、ベルギー軍の撤退したブリュッセルの町を示威行進し、一方でベルリンはこのニュースに歓喜で包まれました。ベルギーの元首で総司令官であるアルベール王は戦力を温存しつつ海岸方面へ撤退し、抵抗を続ける戦略をとりました。ドイツ軍は普仏戦争時に占領地域におけるる市民のレジスタンス活動に手を焼いた経験を持っていたので、ベルギーの占領地域における統治は、恐怖政治を適用して陰惨を極めることになります。

ドイツ軍の飛行機「タウベ」。タウベはドイツ語で「鳩」という意味で、翼の形にちなんで名付けられた

翌8月21日には、フランス第3軍、4軍が第17計画を遂行すべく、アルデンヌ高地とサンブル川で一大攻勢をかけましたが、精神主義の突撃はドイツ軍の砲撃と機関銃掃射の前に阻止されて、計画とはうらはらに、戦線中央部は大きくフランス領内に押し戻される結果になってしまいました。フランス兵はドイツ軍の砲撃の前には必ず鳥のような飛行機が上空を旋回することに気が付きました。ドイツは偵察と着弾観測に飛行機を使ってい

たのです。

フランスに上陸したイギリス軍は連合軍の最左翼を受け持ち、ベルギー領内の炭鉱町モンスに進出しました。またフランス軍左翼の第5軍もベルギー国境で南下するドイツ軍を待ち受けましたが、戦力差は圧倒的で、英仏側は戦線を維持できず、8月23日からは撤退を始めました。

前出の地図にもあるように、8月の終わりには戦線はとうとうパリに迫る位置にまで後退しました。8月30日日曜日のパリ、東部戦線ではロシアが大敗北を喫したというニュースが流れる中、ドイツ軍の鳥のような飛行機タウベ（鳩）がいよいよ上空に現れて、砲弾を投下しました。飛行機からはドイツ軍はすでにパリの城門に迫っているとの宣伝ビラも投下されましたが、当時の飛行機の短い航続距離を考えれば、それは信頼にたる情報でした。

開戦から1か月、ドイツ軍によるシュリーフェン・プランは計画どおり首都パリに迫る勢いでした。9月2日、フランス政府は首都を南西部のボルドーに移すことにしました。小説『異国の戦争』（著・小牧近江、かまくら春秋社）や、『藤村のパリ』（著・河盛好蔵、新潮文庫）などに、この時のパリの町の描写があります。9月5日にはフランスが、決して単独で降伏しないように、英仏露三国はわざわざ単独不講和を宣言しなければなりませんでした。

第33話　東部戦線タンネンベルク

40万人対15万人

8月17日、ドイツ軍がベルギーに侵攻して、要衝のリェージュ要塞に巨大砲を発射し始めた頃、東部戦線では、ロシア軍が予想外に素早く国境を越えてきました。シュリーフェン・プランでは、ロシア軍の戦場への到着は9月中旬を想定していました。

ロシアが西部戦線のフランスを支援するためには、1日でも早く侵攻を開始して、ドイツに対してフランスとロシアの東西二面戦争を強いる必要がありました。2軍からなるロシア第1軍はレンネンカンプ将軍、2軍はサムソノフ将軍、どちらも日露戦争の時には騎兵師団長で活躍した将軍で、日本人には小説『坂の上の雲』で馴染み(なじ)のある名前です。

この当時は、現代のポーランドという国は地図上にありませんでした。中央部の現首都ワルシャワはロシア帝国領で、北部のバルト海沿岸はドイツ帝国の中核であるプロイセン王国でした。そのプロイセンの東の部分にロシア第1軍20万人が東側から、第2軍20万人が南側から侵入してきました。戦力比は40万人対15万人。手薄なドイツ軍を力で圧倒し、挟み撃ちにして撃滅するという作戦でした。もしも作戦というものがあればの話ですけれど。

ロシアはドイツ侵攻用の鉄道が未整備でした。心配したフランスが、開戦直前に軍事鉄道建設用にとロシアに無利子融資をしましたが、この時点では未だ完成していませんでした。またロシア軍のトラックや自動車の保有台数はまだわずかで、その補給能力たるや国境を越えるとすぐに人馬頼みでした。

また進軍に伴って敷設する戦場電話用の電線が不足していたので、結果として敵に傍受されやすい無線に頼るしかありませんでした。ロシアは識字率が低く、いきおい教育が必要な通信兵も不足していたので、ほとんどの電文が簡単な暗号か平文で発信され、通信内容はドイツ軍に筒抜けでした。

8月17日に先発したロシア第1軍はドイツ軍先鋒(せんぽう)に攻撃をかけて数で圧倒し東プロイセンに侵入しましたが、20日には早くも糧食、弾薬とも補給困難に陥りました。西部戦線のベルギー、フランスは豊かな人口密集地で、多少の糧食の現地徴発も可能でしたが、湖沼地帯で砂地の多い東プロイセンではそれも困難でした。第1軍は遅れている第2軍と歩調を合わすためにケーニヒスベルク(現カリーニングラード)の東で、補給を待ちつつ停止しました。

参謀本部の小モルトケ参謀総長は、緒戦での敗退を理由に、21日にドイツ第8軍の司令官プリットヴィッツ将軍を更迭すると、代わりに西部戦線緒戦のリェージュ占領で功績のあったルーデンドルフ将軍を第8軍参謀長に据えました。先に参謀長を決めて、その後に引退していたヒンデンブルク将軍をプリットヴィッツ将軍の後釜である第8軍司令官に据えたのです。普通は逆です。この司令官と参謀長のコンビは、第一次世界大戦後半に全ドイツを牽引していくことになりますが、この時が初対面でした。後にヒンデンブルクが元帥に昇進した時に、人々は「ヴァス・ザークスト・ドゥー（何を君は言うかな?）元帥」と呼びました。

戦場の東プロイセンはドイツ帝国の発祥の地であり、数多くのドイツ将校団の故郷です。シュリーフェン・プランでは西に集中するために僅かな戦力しか与えられず、少々の犠牲は仕方がないと考えられていましたが、現実にロシア軍によって蹂躙されると、難民も発生し、参謀本部には、有力者から苦情と陳情が集中しました。

さらに当初は中立を表明していた日本が8月15日にドイツに対して最後通牒を送り協商国側として参戦することが決まると、ロシアはシベリアの対日戦用の兵力を東部戦線に転用可能となりました。(137) これを受けて小モルトケ参謀総長は、ルーデンドルフ投入に加えて、西部戦線右翼から2個軍団と騎兵1個師団を引き抜き、第8軍を補強することにしました。西部戦線が順調に経過していた上での判断ですが、シュリーフェン・プランの根幹である、できる限りの戦力を右翼に集中して一気にフランス軍を包囲殲滅するという基本方針からは逸脱していました。後にシュリーフェン・プランの失敗をこの時の決断に求める評価も出てきますが、日本の参戦が影響していたのです。

ロシア軍敗走

ドイツ第8軍参謀部には、ホフマン中佐というエリート参謀部員がいました。彼は日露戦争の時に観戦武官として日本陸軍に帯同した経験があり、ロシア軍の非効率をよく知っていました。ホフマンはロシア第1軍のレンネンカンプ将軍と、第2軍のサムソノフ将軍の個人的な不仲に注目していましたが、果たして平文で打たれるロシアの無線通信は、両者の間に連携が無いことを示していました。バラバラに動いていたのです。

ドイツ軍は15万人しかいないので、ロシア軍40万人と一度に衝突しては勝ち目がありません。そこで第1軍に対峙(たいじ)していたドイツ全軍を、正面に少しの戦力だけを残して、主力を南のロシア第2軍に集中させ、先(ま)ずはこれを個別撃破する作戦を立案しました。軍の配置転換には、地図にあるようにドイツの当地の鉄道網をフルに活用して、第2軍撃破後には全軍で北の第1軍に攻勢をかける作戦を考案していたのです。シュリーフェン・プランのミニチュア版であり、補給も含め詳細な鉄道ダイヤが組まれていました。ベルギーから着任したルーデンドルフは躊躇(ちゅうちょ)なくホフマンのアイデアを採用すると、8月25日、ヒンデンブルクはこれを承認して発令しました。ルーデンドルフとホフマンは参謀本部の元上司と部下で、参謀本部エリートとしての紐帯（ちゅうたい）が強く、宿舎が一緒だったこともありました。

8月26日、ロシア第1軍の斥候が、南に移動してもぬけの殻となったドイツ軍の宿営跡を発見しましたが、ドイツ軍は撤退したと都合よく誤解して、追撃に入らずにその場にとどまりました。この日からドイツ軍全軍によるロシア第2軍に対する攻勢が始まりました。ロシア国境からの行軍を終えたばかりの第2軍は、この時点ですでに補給が欠乏し、兵士は飲まず食わずの状態で、ドイツ軍の攻撃の前に後退するしかありませんでした。

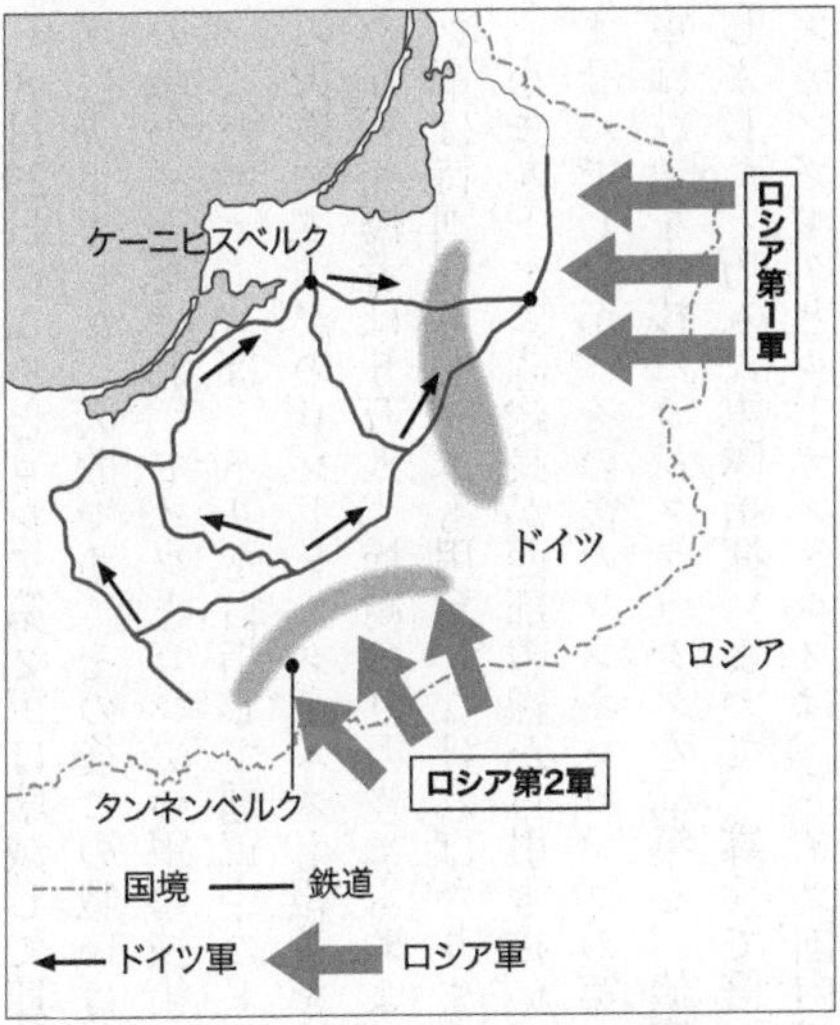

データ出所：J・M・ウィンター『第1次世界大戦』を参照の上作成

タンネンベルクの戦い

8月29日になるとロシア第2軍は壊滅して連絡を絶ち、軍司令官のサムソノフ将軍は自決しました。大敗です。その後この戦いは付近の地名をもとに「タンネンベルクの戦い」と呼ばれ、ドイツとロシアの軍事技術の差が明確に表れた戦いでした。

このニュースは、パリを目指して進軍中のドイツ軍を勇気づけた一方で、あまりもの大敗にさすがのロンドン・タイムズも報道を控えたほどです。ロシア第2軍20万人のうち死傷者は5万人、捕虜は9万人にもおよび、この捕虜の移送のためだけにドイツ軍は特別列車を60本も用意しなければなりませんでした。

小モルトケ参謀総長が西部戦線から引き抜いて増派した援軍はこの戦場に間に合いませんでしたが、その後のレンネンカンプの第1軍撃破には参加できました。ドイツ軍は鉄道を中核にロジスティクスを構築し、偵察と砲撃の着弾観測には飛行機を利用しました[138]。巧みな軍隊指揮によって、寡兵で倍以上の敵を倒した芸術的な勝利に、ヒンデンブルクとルーデンドルフは、ドイツ国内で一躍ヒーローとなりました。

またこの劇的な勝利は各国の陸軍大学で教材として使用され、日本陸軍の作戦指導にも大きな影響を与えました。日本軍が好む寡兵による包囲殲滅戦です。ロシア軍はこれ以降第二次世界大戦終盤まで、二度とドイツ国境を侵すことはありませんでした。

第34話　マルヌの奇跡

パリ侵攻

クルック将軍率いるドイツ軍最右翼の第1軍は、開戦以来ベルギーからフランス領内に侵攻し、パリを目指して快進撃を続けていました（第32話）。フランスに入ってからの徒歩による行軍速度は1日平均40キロで、兵士は宿営地を探す手間を省くために毎夜道路脇で睡眠をとりました。平均睡眠時間は5時間、1か月も風呂に入っていないので兵士達は強烈な体臭をはなっていたそうです。ベルギー軍が国内の鉄道施設を破壊していたので、ドイツ軍の補給計画は思うように実行されず、兵士達は強行軍による極度の疲労と睡眠不足の上に、食糧も欠乏し始めました。彼らを鼓舞するモチベーションは、ただただあこがれの占領目標「パリ」でした。

シュリーフェン・プランはパリが近づくと、戦線が扇状に拡がる構造を持ちます。クルック将軍は東どなりを進軍するビューロー将軍の第2軍との間隙に不安を感じ始めました。軍の正面は密にしていなければなりません。敵が間隙に対してくさびのように侵入すると、軍にとって脆弱な側面から攻撃を受けてしまうからです。

第1軍は開戦以来、占領したベルギーの押さえや、要塞攻撃などに予定外の戦力を割き、また第2軍は東部戦線タンネンベルクへの補強に予定外の2個軍団を供出したために攻撃正面の兵の密度が希薄化していました。そこで本来第1軍はパリの南側を通過してフランス軍を包囲殲滅する作戦でしたが、クルックは第2軍と接近した状態を保つために、早めに方向を東に変えてパリの北側を通過することにしました。要塞軍は出て戦わないというのがドイツ軍の基本的な知見です。パリへの攻撃はフランス軍主力を撃滅した後だと考えたのです。パリの南側を通過するには兵力が不足していたことは確かです。こうして9月3日、第1軍の先頭はパリの北東、マルヌ河畔に到達しました。戦争開始から約1か月でした。パリまでもう少しのところです。

これに対しフランスの総司令官ジョゼフ・ジョフルは、フランス軍右翼から兵力を引き抜き、その他の兵力をかき集めて、パリ防衛のためのフランス第6軍、および第9軍を編制しつつありました。この時、パリの防衛司令官ガルニエ将軍の敵情視察と航空偵察からは、ドイツ第1軍がフランス第6軍に対して横腹を露呈しているのが確認されました。9月4日、ガルニエはかつての部下であるジョフルに対して、今こそ英仏連合軍が反撃するチャンスであると進言しました。これを受けたジョフルは兵力温存を企図するイギリス軍を説き伏せて、タイミングを見て全軍で総攻撃をかけることを決めました。9月5日にはドイツ第1軍が伸びきった補給線を修復する必要からマルヌ河の渡河を断念して、開戦以来、初めて防御姿勢をとりました。つまりドイツ軍の快進撃が初めて停止したのです。

タクシーの活躍

9月6日、英仏軍が総攻撃を開始しました。クルックはガルニエの第6軍の存在を過小評価して、攻撃を仕掛けてくることは無いと考えていたので、ドイツ第1軍に対する攻撃は奇襲となりました。西どなりでフランス第5軍がドイツ第2軍に攻撃をかけると、クルックが懸念していたように、第1軍と第2軍の間に間隙が生じました。そこをイギリスからの派遣軍が侵入して間隙をこじ開けたのです。

パリには全フランスの交通機関が集中しています。ガルニエはパリに到着した補充兵をバスやタクシーを使って片っ端から戦場へと送り込みました。⑬⑨この時のタクシーによる兵士の輸送は、自動車の戦争への応用のはしりとして今では伝説となっています。料金はちゃんと支払われました。

ドイツ軍は長距離の移動で、補給不足と極度の疲労状態にあったので、戦闘はパリから補充された元気なフランス軍が押し気味に推移しました。「シュリーフェン・プラン」は補給に問題のある作戦だったと、後世指摘されるゆえんです。この時、ルクセンブルクにあったドイツ参謀本部と前線の距離は既に240キロに達し、当時の有線電話の通話可能距離を越えて連絡が途絶しがちでした。小モルトケ参謀総長は9月8日に至って軍の進退の全権を与えた高級参謀を派遣して、第1軍と第2軍の連携がうまく機能していないことを確認すると、翌日には全軍に撤退命令を出しました。開戦以来初のドイツ軍の撤退であり、これは参謀本部が長年かけて練り上げた「シュリーフェン・プラン」の挫折でもありました。ドイツ軍は戦略を根本から考え直さなければならなくなったのです。

パリ市民の目の前で大勢のフランス兵がタクシーやバスに乗って戦場へむかい、フランスにとって悪夢であったドイツ軍がパリの手前で撤退しました。ヨーロッパがドイツによって席巻されるかと思われた瞬間の逆転劇です。連合軍はこれを川の名前にちなんで「マルヌの奇跡」と呼びました。

9月11日、ドイツ軍はエーヌ河北岸の高台まで後退して陣地の設営を開始しました。砲撃対策として地面に穴を掘り塹壕陣地を構築しました。14日には皇帝ヴィルヘルム二世が参謀総長小モルトケを更迭、後任にはプロイセン王国軍事相のエーリッヒ・フォン・ファルケンハイン将軍が就任して、「シュリーフェン・プラン」挫折後のドイツ陸軍を担うことになりました。

塹壕戦

エーヌ河沿いに対峙した両軍はどちらも塹壕を掘り、少しでも占領地域を広げようとお互いに東西に延伸していきました。塹壕は当初の下半身だけが隠れるようなもの

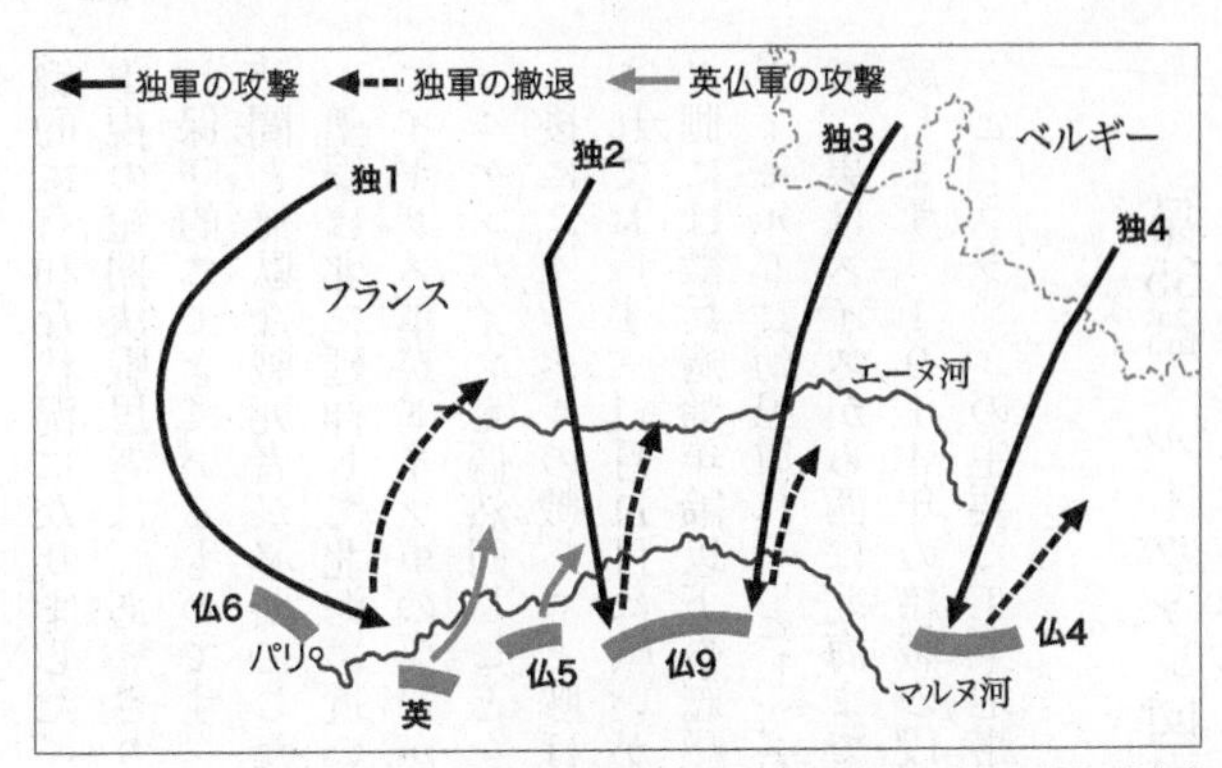

マルヌの会戦・イーペルの戦い

から、戦線の固定化に伴い、次第に深さ3メートルで居住区域もあるようなものにまで進化しました。

塹壕の後方は鉄道や軽便鉄道によってロジスティックスが確立され、大量の砲弾や機銃弾の補給、重点地域への兵員の速やかな移動が可能になりました。攻撃する側が歩兵突撃のために事前に砲撃をしてエリアを掃討しても、塹壕によって砲撃の効果は薄く、突撃する歩兵は自軍の塹壕を出たとたんに敵の塹壕からの機関銃の餌食（えじき）となりました。また攻撃側が事前の砲撃などで時間をかけている間に、防御側は攻撃地点を察知し、後方の鉄道による兵力転換によって準備をすることができました。

こうしてロジスティクスが結びついた塹壕戦においては、攻撃側よりも防御側が圧倒的に有利な状況になりました。ここに至って開戦前に支配的だった果敢な突撃攻撃重視の短期決戦思考は、あっさりと否定されたのです。しかし、軍人は先例に拘束され保守的にできているものです。軍首脳にこの認識が共有されるまでには、まだ少し時間と無駄な戦死者が必要でした。

塹壕は北に延伸して北海に近いベルギーの町、イーペルにまで達します。10月半ばにイギリス軍がドイツ軍の裏をかこうと、エーヌ河畔からこの地域へ移動した時、ファルケンハインも偶然同じことを考えて、新設の4個軍団で対抗しました。後に「イーペルの戦い」と呼ばれるこの戦いでは、塹壕戦の様相が未だ十分に認識されておらず、11月11日に戦いが終わるまでに両軍とも多くの兵が死にました。ドイツ側には徴兵適齢年齢以下の志願の学生で構成される部隊があり、この戦いは「キンダーモルト（幼児虐殺）」として有名になりました。塹壕はフランス領に食い込む形で、東はスイスから西は北海まで構築されて、西ヨーロッパを二分して西部戦線を形成します。1914年の緒戦の段階で、連合軍側はベルギーの大部分とルクセンブルクと、フランスの主要な工業地帯を失ってしまいました。

第35話　ルーヴァン図書館炎上

図書館炎上

ベルギーの首都ブリュッセルから15キロほど東に、ルーヴァンという古い歴史を持つ町があります。ドイツ軍がこの町に到着したのは開戦後間もない1914年の8月19日のことでした。ベルギー軍はすでに撤退した後です。

当初、ドイツ兵達は礼儀正しく、お店に列があればきちんと並んで買い物をして代金を支払いました。床屋でも大人しく順番を待つ姿があり、町は人口の急増に少々窮屈にはなったものの、それまでと同じように機能していました。

ルーヴァンの蛮行をイメージした米国の公債募集のポスター

8月23日には南のフランス国境に近いディナンという人口6000人ほどの町で女子供も含む600人がドイツ軍によって処刑されたとの噂が流れてきましたが、ルーヴァンの町はまだ平穏でした。

ところが8月25日になって、ベルギー軍が町の北部にあったドイツ軍陣地に攻撃をしかけると、その直後に町中で何体かのドイツ兵の死体が発見される事件が起こりました。するとドイツ軍はこれを都市住民によるテロ行為と判断して、「ルーヴァン懲罰裁判」と呼ばれる作戦を開始しました。怪しい市民を片っ端から処刑したのです。3日間にわたり市民約200名を処刑すると、市街地の中心部を焼き払いました。その中には貴重な30万冊の蔵書を持ち、建物自体も歴史的価値があるルーヴァン大学の図書館も含まれていました(140)。

プロパガンダ合戦

イスラム原理主義者が歴史遺産を破壊する行為を見ると現代人の我々は嫌悪を感じます。古代最高といわれたアレキサンドリア図書館は、当初いわれたムスリムの仕業ではなく、4世紀末以降のキリスト教徒の蛮行によって灰塵(かいじん)に帰しました。「焚書(ふんしょ)」は昔から非文明的な行為の象徴でした。

8月29日のロンドンタイムズがルーヴァンを「ベルギーのオクスフォード」に例えて、この貴重な図書館焼失事件を文明の破壊であると報じると、ドイツ軍は蛮行を停止しました。少しは効果があったのでしょう。この報道をうけて連合国側の大学や知識人が声明文を出して、ドイツの文化人たちに、どうか軍部に影響力を行使するように懇願しました。これに応(こた)えて10月11日にドイツ文化人93名による「世界の文化人へのアピール」と題する声明文が発表されたのですが、彼らはドイツ軍の蛮行の存在そのものを認めませんでした[141]。ここからもうひとつの第一次世界大戦、「精神の世界大戦」と呼ばれるプロパガンダ合戦が繰り広げられたのです。

ベルギーでは、実際の記録上ドイツ軍侵攻2か月間で女子供を含む5500人の民間人が処刑され、約150万人が難民となりました。ベルギーにおける残虐行為の報道は、もしドイツがこの戦争に勝利すると、ヨーロッパの人々がどうなるのかを暗示していました。しかしこうした行為は、ロシア軍が東プロイセンに、またフランス軍が緒戦でロレーヌ地区に侵攻した際にも実は同じようなことをしていました。メディアの発達が遅れていた東ヨーロッパでは、さらに悲惨な民間人に対する虐殺がくりひろげられていたと考えられています。

また一方では、ドイツ軍に両手を切断されたベルギーの赤ん坊という「クールベック・ルー虐殺事件」やドイツ軍は死体でグリセリンを製造しているという、まるで見てきたような残虐な記事がタイムズで報道されましたが、これらは戦後になって虚偽であったことが明らかにされています。このために、第二次世界大戦でナチスによるホロコーストが起きた時、タイムズの読者は「また、例のあれか」となかなか記事を信じなかったのです。

ドイツの悪魔化

現在、各国外務省のホームページには広報文化政策(パブリック・デプロマシー)のページがあります。たいていの国は海外への広報活動を外交手段のひとつとして重要視しています。日露戦争では金子堅太郎がアメリカに、末松謙澄(すえまつけんちょう)が欧州に派遣され日本公債募集のための日本の広告塔として活躍したことはよく知られています。

第一次世界大戦における連合国側による広報外交の目的は、内外を問わず戦時債券の販売促進(戦費調達)や、イギリスでは徴兵制度導入のための世論形成、そして外交としては参戦前のアメリカをどうにか味方するよう仕向けることにありました。また第一次世界大戦は初の総力戦となったので、前線だけでなく銃後の士気の向上も重要な目的でした。

ルーヴァン図書館炎上事件後の1914年9月上旬には、イギリス情報局のウェリントン・ハウスにH・G・ウェルズやアーサー・コナン・ドイルなどイギリス内の著名な小説家25名が集められ、8か月間で700万部ものプロパガンダ用の書籍やパンフレット、ポスターが印刷されました。

イギリスが作り上げた戦争の構図は、「民主主義対軍国主義の戦い」あるいは、「民主国家対独裁国家」であり、ドイツ軍国主義の残忍さを強調したものでした。一方でドイツ側にも同じような動きがあり「文明対文化」の戦いを主張しましたが、こちらはあまり受けがよくなかったようです。イギリス海軍が開戦直後にドイツとアメリカを直接結ぶ海底ケーブルを切断したために、アメリカへの情報伝達量に両陣営で格段の差がついたことも重要でしょう。

ベルギーにおける残虐行為の報道を受けて、連合国やアメリカでは、ドイツ人は次第に悪魔化されていきました。ドイツとの関係を少しでも示唆するものがあれば、人々は消したがるようになります。例えば皇帝ヴィルヘルム二世の愛犬であるダックスフンド種はイギリスから姿を消し、ジャーマン・シェパードはアルザスの犬を意味するアルセイシアンに改名されました。バッテンベルク家はマウントバッテン家に、イギリス王室もこの時に、サックス・コーバーグ・ゴータ家、通称ハノーバー家からウィンザー家に改名されて現在に至っているのです。

ルーヴァンの図書館は連合国側によってドイツの蛮行を示す象徴となり、連合国側のプロパガンダに利用されました。戦中の1915年の春には早速「ルーヴァン図書館復興委員会」が当時まだ中立国のアメリカに設立され、日本にも復興委員会が設立されたほどです。

再興は予算面で難航しましたが、後にアメリカ大統領になるフーバーの助力もあって90万冊の蔵書が集められ、戦後の1928年に落成式を迎えました。図書館の入り口には「ゲルマンの狂気によりて破壊され、アメリカの寄付によりて再建されり」と記念碑が据え付けられる予定でしたが、これは取りやめになりました。なぜならばベルギー人の約半分はゲルマンだったからです。

第二次世界大戦が始まると、1940年にナチス・ドイツが再びルーヴァンに侵攻してきました。今度は、ドイツ軍は街の建造物には手をつけず、再び図書館だけを炎上させて廃墟(はいきょ)としました。そして、「これはドイツを再び犯罪者として世界のさらし者にするために、イギリス軍が行った破壊活動である」と宣言したのです。当時のナチス宣伝相ゲッペルスがルーヴァンを訪ねた際の写真も残されています。もっともこの宣言を信じた者は、ドイツ人以外に世界中に誰もいませんでした。そして90万冊の貴重な蔵書は再び灰となったのです。

図書館は第二次世界大戦後にもう一度再建されましたが、ルーヴァン大学は1971年になってオランダ語とフランス語系のワロン語の2つに分離されて今日に至っています。分離時点での蔵書100万冊と本を購入するための基金残高188万マルクは、その際に半分ずつに分けられました。

第7章　日本参戦

欧州で戦争が始まると、列強が不在となった大陸は、日本にとって様々な「中国問題」を解決する絶好の機会を提供しました。日英同盟に参戦義務はありませんでしたが、日本はドイツを相手に宣戦布告し、権益の拡張を図りました。一方でドイツは日本近代化の手本とした親しい国で、そこには葛藤もありました。

第36話　親しい国ドイツ

日露戦争の爪痕

日露戦争から第一次世界大戦にかけての日本の財政は、日露戦争の戦費のための巨額の債務に苦しんでいました。当時の日本の歳出は、元利返済のための国債費が3割、軍事費が3割を占め、残りの4割で国家が運営されていた状況でした。

日本は歳入不足の中で、日露戦争中に特例で設定されたはずの税が、戦後も継続されて重い国民負担となっていました。長州の桂太郎、華族の西園寺公望による財政均衡化を目指す引き締め気味の桂園(けいえん)時代を経て、国民の不満は鬱積(うっせき)して、元老達による非立憲的な政治が支持を失いつつありました。

国民は日露戦争への参加を経て国民国家意識に目覚め、徴兵や納税など自らが果たした国家に対する義務相当分の、政治へ参加する権利を求めて憲政擁護運動が展開されていたのです。

第一次世界大戦開戦の年である1914年時点での日本海軍は、日露戦争時のロシアからの鹵獲(ろかく)艦船によって、トン数ベースでは英独米に次ぐ世界第4位の海軍国とされていました。しかし、その実情は上記の予算制約の中で「ドレッドノート」型以降の新型戦艦の配備が十分に進まず、艦隊の陳腐化が懸念される状況でした[142]。グラフにあるように、当時の日本の経済規模を示す実質国内総生産(GDP)は列強諸国の一角を占めながらも、世界第4位の海軍を保有するには未(いま)だ小さい国だったのです。

一方で日露戦争の勝利によって、極東のロシア艦隊が事実上消滅して、アジア・太平洋方面における日本海軍のプレゼンスが上昇すると、太平洋を挟んだ日米双方の海軍がお互いを仮想敵国として意識し始めることになりました。おりしもアメリカ西海岸における日本人移民(東洋人全部に適用)の排斥問題から日米間の心情的な対立は深まっていたところでもあります。このため日米開戦の可能性も完全に否定できず、1911年の日英同盟改訂では、仮に日英どちらかがアメリカから攻撃を受けた場合

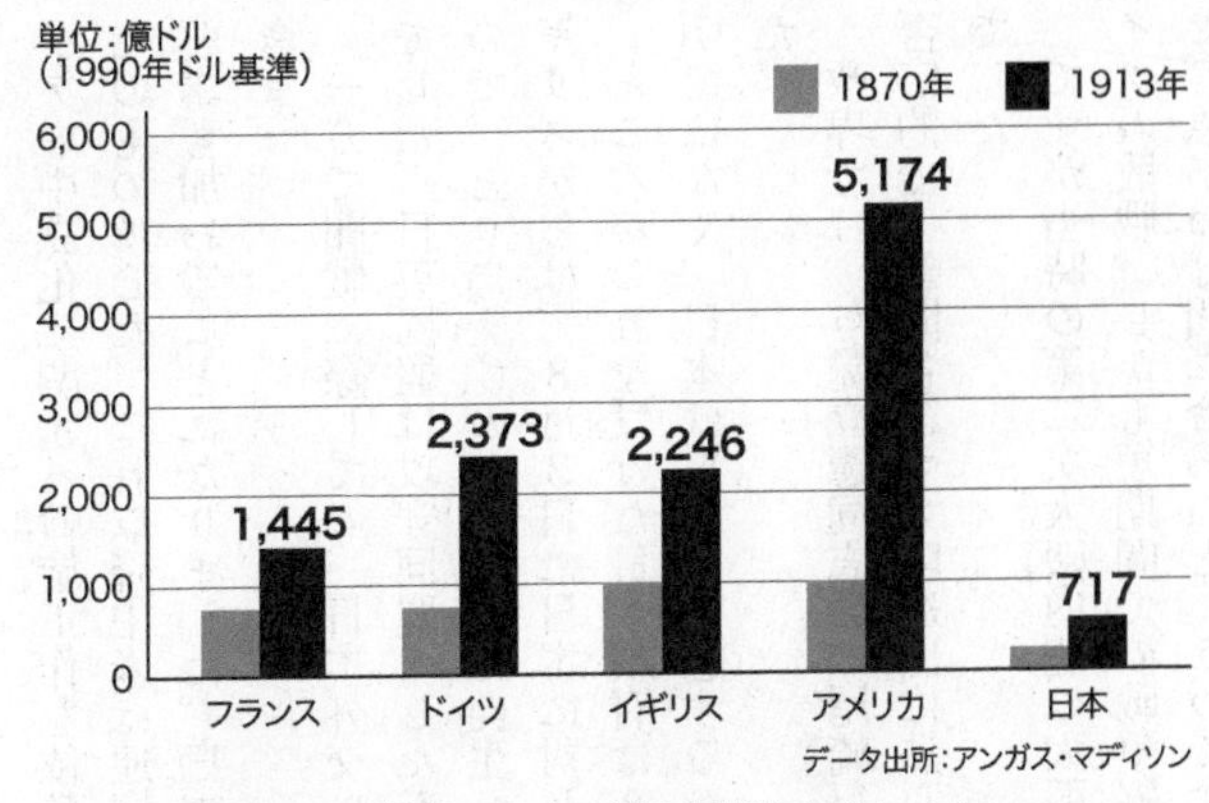

開戦前の実質GDPの比較。日本の経済規模は小さかった

には、参戦する義務は除外対象とされました。これはアメリカからの希望でした。

そして当時の日本国内における最大の出来事は開戦2年前の1912年7月の明治天皇の御崩御でした。日本は明治天皇とともに維新後の国家の大目標であった西洋諸国にようやく追いつきました。日本はちょうど第一次世界大戦を前に、新しい「大正時代」を迎えたのです。

宣戦布告

1914年(大正3年)8月1日にドイツがロシアに対して宣戦布告すると、袁世凱の政権下にあった中国は、同月3日に交戦国が中国主権内へ戦闘を拡大しないように各国大使に要請しました。そして6日に局外中立を宣言するとアメリカに対してアジアの中立化に関する斡旋工作を依頼しました[143]。これはもちろん日本の行動を警戒してのものでした。これ以降中米は連携して、日本にとっての中国外交には日米外交の要素も加わることになりました。日本が中国に対して何かをすると、アメリカが出てきます。

一方で開戦に際しての、日本外交にとって最大の直接的な関心事は日英同盟の存在でした。日英同盟は攻守同盟でしたが、地域はインドを含むアジアに限定されていたので、とりあえずの参戦義務は発生しません。これに沿って戦域の拡大を避けたいイギリスからは、8月3日に日本に対して参戦無用の通知がありました。

ところがこれを受けた日本政府は8月4日、局外の欧州各国や中国が示した中立表明ではなく、日本は平和を祈念するが日英同盟次第では参戦もありうると表明しました。

政界では、与党立憲同志会の尾崎行雄や野党立憲政友会の原敬や高橋是清は参戦に否定的で、新聞各紙も大陸進出に熱心な報知、二六新報以外は、おおむね静観の立場でした。

ですが当時の第二次大隈内閣の大隈重信首相や加藤高明外相、陸海軍の一部ではドイツの敗戦、しかも短期間での戦争終結を予想して、参戦による権益拡張を求めました。急がねば間に合わぬというのです。元老の山県有朋は消極的でしたが、井上馨はこの戦争を「大正の天佑」であるとして参戦を積極的に支持しました。
ここでの権益とは主に3つあります。①当時「中国問題」と呼ばれたものです。日露戦争後のポーツマス条約でロシアから継承した権益の期限は意外に短くて、旅順・大連の租借期限が1923年に、満鉄経営権は1939年に失効してしまいます。②カネの無い日本が中国に対する影響力をいかに確保するかです。清朝滅亡後の袁世凱政権に対して、列強は借款によって中国権益の確保に走りましたが、金が無くてこれに出遅れた日本にとって、ドイツ植民地である「山東半島確保」は絶好の機会であると捉えられました。③仮想敵国となりつつあった対米戦に備えて、太平洋にあったドイツの植民地である「南洋諸島を確保」して海軍の前進基地とすることです。これは特に海軍が要望した項目です。

そうした中で、イギリス側の日本に対する期待値も、極東における日本海軍の影響力を期待するチャーチル海軍相と、戦争中に中国権益を荒らされると考えたグレイ外相との間で揺れ動いていました[144]。8月7日になると、戦争期間中の対中国、オーストラリア、ニュージーランド貿易への影響を考慮して、日本に対して、ドイツ東洋艦隊と通商破壊行為を行うドイツ仮装巡洋艦の撃破を依頼してきたのでした。

同日、大隈内閣は閣議を開き、この戦争は「日英同盟の義戦であり、三国干渉に対する復讐戦」であるとして、戦争に対する大した大儀も無く、御前会議も軍統帥部との調整も、さらに議会にもかけずに参戦を決めたのでした。そしてイギリスの要求以上に、陸上にまで戦域を拡大し、山東半島青島要塞のドイツ軍に対しても攻撃を仕掛けることにしたのです。

こうして8月15日にはドイツに対して最後通牒を、23日には宣戦を布告して日本は第一次世界大戦に参戦しました。最後通牒にはドイツによる無抵抗の山東半島引き渡しが条件として挿入され、この際、日本の領土的拡張欲を疑うイギリスに配慮して、引き渡し後は占領地を中国政府へ還付する旨が明言されていました[145]。これが後に問題となります。

ドイツ在留邦人

第一次世界大戦開戦時点でのヨーロッパの在留邦人の数は、商用・公務ではイギリスが圧倒的に多かったのですが、こと留学生の数ではイギリス83名、フランス36名に対してドイツには374名も滞在していました。日本陸軍がドイツ陸軍を範として整備された以上、エリート将校の中でも優秀な者はドイツ留学を望みました。日本陸軍が信奉する包囲殲滅戦はプロイセンの大モルトケ以来の伝統です。敵とはいえドイツ陸軍のタンネンベルクでの包囲殲滅戦（第33話）による鮮やかな勝利は、やがて少ない兵力でも敵を撃滅できるという「タンネンベルク信仰」として日本帝国陸軍の中で育まれていきます[146]。

東京帝国大学医学部はドイツ人医師ベルツが中心に指導したので、カルテがドイツ語であるように、医学留学生もドイツを好みました。さらに化学、工学など科学技術分野の留学生の多くがドイツを目指しました。ドイツから見た日本は親密な友好国のはずであって、ドイツの国民感情として日本は少なくとも中立であることを期待していました。

8月2日、ロシアがドイツに宣戦布告を行うと、国際的な孤立感を抱いていたベルリンでは「日本がロシアに宣戦布告した」という誰かの希望的観測とともに号外の新聞までが配布されました。この日の夕方には何千人という大群衆が日本大使館を囲み「万歳」を連呼したそうです。日本人がカフェにいけば、お客の全員が起立して「日本万歳」を唱えて、バンドが『君が代』を演奏するところもありました。しかし8月7日に至ると、ベルリン日本大使館はドイツ在留邦人に対して退去命令を出します。8月15日に大使館は最後通牒をドイツ外務省に手渡すのですが、在留邦人の退去時間を稼ぐために公表は控えてもらいました。ところが8月19日に至り日本が最後通牒を発したことがメディアに漏れると、ドイツ市民の態度は一変したのです[147]。

こうして日本は列強の主力が不在の東アジアで、ドイツの限定された戦力を相手に戦争を始めることになりました。多くの者は、戦争は英仏の勝利の下ですぐに終わるはずだと考えましたが、日本には最終的にドイツが勝つと考えた軍人も多くいました。
当時の欧米事情通である高橋是清は、親友であり、日露戦争のファイナンスでお世話になったドイツ出身のユダヤ系アメリカ人金融家のヤコブ・シフという情報源の影響で、ドイツ相手の参戦には反対していました。日露戦争の時には英米仏に加えてドイツからも資金調達をしていたのです。

第37話　ドイツへの攻撃

青島要塞攻略

１９１４年８月23日、ドイツに対して宣戦布告した日本は、久留米の第18師団を中心に５万１８００名からなる侵攻部隊を編成すると、９月２日には山東半島北岸の龍口に上陸を開始しました。ここはドイツ軍の要塞がある膠州湾とは反対側に位置し、上陸作業は銃火を交えることなく15日に終了しました。

この間９月５日に、海軍は水上機母艦の若宮丸から２機の水上機を発進させ、本邦初の航空機による爆撃を敢行しました。この様子は加山雄三主演の東宝映画『青島要塞爆撃命令』（１９６３年）で見ることができますが、映画では大成功の爆撃行も、実際の飛行機の役割は爆撃よりも偵察のほうでした。

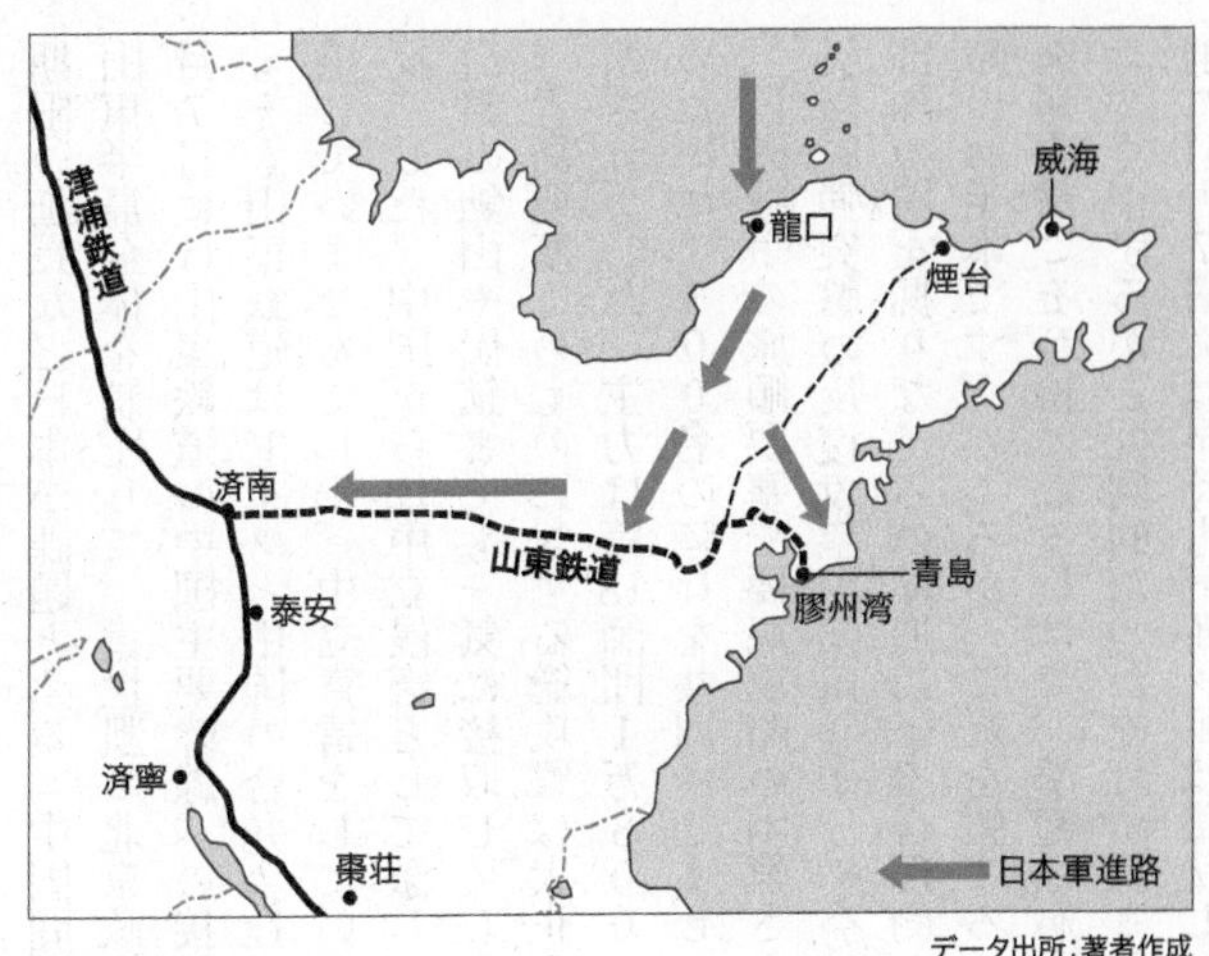

データ出所：著者作成

青島要塞への総攻撃

また映画の冒頭で、開戦に至る状況説明に登場するヨーロッパの地図は、戦後のものと完全に取り違えています。日本の第一次世界大戦に対する関心の薄さを象徴していて興味深いシーンです。

山東半島上陸後の日本軍は、軽便鉄道を敷設して大型攻城砲の設置など青島要塞攻撃のための下準備をしつつも、予想戦域を上回る山東半島全体の鉄道を制圧していきました。これには元老山県有朋も国際関係を考慮して「欲が深すぎる」と叱責（しっせき）するほどでしたが、作戦は粛々と実行されました。大隈を首班とする政府と陸軍は、当初から青島のドイツ拠点の攻略だけではなく、関東州租借期限の延長など日本が課題とする「中国問題」の解決のために、山東鉄道全線および山東半島全体を制圧して、袁世凱の北京政府に圧力をかけるつもりだったのです。10月7日には山東鉄道の中国主要幹線への接続点である済南までも占領しましたが、そもそも山東鉄道はドイツと中国の合弁会社ではあるものの、ドイツは沿線に軍隊を駐屯していませんでした。中立宣言をしていた中国から見ればこれは明らかに国際法違反でした。中国からは中立侵害として激しい抗議がありましたが、日本軍は無視して沿線の鉱山や炭鉱までも一気に接収してしまったのです。

青島要塞そのものに対する総攻撃は大正天皇の天長節祝日の10月31日に合わせて開始されました。主力は第18師団1万8000名、イギリスはこれに日本軍の独走牽制のために1300名の陸兵を共同させました。

日露戦争の旅順要塞で要塞攻略の困難さを熟知していた日本陸軍は、被害の多い強引な肉弾突撃の反復攻撃を採用せず、十分な火力(砲撃)による敵の火砲制圧と歩兵部隊の壕を掘りながらの漸進による合理的な「力押し」の戦法を採りました。要塞攻略のお手本です。ところが、これを報ずるメディアからすれば、景気がよく勇ましい肉弾攻撃こそが絵になるわけで、準備ばかりするこうした攻撃手法に対しては、何をぐずぐずするかと批判的だったのです。[148] こうして日本陸軍の合理的で効率的な攻撃の前に11月7日には早くもドイツ軍は降伏したのでした。

占領下の青島市内では狼藉（ろうぜき）を働く一部日本兵もいたようですが、司令部は厳格に軍規を保つ努力をしました。使用砲弾量は1週間に4万発で1600トン、日露戦争の旅順攻略が6か月間に21万発で4000トンでした。砲弾は大型化し、砲撃の密度は格段に上昇していました。日本側の戦死者は394名、旅順の時には1万5000名が戦死し、4万5000名が負傷しています。帝国陸軍は、この時点では技術的に多分世界最高水準の陸軍だったのではないでしょうか。日本は12月1日に至って占領軍政を布（し）くと、8日には青島入城式が挙行されました。偶然にもこの日は現東京駅開業式典の日でもあります。この後、山東半島は外交交渉の争点となりますが、日本は1922年12月に中国に返還しています。

南洋群島攻略

英仏にくらべて植民地獲得競争に出遅れていたドイツは、1885年にマーシャル諸島を保護領化すると、積極的に当時の空白地帯である太平洋に進出した経緯があります。特に1898年の米西戦争終結後、太平洋から撤退するスペインからヤップ島やトラック島のあるカロリン諸島を買収して領土を広げました。こうしてドイツの勢力が大きくなると、翌年には英米独三国の間で、南洋諸島の領土の範囲に関する取り決めが行われて、さらに米領グアム島を除くマリアナ諸島もドイツのものとなりましていたのです。ドイツは日清戦争後の日本に対する三国干渉で手にいれた清国の山東半島を基点に、後に日本の委任統治領となる赤道以北の南太平洋諸島の広範な地域を植民地とした。

日本海軍は8月2日にはすでに作戦計画を策定し出動準備だけは始めていました。開戦後の8月27日にはドイツ軍の青島要塞に対する攻撃に伴い膠州湾の封鎖を宣言、第2艦隊68隻を送りこみました。

一方でドイツ東洋艦隊は、日本の宣戦布告前に青島を出発し、ドイツ領南洋群島で補給しつつ、途中でイギリスやフランスの無線中継所などを砲撃しました。この艦隊はホーン岬(南米南端)経由でドイツへの帰国を目指しましたが、12月に入ると南大西洋フォークランド沖でイギリス艦隊によって撃滅されてしまいました。

また別動隊として「東洋の白鳥」と呼ばれた巡洋艦「エムデン」号も12月にインド洋で撃沈されるまで孤艦奮戦し、30隻以上の艦船を沈めて日本でもその武勇が評判となりました。特に乗組員360名のうち42名は、アラビア半島の砂漠を横断して、コンスタンチノープル経由で奇跡的にドイツへ帰着したので、この物語は有名になって今日までに何度か映画化されています。

日本海軍は、イギリスの要請により、3つの南遣艦隊を編成してこれらのドイツ艦船を追いました。またヨーロッパへ派兵するオーストラリアやニュージーランドの艦船の護衛任務にもつきました。

イギリスが日本海軍を利用する一方で、白豪主義を是とするオーストラリアやニュージーランドは日本の南洋群島進出を警戒しました。しかし日本はイギリスの要請のもとに太平洋における戦闘区域の具体的な同意が無いままに参戦したために、アメリカの世論に配慮しつつも、ドイツを追い出した後の南洋群島を次々と占領していきました。日本は10月2日に閣議決定で南洋群島の一時占領を決定すると、ドイツ南洋群島領の帰属については戦後の連合国の話合いに委ねることにしました。この南洋群島は戦後に日本の委任統治領となり、その後の第二次世界大戦においては多くの玉砕を含む激戦の戦場となったのでした。[149]

(注) [点線枠] 内、グアム島だけはアメリカ領
データ出所：『日本経済新聞』2015年3月23日付社会1面を参照の上作成

日本の委任統治領だった南洋群島

その後イギリスからの要請はさらに追加され、海軍は太平洋

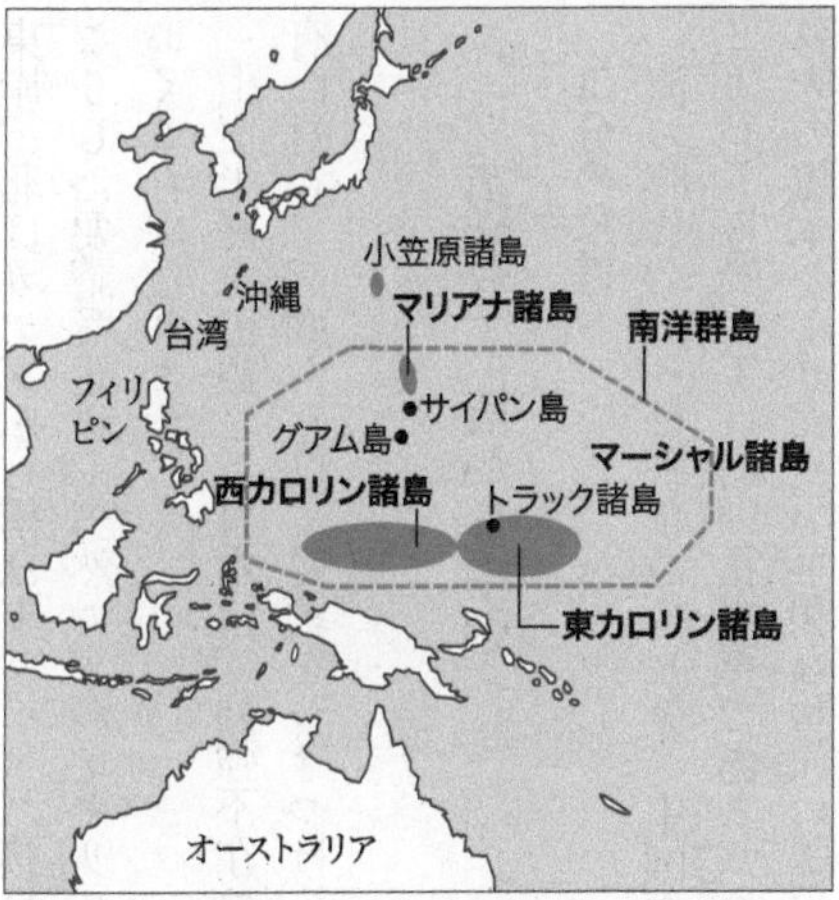

東岸、北はカナダから南はガラパゴス諸島までの警戒を受け持つことになるのですが、こうした要請受諾は、当然ですがイギリスに対する「貸し」となって外交に利用していくことになります。

山東半島を占領した日本は、列強不在の隙をつき、いまだ不安定な袁世凱の中国政府に対して、武力を以て要求をつきつけていきます。

第38話　清から中国へ

瓜分の危機

清の時代、アヘン戦争の少し後、中国南部で発生した大規模な太平天国の乱（1851年）に際して、清国正規軍である八旗（満人）や緑営（漢人）は、まるで日本の幕末の旗本のように長い平和な時代に堕落してしまい、乱を鎮圧することが出来ませんでした。そのために清は各地方の郷紳（実力者）に鎮圧軍の組織化を求め、半私兵化した軍事組織が各地で鎮圧にあたったのです。また治安の悪化に対して、農村などの基層組織では自衛のための武装化がすすんだのがこの時代です。こうした中から、地方に大きな勢力となる軍隊が現れるようになります。例えば湖南省湘郷の曾国藩の軍は、1864年までに約12万人の規模までに拡大し、湘軍と呼ばれる一大勢力になりました。
清の統治体制では皇帝は要所の人事権は掌握していましたが、地方財政は独立していました。このため地方で組織された軍隊は、地方の徴税権を持ち、その資金を使って軍を育成した地方の実力者個人に帰属するようになっていきました。こうした地方の軍隊が集合離散を繰り返して軍閥として群雄割拠することになったのがこの時代の中国の特徴です。

李鴻章は1870年に曾国藩の後継として、皇帝から実質の清の宰相である直隷総督（首都北京を含む直隷省・河南省・山東省の総督）兼北洋大臣（華北の通商・洋務・海防を担当）に任ぜられ、彼が率いた半私兵の淮軍は後に清の正規兵となって北洋軍閥と呼ばれます。

1870年以降の数十年は、ドイツを始め先進諸国が金本位制を採用する過程にあり、銀売り金買いによって銀安が進むと、銀本位制の清の経済は好調に推移しました。また清は新疆で発生したムスリムによる乱を制圧し、1884年からの清仏戦争ではフランス軍に相当のダメージを与え、列強は清の底力を再評価するようになっていました。

ところが1894年の日清戦争で当時極東随一であった李鴻章の北洋艦隊が壊滅し、彼の淮軍も致命的な打撃を受けてしまうと、清の脆弱さを再認識した西洋列強は、再び老大国の切り取りにかかりました。

日清戦争の敗北で、清は日本に賠償金2億両に加え三国干渉による遼東半島還付金3000万両、合計日本円で3億4500万円を支払いました（当時の日本の国家予算規模は8500万円）。日本の日清戦争の戦費は1億5000万円だったので日本は約2億円の黒字だったとも言えます。清は賠償金支払いの原資を外債発行に頼る他なく、李鴻章を取り込んだロシアが積極的に起債に応じ、これが後のロシアの満洲進出を招くことになりました。列強による清に対する資金の借款は戦費や賠償金調達に始まり、鉄道建設に及びました。借款付きの鉄道敷設権の獲得は各国の勢力範囲と認識され、やがて租借地という形態で清は領土も侵食されていきました。

このように中国の国土が列強の勢力図として線引きされて、その地図が折から発達しつつあった新聞や雑誌などのメディアに盛んに掲載されるようになると、国民の間では国土がまるで瓜のように切り分けられる「瓜分の危機」[150]として国民国家意識が盛り上がることになりました。こうした中で孫文達革命家はこれまでの少数民族である満人中心の古い「清」ではなく、日本の明治維新のような、革命による漢人中心の新しい「中国」の建国が必要だと活動を活発化したのです。その一方で、まさに幕末の開明的な一部幕臣のように、清の若手官僚の中にも改革を訴える者が出てきました。これを古い法（制度）を変通（その時々の必要性への適応）するという意味で「変法」

と呼びました。清の第11代皇帝光緒帝は1898年（干支の戊戌の年）、李鴻章を罷免する と親政によって「戊戌の変法」を成し遂げようとしたのですが、これは保守派によって頓挫させられました。

辛亥革命

列強による「瓜分の危機」の中で起きたのが1900年の義和団事件です。義和団は華北で勢力を伸ばし「扶清滅洋（清を助けて西洋を滅ぼす）」を掲げ、キリスト教徒や教会を攻撃して外国人を排斥しようとしました。清の宮廷は一時これに同調しましたが、結局は日本も含む列強の連合軍によって制圧されてしまいます。列強は清に対して4億5000万両の賠償を求め、事件の結果、「瓜分の危機」はさらに加速してしまったのです。

この事件の処理直後に「戊戌の変法」から復帰した李鴻章が病没すると、代わりに宰相になったのが袁世凱です。彼の北洋軍は李鴻章の淮軍を基礎として、事件後の軍近代化の中で抜きん出た力を持つようになりました。

1904年からの日露戦争に対しては、中国では「立憲君主国日本」の「専制国家ロシア」に対する勝利であると解釈され、皇族や地方大官から、このままでは清朝はもたぬと、政治改革を求める立憲派の声が高まりました。

この流れを受けて1905年には科挙が廃止され、1908年8月には「憲政予備の詔」で憲法発布を約し、議会開催を視野に中央官制の改革に着手しました。留学が科挙にかわる官僚登用の途となり、近場の西洋文明である日本への留学生が一気に増えたのです。科挙の廃止は、西洋の文明を学ぶには有用でしたが、科挙の権威が失われ、それはいままで国家と社会をつないできた機能のひとつを失うことも意味しました[151]。またエリートの選抜方法が経書の暗記から西洋知識の習得に変わった以上、「立憲」や「革命」[152]といった民主的な概念が政治家、官僚、知識人の間に広がっていくことになりました。

しかしこうした中央集権的な立憲君主国家を目指す改革は、太平天国の乱以来、乱鎮圧のために地方大官に分散した権力を、いうなれば既得権益を、もう一度中央政府が剝ぎ取る政策でもあり、これは中央対地方の対立を浮かび上がらせることになりました。

1908年11月に光緒帝と西太后が相次いで死去すると、光緒帝の甥で後の満洲国皇帝である3歳の溥儀が即位しました。1911年5月には内閣官制が刷新されたものの、相変わらず満人中心の編成であったために、「小数の満人による中央」対「大多数の漢人による地方」の対立が鮮明となっていきました。

同年10月10日。揚子江沿岸の武昌から起こったのが辛亥革命です。これは満人の中央に対する地方の独立が目的であり、「清」は否定しても、「中国」としての国民国家意識は旺盛なものでした。清は総理大臣を満人である皇族から、漢人の袁世凱に切り替えて鎮静化をはかりました。それでも12月になると南京に集まった17省の地方代表が孫文を臨時大総統に指名し、年明けの1912年1月1日に孫文の宣誓によって中華民国臨時政府が樹立されたのです。

これは北京の清朝と南京にある孫文たちの中華民国が併存した状態です。そこで北の袁世凱と南の孫文との話合いがもたれました。その結果同年2月12日に至って、皇帝溥儀が退位して清朝が終焉を迎えました。そして袁世凱が南北統一の中華民国の臨時大総統に選出されたのです。これが第一次世界大戦開戦の2年前のことでした。

辛亥革命による新しい政府は、列強の中国権益回収を政治目的のひとつとして掲げていたので、日本国内では、やがて切れてしまう日露戦争でロシアから得た権益の期限、すなわち「中国問題」に対する危機感が強まっていたのでした[153]。

こうした政治的混乱の最中でも、中国では「瓜分の危機」の中で列強によって奪われた利権回収の努力は官民で粛々と続けられていました。清朝が滅んで、新しい「中国」としての国民国家意識が醸成される中で、混乱を極めながらも、新しい自分達の国家を建設しようと模索していたのです。中国側からの目線で見るならば、そこに唐突に突きつけられたのが、日本の「対華二十一ヵ条要求」でした。

第39話　対華二十一ヵ条要求

第5号の誤算

日露戦争が終わった1905年、日本はポーツマス条約によって、ロシアが清から租借していた遼東半島の旅順・大連や後の南満洲鉄道とそれに付随する炭鉱などの権益を引き継ぐことになりました。あくまで租借権が戦利品だったのです。同年の12月に清との間で満洲善後条約が締結されて、日本によるロシア権益の継承が清によって了承されました。

ロシアが保有していた旅順・大連などの租借権は1923年まで、南満洲鉄道が1939年までと意外に短く、これが満洲に対する日本からの投資を躊躇(ちゅうちょ)させる原因ともなっていました。また一方でドイツの租借地である膠州湾青島は良港を持つ要衝であり、いつか日本が中国中部へ経済進出する際にはドイツが障害となるであろうことも課題でした。

第一次世界大戦勃発(ぼっぱつ)時の大隈内閣の加藤外相は、陸軍や官僚達からの支持もあり、この戦争を様々な「中国問題」を一気に解決する好機到来と捉えて日本を参戦させた経緯がありました。当初はドイツ租借地を日本が奪還し、袁世凱の中華民国に対して、この返還を取引材料として満洲における様々な租借権を永続化しようと考えました。ところが、ひとたび日本の参戦が決まると、日露戦争の時にもあまりにも過激な要求で元老達をもあきれさせた「東大七博士」の一部も復活して、各種圧力団体が結成され、新聞などのメディアがリードする形で国民の対中国権益拡張要求が沸騰したのでした。国際世論を見据えないという意味では、ポーツマス条約時の日比谷焼打ち事件に見られた軟弱外交に対する批判と同じことでした。

青島戦の進捗に応じて世論は次第に加熱して、当初加藤外相が考えていた要求に加えて、こうした国内各方面の膨らみすぎた要望を盛り込んだものが、最終的に「対華二十一ヵ条要求」になったのでした。

11月7日に青島要塞が陥落すると、早速閣議が開催されて、当初は17ヵ条の要求事項が作成されました。「対華二十一ヵ条要求」は第1～4号と第5号の2つの部分から構成されていますが、この最初の17ヵ条が第1から4号に相当します。その後これに各方面からの要求に応えて追加された部分が第5号で、合計で21ヵ条になって、翌年の1915年1月18日に袁世凱に渡されました。

第1号は山東省の権利についてです。日本はドイツに対する最後通牒において山東省の中国に対する返還をあげていましたが、ここでは様々な条件が付加されました。

2号は日露戦争で得た南満洲の租借権の永久化で、これが対華要求の本来の目的でした。

3号は中国最大の製鉄会社に関する日中合弁化について、4号が中国の領土保全についてです。

1号から4号に関しては、当時の帝国主義的外交の事例から見れば、むしろ常識的ともいえるもので、加藤外相はイギリスのグレイ外相やロシアからおおよその了解も得ていました。

ここで問題となったのは第5号です。第5号は雑条項であって、加藤外相自らも「余り感服のできない箇条を一括した」と述べたような要求でした。国内世論を抑えるために仕方なく挿入した項目です。ここには中国政府の顧問として日本人を雇用することや、中国の主権や列強の既得権益に触れる問題含みの条項が盛り込まれた国際的にみても非常識で厚かましい要求でした。

日本は清との間で、ポーツマス条約を受けてロシアから譲渡された満洲利権の移動を確認する満洲善後条約を1905年に締結しています。日本が有利な内容を勝ち取ったこの条約の協議は当時秘密外交で行われました。この前例を受けて、加藤外相は袁世凱に対して交渉内容の秘匿を求め、第5号は最初から捨てても良い取引材料として中国の譲歩を引き出そうと考えていたのでした。

袁世凱の中国は相も変わらず政情不安定だったので、日本は革命派を武力支援するとの脅しも使いました。ところが袁世凱はこの加藤の「5号隠し」の状況を逆手に上手く利用して、交渉の存在とその内容を米国公使や内外メディアに向けて巧みにリークしたのです。

交渉の観測記事が内外で報道されるようになると、加藤外相は各国政府や「タイムズ」に対して日本の要求内容の内示を行いましたが、その時点でも第5号の存在は秘匿されていました。

それでも1月下旬頃から中国によって第5号の存在が徐々にリークされ始め、イギリスのメディアがこれを取り上げるようになりました。ところが加藤外相は日本の在外外交官に対してすら5号の存在を秘匿していたので、世界各地で要求内容の説明に当たった日本の在外外交官の面目をも潰してしまい、日本外交への信頼性を著しく損なうことになりました。[154]

事態を受けた加藤外相の釈明は、第1号から4号までが要求事項であり、第5号はあくまで交渉のための希望事項であるとしましたが、それまで秘匿していただけに言い訳にしか聞こえず英米の不信感は募るばかりでした。特に、戦中の日本の中国における権益拡大に警戒し、事前に満洲租借権の永久化についての相談だけを日本から受けていたイギリスのグレイ外相にすれば、これは日英同盟のよしみから見ても信義則違反でした。

対日世論の形成

この時、日本に亡命中の孫文は、表立った日本政府批判は控えましたが、この要求を受け、北京の学生団体に対して「第5号に至ってはわが国を全くこれがために第二の朝鮮（1910年の朝鮮併合を指す）たらしむる城下の盟に等しきもの」と危機感を書簡にしたためました。

日露戦争以降、科挙の廃止もあり、日本には多くの中国人留学生がいましたが、この要求に憤り大挙帰国しました。2月25日には上海で国民対日同志会が結成され、日本製品の不買運動が中国国内に拡大しました。彼らは黄色い同人種の成功者としてある種畏敬していた日本人に失望しました。一方日本では、中国の不買運動に対して怒りを覚えて、中国権益拡張論的な意見が主流となったのでした。

3月、日本は山東、満洲、天津に約3万名を増兵し、武力的威圧を加えたものの交渉は難航しました。4月に入ると、今度はいよいよアメリカが対日姿勢を硬化しはじめます。中国は国際メディアに日本の不当性を訴えましたが、戦時報道の中で、この問題は単純化されて「陰湿で野蛮な侵略者としての日本、善良で無力な中国、アンダードッグ（弱い者）を贔屓する正義のアメリカ」というわかりやすい構図が欧米メディアに広まりました。

日中問題が、後の日中戦争を経て第二次世界大戦まで続く、中国を軸とする日米問題へと変化し始めたのです。袁世凱はこの情報戦に国際世論の手ごたえを感じてねばります。会合は25回にまでおよびましたが決着しませんでした。

5月7日、日本は受諾せねば戦争も辞さずと、中国に対し最後通牒を出しましたが、その際、元老山県有朋は加藤外相に対して事態紛糾を厳しく叱責し、英米に配慮して第5条の要求を取り下げさせたのです。袁世凱はこの要求を9日に受諾しましたが、中国国民はこの7日と9日を「国恥記念日」としました。

中国のナショナリズムが盛り上がる中、「対華二十一ヵ条要求」は日中間の歴史的な亀裂の始まりとなりました。ですが日本の世論すべてがのぼせ上がっていたわけではありません。ジャーナリストの石橋湛山は１９１５年６月５日付『東洋経済新報』の社説でこの要求を批判しています。

「隣邦支那が速やかに富強となることは、やがて我れの富強を増す原因である。然るに此の原因を、今度の新条約は遮断した。（中略）畢竟此のたびの日支交渉は根本的に大失敗と断ずるものである」

第8章　戦線膠着

緒戦のドイツ軍の快進撃で始まった戦争も、塹壕戦による膠着状態にはいると、両軍とも現状打破のために様々な作戦を実行しました。そうした中で、オスマン・トルコ帝国がドイツ側として、またイタリアが英仏露に味方して参戦します。

第40話　ガリポリの戦い

オスマン帝国参戦

歴史的にロシアを仮想敵国としてきたオスマン陸軍はドイツと深い関係がありました。また開戦時に政権を握っていた青年トルコ運動「統一派」のエンヴェル・パシャも親独派でした。一方で海軍の方は当時の日本と同じようにイギリスを模範としており、最新鋭の弩級戦艦をイギリスに2隻発注して、その基地建設もイギリス企業に任せていました[155]。

しかし、イギリスの海軍大臣チャーチルは第一次世界大戦開戦を前にして、オスマンはドイツにつくかもしれないと、この建造中の2隻の戦艦を発注者であるオスマン海軍に渡さずに自国艦隊に接収してしまったのです。

さらにやり方が問題でした。艤装工事に携わっていたオスマン海軍兵は、イギリス兵に銃をつきつけられて艦から追い立てられたので事件になりました。

この2隻の戦艦はオスマン帝国国民の募金による援助を得て建造したもので、子供たちもおやつ代を節約して募金に応じたような、そんな戦艦でした。そのためオスマン国内ではこのチャーチルの処置に対する轟々たる批難が巻き起こり大問題となりました。しかしそれでもオスマン首脳に英仏と戦う意思も余裕もなく、国民はこの屈辱は受け入れるしかなかったのです。

一方でイギリスも、オスマンとの戦争はムスリム人口の多いインド植民地統治に悪い影響を及ぼすのではないかと危惧していました[156]。またフランスはオスマン国債の60%、社債の45%に投資していたので両国とも基本的にオスマンとの戦争は望みませんでした。

しかしこれを見ていたドイツは、オスマンを味方につけるチャンスだと捉えて、開戦と同時に地中海艦隊の戦艦と巡洋艦の計2隻をイスタンブールに向かわせました[157]。イギリスへ発注したものの強引にキャンセルされた戦艦2隻の代艦としてオスマン海軍に買い取らせることを考えたのです。オスマンはこれを受け入れて、乗組員はドイツ人のまま、オスマン海軍籍の軍艦として活動させることにしました。ドイツはオスマンの味方であることを示し、イスタンブールを制することでロシア黒海沿岸からの穀物輸出ルートを連合国側から隔離したのです。

それでもオスマンは参戦には躊躇して、しばらくは中立の立場を守っていました。

データ出所：著者作成

オスマン帝国進軍方向

ところが、順調にすすむフランス侵攻作戦、東部戦線におけるタンネンベルクでのドイツ軍圧勝の報を聞くと我慢ができなくなりました。16世紀から綿々と続く露土戦争によって、これまでロシアに切り取られてきた領土奪回の機会が到来したと考えたのでしょう。もしもオスマンがドイツ戦勝後に領土の回復を欲するのであれば、ドイツが勝つ前に参戦しておく必要があったのです。1914年10月29日、ドイツからやってきた2隻の軍艦が黒海にあるロシアのオデッサ海軍基地を攻撃すると、オスマンは連合国側に宣戦布告しました。

オスマンはその年の12月21日に、10万人の兵力を投入して、カフカース山脈越えでロシア領に侵入しました。しかし戦闘行為に入る以前に、真冬に、鉄道も道路もまともに整備されていない標高5000メートルの高峰が集う山岳地帯を大軍が越えることは無謀でした。翌月には多くの凍死者を含む8万6000人の犠牲者を出してオスマン軍は攻撃をする前に自壊してしまったのでした。

また帝国の南ではアラビアの砂漠越えでスエズ運河の占領をめざしましたが、こちらもナイル川の渡河に失敗して、いとも簡単に敗退してしまいました。広大なオスマン帝国領には山岳地帯や砂漠が多く、交通インフラが未整備なために、オスマン軍は近代的な大規模作戦を遂行するだけのロジスティクスを持ってはいませんでした。このオスマン軍のぶざまな戦いぶりを見て、英仏は、オスマン軍はその後進性から弱いと予断することになりました。

アンザック軍の活躍

ロシアは、オスマンからの攻撃を受けると、英仏に対してイスタンブールに繋がるダーダネルス海峡への攻撃を要請しました。ロシアは東部戦線のドイツとハプスブル

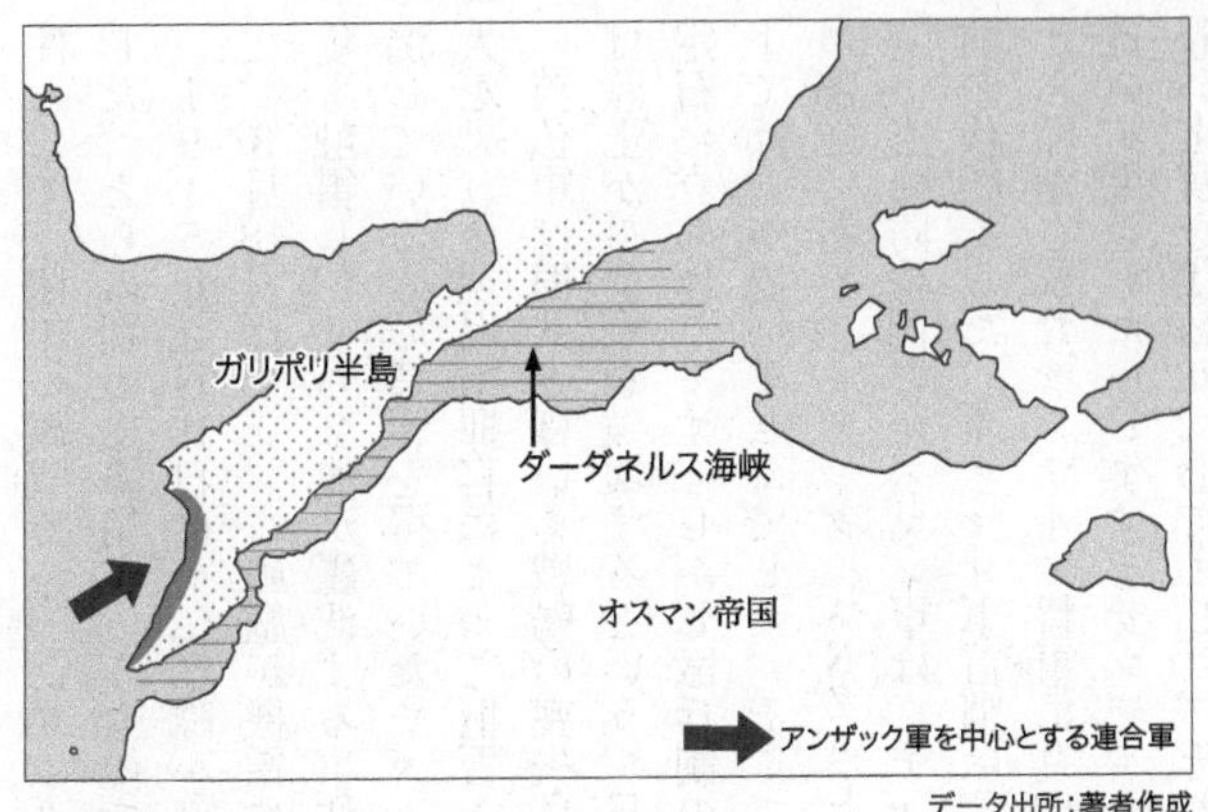

連合軍によるガリポリ攻略

クを相手に戦うだけで手一杯だったので、オスマン軍の矛先（ほこさき）を変えてほしかったのです。

ロシアからの依頼にイギリス陸軍大臣のキッチナーと海軍大臣のチャーチルは、イギリス陸軍が戦力不足であることを考慮して、英仏の前弩級戦艦が主力の老朽艦隊をもってダーダネルス海峡を強行突破する作戦を考えました⑱。連合国軍側はオスマン軍に対する「弱い」という予断を前に、この作戦を非常に楽観視していました。作戦前には早くも勝利後の地図上のオスマン帝国領の取り合いが始まっていました。これが後の領土分割案であるサイクス・ピコ・サゾノフ協定に連なることになります。ロシアは、戦争中に連合国軍側から単独で戦線離脱しない条件として、積年の願望であったダーダネルス海峡をロシアの領土として要求してきました。とらぬ狸の皮算用というものです。

1915年2月19日に英仏艦隊が砲撃を開始しても天候不順のために攻撃は遅滞して、3月18日にフランス戦艦が機雷に触れて大爆発すると、続いてイギリスの戦艦3隻も触雷し、うち2隻が轟沈する事件が起きました。この時、オスマン軍の弾薬が枯渇しているとの情報を得ていたチャーチルはもうひと押しを主張しましたが、損失拡大を恐れる現場指揮官によって拒否されてしまいました。

英仏軍は旧式とはいえ戦艦の喪失にショックを受けて、海上からの攻略が無理なら陸上から要塞(ようさい)を破壊するという、日露戦争の旅順要塞攻撃にもみられた要塞攻略の定石に立ち返ります。しかし徴兵制の無いイギリス陸軍は、開戦以来の募兵中の状況下で兵力が揃いませんでした。そこで攻略軍にはオーストラリアとニュージーランドの部隊であるアンザック(ANZAC)軍が主力としてあてられたのです。[159]

一方で防戦側のオスマン軍は、チャーチルが推測したとおりに砲弾不足から崩壊寸前の状態でした。オスマン軍首脳は英仏艦隊の砲撃に辟易(へきえき)して、作戦指揮をドイツ軍から派遣されたサンデルス将軍[160]に丸投げしたところでした。ところが皮肉にもこれが良い結果をもたらします。サンデルスはオスマンの年老いた古い指揮官を一掃して、若い士官を代わりにあてました。その1人が後に首相となり、国父と崇められるアタテュルクことムスタファ・ケマル中佐でした。

地中海側から見たダーダネルス海峡の入口、ガリポリ半島の戦場は、標高の高い山岳地帯や砂漠ではなく首都の近郊であり、これまでのような兵站における補給の問題はありませんでした。「オスマン軍は不意打ちを受けると総崩れになるが、考える時間を与えられると、決まって手強い相手となります」。後にサイクス・ピコ・サゾノフ協定で有名になるピコはチャーチルへの手紙にこう書いて警告しました。

1915年4月25日、アンザック軍を中核とする連合軍はガリポリ半島に上陸しました。上陸地点一帯は断崖になっており、その下に分断された砂浜が少しずつ存在しているような地形でした。連合軍は初日に、一旦確保した崖を降りて砂浜まで撤退し、そこに塹壕を構築して上陸ポイントを確保しました。一方でオスマン軍は崖の上に塹壕を築いたために、結局ガリポリの戦線は膠着する西部戦線と同じような塹壕戦となってしまったのです。しかし自然環境はフランスよりもガリポリのほうがはるかに過酷でした。

アンザック軍の塹壕内では疫病が蔓延し、死傷者は増加する一方でした。これを受けロンドンの閣僚達は、撤退以外に途は無いと考えましたが、軍人達はイスラム教徒の弱い軍隊などに負ける不名誉を受け入れられなかったので、戦線維持に固執しました。またチャーチルは海軍を再投入することで事態を打開できると主張しましたが、聞き入れられることはありませんでした。

この間ロンドンの世論は、そもそも、独断で戦艦を没収してオスマンを怒らせ敵にまわし、その後もダーダネルス海峡を攻撃しようと発案した海軍大臣チャーチルに批難が集中しました。また軍人も政治家もスケープゴートとしてそれを利用しました。イギリスは開戦以来自由党単独政権で戦ってきましたが、この件を契機として、1915年5月19日に保守党に労働党も加えた三党連立内閣が組閣され、その際チャーチルは更迭されてしまいました。

5月12日にはオスマン海軍駆逐艦の魚雷攻撃によって前弩級戦艦が1隻沈没、25日には陸上部隊を砲撃支援中の前弩級戦艦2隻が、ドイツ潜水艦U21号の雷撃を受けて上陸軍の目の前で撃沈されて、戦闘中の将兵の戦意を著しく低下させました。前線での被害が増える中で、撤退を嫌がる陸軍大臣のキッチナーは情報を閣僚に開示せず、またそもそも現地情報も不十分でした。こうしたキッチナーの行為がだらだらと現地での損害を拡大させることになりました。

こうして10月に入るとオスマン軍の英仏軍に対する予想外の健闘に刺激されて、今度はブルガリアがドイツ側に立って参戦しました。このことによってベルリンからイスタンブールまでが陸地で繋がり、鉄道での移動が容易になって同盟側の連携が密になった印象を与えました。

結局、英仏軍が撤退したのは、翌年の1916年1月9日になってからです。英仏連合軍は48万人を投入し、25万人が死傷しました。このうちの死因の多くは戦闘ではなく塹壕生活で感染した腸チフスや赤痢でした。

自治領を代表するアンザック軍は大きな損害を出しました。彼らは大英帝国に対する「義務」とともに彼らの「権利」に対する意識も変化しました。そして有色人種の植民地諸国にとっては、アジアの軍隊が英仏軍を撃退したことに大きな意義を求めました。

アルメニア人虐殺

ユダヤ教、キリスト教、イスラム教では、仲間内で金の貸し借りに利息を徴収することを禁じています。このためにキリスト教社会において常に少数民族であったユダヤ人は、高利貸し（金貸しとほぼおなじ意味）として隔離され、畏怖（いふ）されながらも侮蔑（ぶべつ）され迫害されてきた歴史があります。これは今日においても、ユダヤ陰謀史観としてその残滓（ざんし）を見ることができます。これと同じようにオスマン・トルコのイスラム社会においては、キリスト教徒のアルメニア人が金貸しとして存在してきた経緯がありました。

アルメニア人はトルコ人がアナトリア半島に住み着く前からの住人で、いわば先住民です。彼らはロシア帝国との国境付近に住む昔からの農民と、金貸しを経て実業家となり首都イスタンブールに住む裕福な階層に分かれていたのも、ヨーロッパにおけるユダヤ人の歴史と重なるところがあります。

19世紀の終わりにオスマン・トルコ帝国が西洋文明主導による近代化を受け入れ、外国の資本が入ってくると、キリスト教諸国の実業家達は、トルコ人よりもキリスト教徒であるアルメニア人を雇用することを好みました。言葉が通じるわけでも何でもありませんが、キリスト教徒であることだけに親近感を覚えたのでしょう。こうした事情もあって、トルコ人達が西洋文明からの圧力に対して、困窮し、無力感を覚える一方で、相対的に裕福になったように見えたアルメニア人は、クルアーンが禁ずる金貸しの汚くずるい奴らに違いないというイメージが当時のオスマン・トルコの時代背景に存在していたのです。

オスマン参戦から約1年が経過した1915年10月、オスマン帝国北部、ロシア国境付近に住むアルメニア人に対して「強制移住令」が発せられました。アルメニア人の中には、同じキリスト教徒であるロシア軍に同調する者が出る恐れがあると考えたのです。この時アルメニア人はろくに水も食糧も与えられずにシリアとメソポタミアの奥地にまで強制的に移動させられました。そしてその結果大量の死者を出すことになったのです。これが「アルメニア人虐殺」です。

歴代のトルコ政府はこの件につき、ある程度の殺人行為があったことは認めていますが、強制移住は戦争のさなかの純粋に安全保障上の処置であったと主張しています。しかし国際社会においては、この強制移住は意図的な民族浄化であり集団殺害（ジェノサイド）であったと認識されています。[161]正確な犠牲者数は今日もなお議論の対象となっていますが100万人はくだらないだろうと考えられています。[162]

第41話　Uボートの登場

期待以上の戦果

開戦時に出撃可能だったドイツ海軍のUボートは約20隻でした。その内半分はまだディーゼル搭載前のガソリン・エンジンの艦で、航続距離が短いために偵察用など補助的な兵器だと考えられていました。最初にドイツ海軍の潜水艦向けに納入されたディーゼル・エンジンは、現在もトップメーカーであるMAN社製の350馬力エンジンです。[163]

ところが開戦約1か月後の1914年9月5日、ドイツの潜水艦「U21」がイギリス軽巡洋艦「パスファインダー」（基準排水量2940トン）を雷撃（魚雷攻撃）によって撃沈しました。これが世界初の潜水艦による近代的な軍艦の撃沈でした。9月22

日には基準排水量わずか500トンの「U9」が1万2000トンクラスのイギリス装甲巡洋艦3隻を一度に撃沈してしまう戦果をあげました[164]。水中に身を潜め、魚雷1本で大型艦を仕留めてしまう。予想外のUボートの活躍に、ドイツ海軍は早速大量のUボートを発注しました。イギリス海軍が受けたショックは大きく、しばらくはこの損害をUボートの雷撃によるものとは認めず、機雷に接触したものとして発表していたほどです。10月20日には、「U17」がイギリス商船の「グリトラ」(876トン)を停船させ、臨検、乗員退避後に撃沈してUボートの通商破壊作戦に対する可能性も示しました。

その後も戦果は続いて、イギリス海軍はUボートを警戒して主力艦に対して北海を安易に遊弋(ゆうよく)させず、スコットランドの北端スカパフロー海軍基地に待機させました。そして急遽(きゅうきょ)12万8000機もの機雷をドーバー海峡に設置して対Uボート対策としたのです。

またイギリス海軍は1914年11月にドイツを経済封鎖すべく、北海とドーバー海峡を対独封鎖線とし、突破するドイツ艦船を撃沈すると同時に中立国のドイツ向け商船を厳しく臨検するようになりました。

ドイツは、同盟国ハプスブルクが地中海に面していましたが、地中海が英仏海軍の制海権下にある以上、外国との海上交通による交易は不可能となりました。当初この処置に対して中立国であるアメリカは抗議しましたが、次第に戦時特需から英仏向けの輸出だけでも手いっぱいの状態となり、対独貿易の困難はどうでもよくなりました。

ナポレオンの時代の農業社会では経済封鎖は富を破壊するだけで、封鎖された側は自給自足で飢えることはありませんでした。一方、20世紀初頭の国際分業と都市化の進んだ工業社会に対する経済封鎖はやがて都市住民の飢餓に結びついていきます。

戦争初期、人々は、戦争は短期間で終わるだろうと考えていました。ところが西部戦線が塹壕戦によって膠着状態に入ると、交戦国は戦争に対する考え方を変えていかざるを得なくなりました。イギリスも開戦前から食料品の60％を輸入に頼っている状況だったのです。ドイツ海軍はイギリスの経済封鎖に対抗してイギリス・アイルランド水域を「戦闘水域（War zone）」に指定すると、1915年2月18日以降の航行船舶は無警告で潜水艦攻撃の対象になるとしました[165]。

敵が軍艦であるならば問答無用で攻撃も可能です。しかし国際法の拿捕規定によると、相手が武器弾薬など戦時禁制品を搭載していない商船の場合、潜水艦は浮上してこれを停止させた上で臨検して、さらに乗組員を退避させてから攻撃する必要がありました。ところが、潜水艦は小さくて退避させた乗組員を収容することができない上に搭載砲も小型です。仮に商船が大型の大砲を搭載しているような場合には浮上して臨検する作業は潜水艦にとって極めて危険な行為でした。後に、イギリスは「Qシップ」と呼ばれる囮の武装商船を大量に建造して、臨検のために浮上したUボートを撃沈したりもしました。また潜水して秘匿行動中のUボートからは、潜望鏡を通して見える商船の積荷が戦時禁制品なのか、あるいは中立国の船舶であるかの確認は事実上無理でした。当時は潜水艦がこれほど活躍するとは予想されていなかったので国際法におけるルールが明確ではなかったのです。

ルシタニア号撃沈

1915年5月7日、ニューヨーク発リバプール行きの、イギリス大手海運会社キュナード社所属の大型客船「ルシタニア」号が「U20」によって無警告のまま撃沈される事件が起きました。

英紙「タイムズ」(166)の記事によると被雷から沈没までの時間はわずか18分間しかなく、乗員乗客1962人中、逃げ遅れた1201人が死亡しました。そしてそのうちの128人が中立国アメリカの民間人だったのです。また出航前、在米ドイツ大使館がルシタニア号のスケジュールと並べるように、イギリスへの旅行に対する警告文をニューヨークやワシントンDCの各新聞紙上に掲載していました。これは偶然でしたが、このためにドイツによる計画的な攻撃だと疑われることになりました。

一方で、ドイツ側はルシタニア号が弾薬など禁制品を積載していたと主張しましたが、これも根拠があったわけではありません。英米のメディアとしては売れるニュースです。ベルギーでのルーヴァン図書館の蛮行などと並び書き立てて、ドイツの残忍性に関する国民向けのプロパガンダとしてこれを利用しました。元々英仏寄りだったアメリカ世論は、この事件をきっかけに明確にドイツに対する見方を変えました。敵として認識し始めたのです。アメリカ大統領ウッドロー・ウィルソンはドイツに対して無差別攻撃の即時停止を訴えました。ほとんどの第一次世界大戦に関する解説書は、この撃沈が後のアメリカの連合国側での参戦に大きく影響を及ぼしたと指摘しています。

ドイツ海軍内においても、アメリカの参戦を警戒して、無差別攻撃継続に関する意

ルシタニア号の案内とドイツ大使館による警告文

見は分かれましたが、この後1915年8月にも、アメリカ人乗客が犠牲となる商船撃沈事件があり、ドイツは大西洋でのUボートの無警告攻撃を一時停止することにしました。しかしそれでも前出のグラフからわかるとおり、地中海では戦果は拡大しました。Uボートによる戦果は、無差別攻撃が再開される17年に向けて年を追うごとに増加していったのです。

以前の戦争は軍人同士の比較的限定的なものでした。しかし第一次世界大戦は戦争の長期化もあり、占領地も含めて多くの民間人を巻き込むことになったのです。

中立国のアメリカは、当初ルシタニア号の128名の民間人の犠牲に対してドイツの残虐さを訴えました。ですが、その一方で1918年にドイツの公衆衛生当局はイギリスの海上封鎖を原因とする飢餓と疾病により、73万人のドイツ市民が死亡したと見積もりました[167]。ドイツは被害をかなり多めに見積もったと考えられていますが、しかし、そのドイツも、東部戦線の東ヨーロッパではロシアとともに、さらに桁違いの多くの非戦闘員を苦しめていたのです。

第42話　ファルケンハインの決断

西部戦線

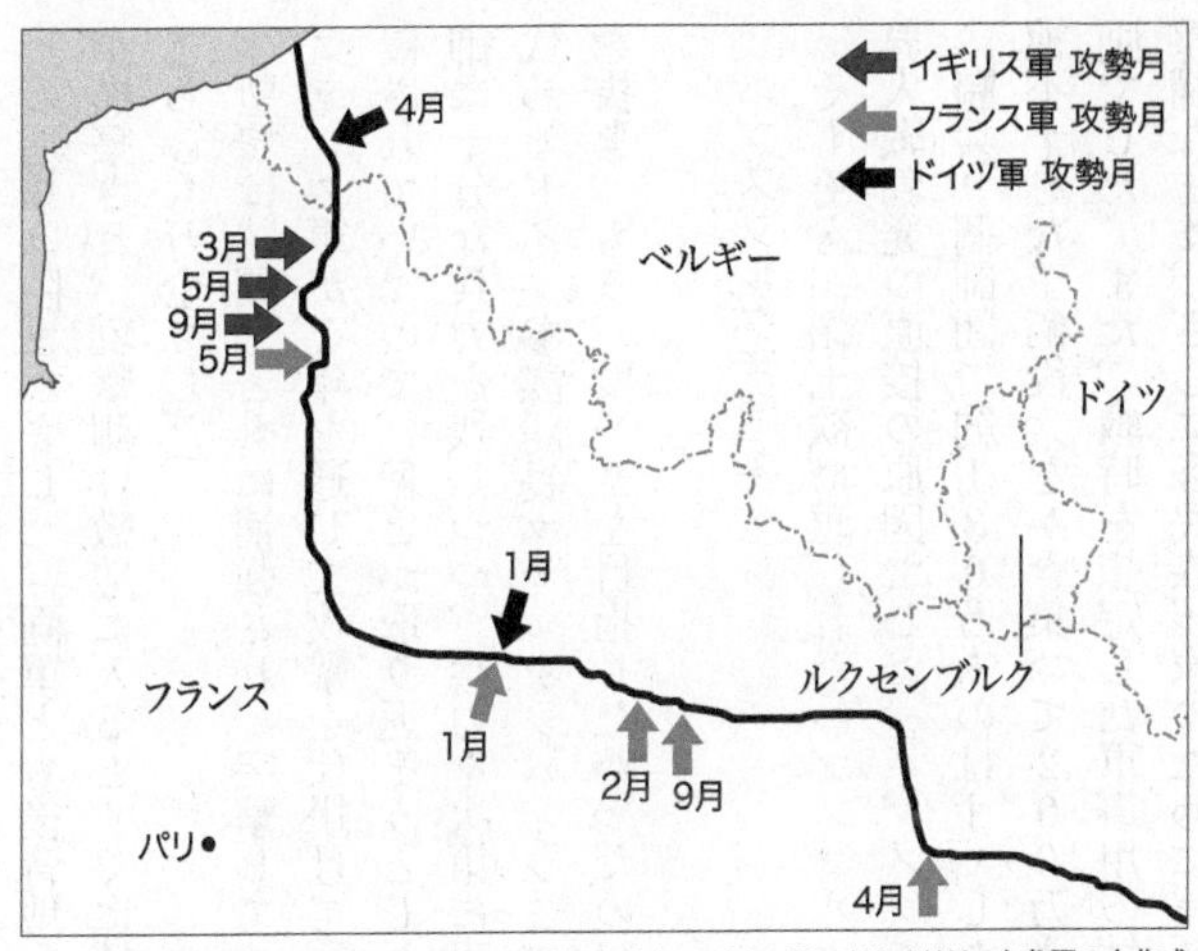

データ出所：Arthur Banks, *A Military Atlas of the First World War* を参照の上作成

膠着状態に陥った1915年の西部戦線

開戦から1914年末までの5か月間での捕虜と死傷者数は、フランスが85万人、イギリスは海外派遣軍の4割にあたる8万5000人、ドイツは西部戦線だけでも68万人にも及びました。

地図上の太線は1915年初頭の両軍の塹壕線です。矢印が各国のこの年の主な攻撃を実行した月を示しています。両軍の塹壕間の距離は狭いところで90メートル、広いところでも360メートルほどでした。

両軍は北のフランドル、南のシャンパーニュ地方でたびたび攻勢に出ましたが、長射程の砲、機関銃、高性能な小銃などによって歩兵の進撃は阻まれました。両軍とも後背地に在来線や臨時の軽便鉄道によって鉄道網が構築され、攻撃側は敵地に入るとすぐに補給の問題が出ましたが、防御側の補給はどちらも万全でした。

塹壕は時間とともに補強され、突撃してくる敵の歩兵を殺戮し続けました。地図上、フランス軍が1年を通じて攻撃を仕掛けているのは、自国の領土がドイツ軍によって侵されていたので、何とか取り返そうとしたのです。一方でドイツ軍は、年初から防御に十分な兵力を残しつつ、兵力を次第に東部戦線に移動させました。小モルトケに代わるドイツ参謀総長ファルケンハイン（第34話）[168]は弱いロシア軍の東部戦線から兵を抜き、もう一度パリを目指したかったのですが、そうはいきませんでした。

ハプスブルク帝国軍

そもそも、領土欲に駆られたハプスブルクのセルビアに対する宣戦布告が第一次世界大戦勃発の直接の原因でした。ハプスブルクの戦前の理論上の兵力は歩兵32個師団に騎兵9個師団で約１３０万人のはずでしたが、実働は45万人しかおらず、残りは訓練不十分な予備役兵をかき集めて２００万人の兵力になるだろうという杜撰な戦争計画でした。また、戦時を想定した軍事用の鉄道車両も準備せず、鉄道路線も道路も未整備なまま、さらに多民族国家のために言語別の部隊編制も必要で、元々部隊間の連携が難しいという近代戦を戦うには根本的な欠陥を持った軍隊だったのです。ハプスブルクは開戦の年の1914年に45万人の兵力で3度ほどセルビアに攻め入りましたが、40万人を動員したセルビア軍に対して22万人の死傷者を出しながらも勝てませんでした。実際にはセルビア軍側では、この冬にチフスが流行し、戦争の継続は困難になっていたにもかかわらず、です。

またハンガリー北東のガリツィア方面では、ハプスブルク軍がロシア軍を相手に、ここでもまた拙い作戦指導によりいたずらに兵力を損耗していました。1915年3月までにセルビア方面も含めて約205万人が死傷・行方不明となって、後に動員した兵力も含めてハプスブルク軍は既に崩壊寸前のところまで追いつめられていたのです[169]。

さらに、この方面ではチェコ、スロバキア、ポーランド、ルーマニア、南スラブ人など、軍主導部のドイツ人やハンガリー人よりも民族的に敵国ロシアに近い兵士も多く、戦意が低いうえに集団脱走も多い軍隊でした。

こうした事情から、ドイツ軍の新しい参謀総長ファルケンハインは、西部戦線の膠着状態が続くことを見越した上で、①東部戦線の拡充を訴えるヒンデンブルクとルーデンドルフの政治力、②未だ旗幟を鮮明にしない中立国イタリアへの影響、③ハプスブルク帝国がロシア帝国と単独講和する危険性などを考慮して、東部戦線の立て直しのために兵力をつぎ込むことにしたのです。

東方大攻勢

現代の日本人にとって、第一次世界大戦当時の東ヨーロッパの地図はわかりにくいのではないでしょうか。北部だけに限定しても、基本的に現在の東欧諸国は第一次世界大戦後に独立したもので、当時はプロイセンを含むドイツ帝国、多民族国家であるハプスブルク帝国、そしてロシア帝国の3か国によって国境が分けられていました。地図は1915年時点でのロシア軍の前線が細い線で描かれています。北ではタンネンベルク会戦後の余勢を駆って（第33話）、ドイツ軍は現ポーランド領内に食い込んでいましたが、南ではカルパチア山脈山麓（さんろく）までロシア軍が勢力を伸ばし、一気に南西にあるハンガリーの平原を狙う位置にいました。

1915年5月の攻勢を前にファルケンハインは、十分な砲弾を集め、徹底的な砲撃による敵掃討の後に、歩兵突撃を行う戦法を採用しました。当初は南から、最後は北の東プロイセンにいたヒンデンブルクの軍によって、太い破線のエリアまでロシア内に侵攻しました。しかしファルケンハインは戦術的に領土拡大ができたとしても、どこまで攻めてもロシアに対しては決定的勝利を挙げられないことをナポレオン戦争や日露戦争の戦訓から熟知していました。それで、深追いはせずに攻勢はここまでとしたのです。これをドイツは「東方大攻勢」、ロシア側は「大後退」と呼び、この攻勢によってロシアは75万人の兵士とフランス全土よりも広い面積の領土を失いました。また大量の砲弾を使用した作戦の成功に、ファルケンハインは今後の戦いは消耗戦になるという確信を持ちました。

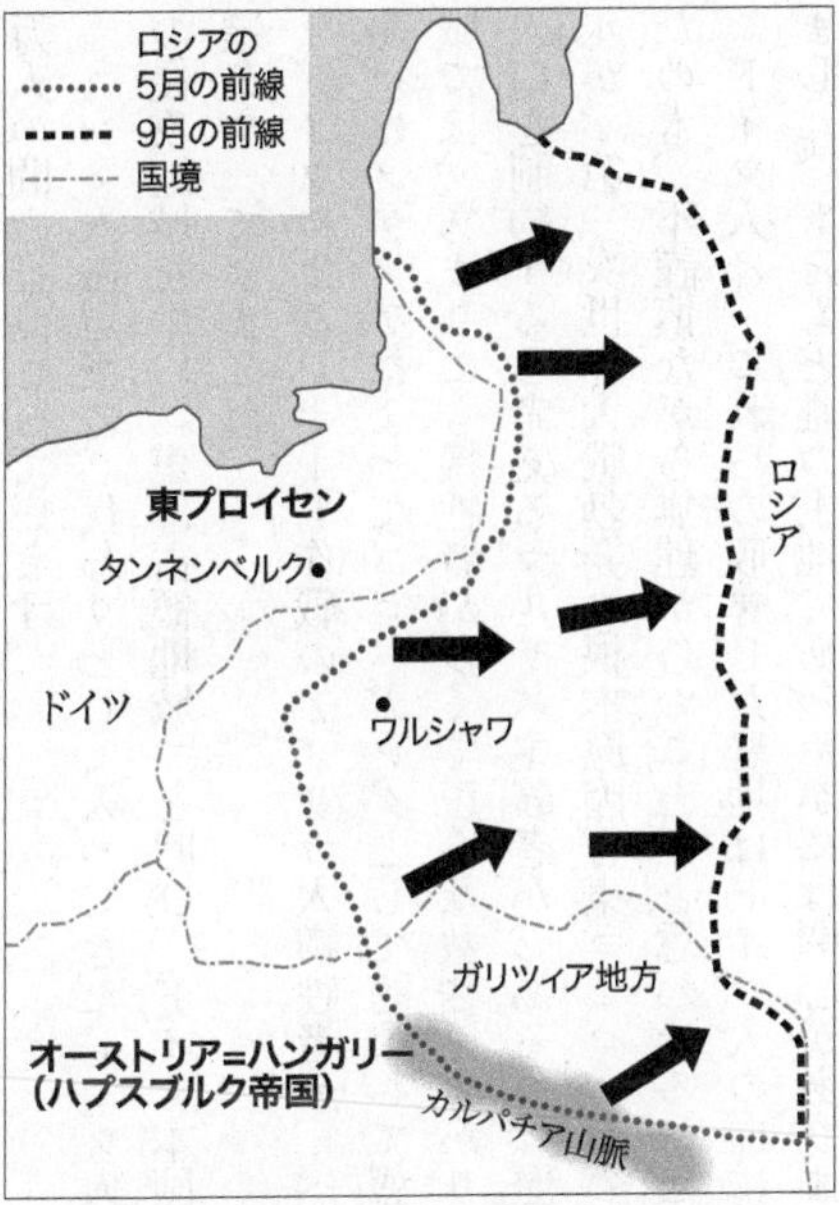

データ出所：Arthur Banks, *A Military Atlas of the First World War*を参照の上作成

1915年の東方大攻勢

戦場となった東ヨーロッパの諸民族、その中でも特にポーランド人やリトアニア人に対してロシア軍には同民族、同国民としての思い入れは無く、退却時に町や村は略奪され焼き尽くされました。これによる難民の数はよくわからず、300万人から1000

万人の間と推測されています。

ロシア人撤退後に、代わりとして入ってきたドイツ人達は現地民に興味が無く、この侵攻地域を単に「東部占領地域」と呼び、ドイツ本国からは農地を収奪する入植者達がやってきました。

ドイツによるUボート作戦のアメリカ人犠牲者や、ベルギーやフランス占領地での蛮行はメディアによってプロパガンダとして誇張して報道されている一方で、この地域では、あまりにも犠牲者が多くて正確な数さえ分かりませんでした。農業生産量が人口を制約すると考えるマルサス主義者が、あるいは歴史学者ウィリアム・マクニール(170)が、第一次世界大戦勃発の根本原因を東ヨーロッパの過剰な人口増加の調整に求めたのも、不謹慎ながら無理からぬことだと思わせるほどの犠牲者の数でした。

ドイツ人は、これらの収奪した農地はドイツ人の血によって購(あがな)われた大地だと考えました。もともと誰の土地であったかには関心がありませんでした。こうして講和条件を詰める際に譲れない領土が増えたのです。ドイツ国民にとって、戦争を止めるための条件のバーが一段階上がることになりました。

戦争は、進行するにつれて自ら戦争の目的を作り出していきました。ドイツ軍の大躍進にもかかわらず、ファルケンハインが攻勢を開始した頃、同盟国のイタリアは、すでに秘密裏に連合国側について参戦することを決意していたのです。

第43話　イタリア参戦

リソルジメント

イタリアの統一は日本の明治維新とほぼ同時期です。1860年10月25日、ジュゼッペ・ガリバルディがイタリア半島南部のナポリ王国とシチリア王国を制覇して、サルディーニア王国国王のヴィットリオ・エマヌエーレ二世に占領地を捧げました。「ティアーノの握手」と呼ばれます。これがローマ帝国以来、初めての統一されたイタリア王国の誕生でした。

ケンブリッジ大学出版の『イタリア史』(171)によれば、当時のイタリアには様々な方言が残存しており、独立のこの時点でイタリア語（14世紀のトスカーナ語）を理解できたのは40人に1人だったという推計もあるそうです。国民国家形成には統一された教育と識字率の向上が欠かせません。イタリアは国民国家としてのアイデンティティ形成に悩むことになりました。

一方で、指導者層の持つ国民国家の観点からは、統一されるべきイタリア人居住地域がまだフランスやハプスブルク内に取り残されていました。そこで「リソルジメント（国民統一運動）」の名の下に、こうした「未回収のイタリア」の回復を国家統合のための大きな目標として設定したのでした。

1866年の普墺戦争では、イタリアはプロイセン側について参戦して、ハプスブルク帝国からヴェネツィアを取り戻してイタリア王国に編入しました。その後はフランスの侵略を警戒して、ドイツ、ハプスブルクとの間で三国同盟を締結していました。しかし、いざ第一次世界大戦が勃発すると、イタリアが「リソルジメント」のために戦うべき相手は、依然として「未回収のイタリア」が多く残るハプスブルクだったのです。

蒸気機関をイノベーションの核とするイギリス発の産業革命に際して、イタリアは列強では珍しく石炭を産出しませんでした。このため他の国に比べて工業化が出遅れることになりました。

ところが、20世紀の最初の15年間で、イタリアは大きく成長して、経済的に列強の一角に食い込んできたのです。石炭は無くとも、イタリア北部ではアルプスからの水力発電を利用して、第一次世界大戦直前には発電量でフランスを追い抜くほどに発展しました。

成長のための資金を支えたのは、この15年間に主にアメリカに移民した400万人のイタリア人でした。彼らが本国の家族に送金したドルが工場設備や工作機械の輸入のための外貨となったのです。

現存するフィアット社やランチア社、アルファ社など国際的な自動車会社やタイヤのピレリ社などはこの時期に誕生し、第一次世界大戦中には当時の最先端技術であった航空機を大量生産するほどに工業力をつけました。ジブリ映画『紅の豚』の飛行機はイタリア製です。

ところがイタリア北部は隣接するフランスやドイツと同じレベルにまで発達しても、農業中心の南部は相変わらず取り残された中欧とあまり変わらない経済レベルでした。当時のイタリアの南北の格差はほとんど別の国であるかのように大きなものでした。

「神聖エゴイズム」

開戦に際して、ハプスブルクは同盟国であるイタリアに対して事前通告もなくセルビアに宣戦布告したので、規約上イタリアには参戦する義務はありませんでした。開戦後に即刻中立を宣言したイタリアの内実は１９１１年からのリビアを巡るオスマンとの戦争で国庫が逼迫（ひっぱく）して戦争どころではなかったのです。戦争を求めるナショナリストなど少数者の声は大きかったのですが、議会は参戦に消極的で国民のほとんどは無関心でした。

同盟関係に対する参戦責任や、中立を守り世界平和に貢献する意義といった道義的なものに対して、あくまで内政を優先して自国の利益だけを追求する外交方針を「神聖エゴイズム」と呼び、これが以降のイタリアの外交方針となりました。

イタリアの参戦派は、早くしないと戦勝国による領土配分に参加できないと考えました。また、どの国でも同じですが、イタリアの真の統一には「国民性の強化」が必要で、そのためには国家のために血を流す戦争という共通のテーマが有効だという考え方もありました。

一方で、「イタリアは戦争をせずとも、中立だけで戦争の分け前を頂戴できる」というのが自由主義を信奉する多数の知識層の考え方でした。またイタリア全体から見ると自由主義勢力の他にカトリック勢力や社会党も参戦に反対で、社会党などは、戦争参加を強く訴えた党員で、後に独裁者となるベニート・ムッソリーニを除名したほどです。国民の多くは戦争に無関心だったのです。

「未回収のイタリア」はハプスブルク帝国内に多く存在していました。イタリア参戦への両陣営との条件交渉の中で、同盟国側のハプスブルクは自国領を提供することに躊躇しましたが、英仏など連合国側にすれば戦後の分け前はハプスブルクの領土割譲を約束すればよいだけなのでいくらでも手形を切れたのです。こうして1915年4月26日、イタリアは首相と外相の一存で英仏露との間にロンドン秘密条約を結び、連合国側に立って参戦することにしたのです。イギリスからは戦費として5000万ポンドの借款が用意されました。

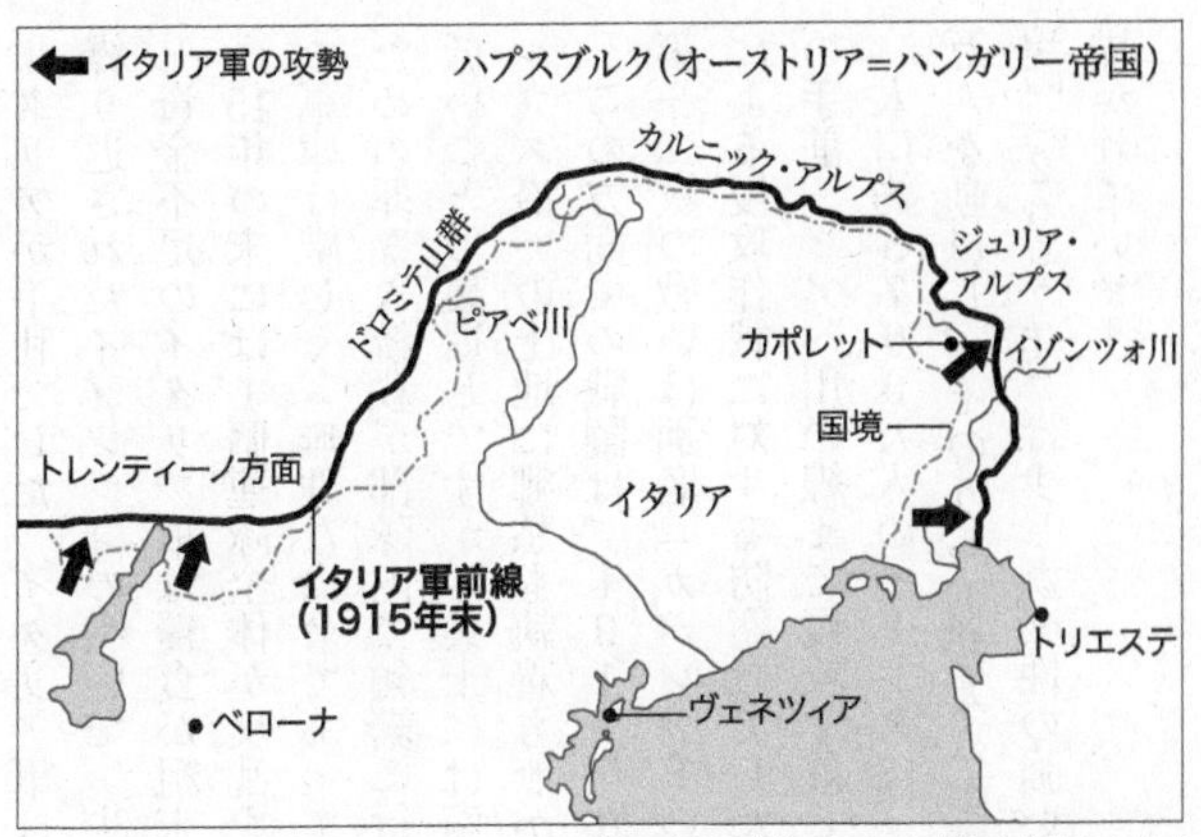

イゾンツォの戦い

1915年5月23日、イタリアはドイツを外して、ハプスブルクだけを相手に宣戦を布告しました。北の国境を形成するアルプスの山々に囲まれたイタリアでは、ハプスブルク帝国への攻略口は北のトレンティーノ方面と東のジュリア・アルプスを流れるイゾンツォ川方面の2つのルートしかありませんでした。

トレンティーノ側ではすでにハプスブルク軍による要塞化が完成していたので、イタリア軍の進撃経路はイゾンツォ川沿いに集中することになりました。

山岳戦では要衝の高地を先に確保した側が有利になります。この戦線でも西部戦線の塹壕戦同様に攻撃側である繰り返されたイゾンツォの戦いで、イタリア軍は、1915年の間だけで第一次から第四次までイタリアが不利でした。イタリア軍は、少なくとも23万人の死傷者を出しました。そのため資金不足のイタリア軍は糧食が粗末で、給与は悪く休暇もわずかでした。また表面上に15年の末には1個連隊全体が反乱を起こすような情けない状況でした。表面上の軍律は厳しく、無理な命令であっても突撃を躊躇するとどうなるのか、見せしめのための罪なき銃殺が部隊内で頻繁に行われました。表面上の軍律が厳しいのは士気が低いことの裏返しですが、兵士には南部イタリア出身の農民が多く、北イタリアのアルプス沿いの土地に郷愁も執着も無かったのです。

この方面での戦闘は、1917年10月の第一二次イゾンツォの戦いまで続きました。第一二次の戦いは別名「カポレットの戦い」と呼ばれ、ドイツ・ハプスブルク同盟軍による侵攻作戦に対する防衛戦でした。敗走するイタリア軍は地図上のヴェネツィアの手前、ピアベ川の線まで侵攻を許してしまいました。

人口約3700万人のイタリアは、第一次世界大戦の開戦から3年半の間に560万人を動員し、そのうち約46万人が戦死しました[172]。イタリア映画『愛と裏切りの戦場』（2007年）は少し娯楽性の強い作品ですが、当時のアルプスでの戦いの様子が描かれています。

第9章　戦争の経済

すぐに終わるだろうと考えられた戦争も、始まってみれば長期化が懸念されるようになりました。また死傷者の数も砲弾の消費量もはるかに想像を越えるもので、戦争は兵士だけが戦うものではなく、銃後の国民同士も生産量を競って戦う総力戦の様相を呈します。また戦費の調達も大きな課題となりました。

第44話　銃後の体制

神聖なる団結

戦前のフランスは、主力兵器である75ミリ野戦砲の砲弾に対して日産1万2000発の生産能力がありました。ところが戦争が始まると1日の消費量は10万発にもおよび、備蓄はすぐに枯渇して生産体制を根本的に改めなければなりませんでした。後に日産20万発の水準にまで増強されます。

第一次世界大戦以前の戦争では、大砲とは前線の移動に伴って常に移動中でした。

たまに停止しては砲撃するという武器でした。ところが西部戦線のように膠着した塹壕戦になると、野戦砲は一か所に固定され、朝から晩まで常に撃ちまくり、砲弾は背後からの鉄道輸送による補給も手伝って大量消費されるようになったのです。

塹壕戦による戦争の想定外の長期化に伴って、砲弾だけに限らず自動車や航空機などの工業製品や、大量に動員された人達に支給する小銃、被服、戦場向けの糧食なども桁違いの数が要求されることになりました。

戦前の知識人や金融家達の予想では、財政破綻が起きるので、戦争の長期化はありえないというものでしたが、そんなことはありませんでした。各国とも政府発行の公債には募集以上の申し込みがあり、国民は政府の紙幣を価値あるものとして受け入れました。それまでの戦争の前例、といっても普仏戦争しかありませんが、戦時債券は、戦争に負けた相手国が償還原資を支払うであろうという楽観的な見方が支配していたのです[173]。

労働の担い手が戦場で戦ったために工場や農村では労働力が不足してインフレが発生しましたが、階級闘争は一時中断され、官僚による統制が機能して価格の高騰は抑制されたものになりました。食糧、燃料はおおむね需要を満たしていましたが、ロシアなどでは、むしろ都市部への輸送手段の不足がやがて食糧危機を発生させることになります[174]。

戦争の勝敗の決定要因は、産業革命以前の戦争では作戦の妙や兵士の勇敢さでしたが、第一次世界大戦においては銃後の工業生産能力が鍵になりました。そのためフランスは官僚、ドイツは軍部、イギリスは文民を中心とそれぞれが特色のある国内体制で対応しました。

フランスではポアンカレ大統領が開戦直後の教書の中で、国土防衛のための「ユニオン・サクレ（神聖なる団結）」を提唱しました。戦争はすぐに終わるだろうとの予測のもとで、フランスの国民は戦時の個人の権利の制約を受け入れて、国家に大きな権限を与えました。本来は平和主義であるはずの社会主義者達も、ドイツの侵略から自分たちの国民国家たるフランスを守るために戦争に協力したのです。

フランスは初期のドイツ軍の領土内への侵攻によって鉄鋼生産量の３分の２、鉄鉱石の90％、石炭備蓄の40％を失いましたが、貿易によって当時世界でも最高の技術水準にあった工業生産を維持することができました。例えばフランス陸軍は開戦時１７０台の自動車しか保有していませんでしたが、終戦時には17万台にまで増加していました。また開戦時フランスの兵士は布製の帽子をかぶり、ドイツ兵は革製のヘルメット（先に槍の穂先がついたもの）をかぶっていましたが、開戦2年目以降は鉄製のヘルメットを数百万個のオーダーで生産し配布したのです[175]。これはドイツも同じです。

後にアメリカが連合国側に立って参戦しますが、その時、米兵はほぼ丸腰でやってきました。銃器、大砲や戦車、航空機などの兵器のほとんどはフランス製を使用したのです。

初代の軍需大臣アルベール・トーマはエコール・ノルマル・ド・パリの出身で、同校出身の優秀なテクノクラートを動員して、軍主導で戦争を経営するドイツよりも企業家や労働者達を上手く機能させました。彼らは中小企業特有の低い損益分岐点に各種価格を調整したので、効率性を高めた企業は利益をあげ、自動車で有名なルイ・ルノーは戦争を通して産業帝国を築きました。また同じく自動車メーカーのシトロエンなどは動員された男性に替わる女性労働力を活用するために、当時としては画期的な試みだった工場内の保育所を設けて、労働と子育てとの両立を図るなど、現代のシングル・マザー対策の先鞭をつけています。フランスの軍需産業で働く労働者は1914年に5万人でしたが、1918年には170万人にまで増加して、そのうち3分の1は女性でした。

城内平和

ドイツでは「城内平和（ブルク・フリーデン）」が国民団結の理念となりました。これは包囲された共同体の防衛のために、城塞内での係争を禁止するという中世以来のもので、ドイツもまた、国民は外敵により侵略されていると考えていた証です。後にナチスの体制は「民族共同体（フォルクス・ゲマインシャフト）」によってこの時の国民一致団結の理念を再現しようとしました。

ヴィルヘルム二世は開戦直後に国民の団結を求めて、「余はもはや党派を知らず、ただドイツ人を知るのみ」と演説しましたが、これに対する社会党議員の象徴的な発言は、「我々は選挙制度の民主的改革を要望している。それは、労働者達の戦争への協力に対する代償である」というものでした。労働者達は民主化を求めて戦争に協力しました。

開戦後まもなく、陸軍省内に戦時資源局が設立されて、巨大電機企業AEGの社長であった民間人ヴァルター・ラーテナウが責任者となって重要物資の管理分配にあたりました。ラーテナウは重要戦略物資ごとに法人を設立し、全国カルテルとすることで安定した供給を確保しようとしました。また中立国を通じて砲弾の材料である銅や、火薬の原料となる硝酸塩（チリ硝石）の輸入を試みましたが、イギリスによる執拗（しつよう）な海上封鎖の中で砲弾は不足して、緒戦のドイツ陸軍は常に火薬の入手可能量から作戦の制約を受けていました。開戦から2年ほどして、銅は使用法が工夫され、硝石は人工的に製造されるようになり、この問題は解決されたのです。

工業生産は軍の期待に応（こた）えたのですが、ドイツでは1915年末頃より海上封鎖の影響を受けて食糧と衣服が不足し始めました。穀倉地帯の東部占領地では、過酷な占領政策をとるドイツに対して住民は非協力的でした。また東部からの穀物輸送は内陸の鉄道に頼らざるを得ず、フランスやイギリスの船舶輸送による安価な穀物輸送とのコストの差も戦局の大勢に影響を及ぼしたと考えられています。指導層を軍人が握ったドイツでは、どうしても軍需品に生産がシフトします。農産物価格を固定して値上がりを避けようとしましたが機能せず、闇市での取引が増加する結果となりました。都市の工場労働者は乏しい食糧供給の中で、勤務時間だけが長くなっていきました。

文民による総力戦体制

ドーバー海峡によって大陸と隔たれたイギリスには、「ユニオン・サクレ」や「城内平和」のような侵略者からの防衛という意識は薄かったようです。イギリスは当初から長期戦を戦う覚悟をしており、「ドイツの軍国主義に対する正義の戦いである」という理念とともに国民を団結させ戦争へと向かわせました。

イギリス政府は開戦後すぐに国土防衛法（DORA）を議会の満場一致で立法化すると、経済と国民の生活を監督する権限を入手しました。鉄道を監督下におき、様々な物品の価格を統制しました。他国が戦費を主に国債発行に頼る中で、イギリスは国債を発行しながらも、税収を戦費の一部に充てるべく所得税を2倍にして関税も引き上げました。

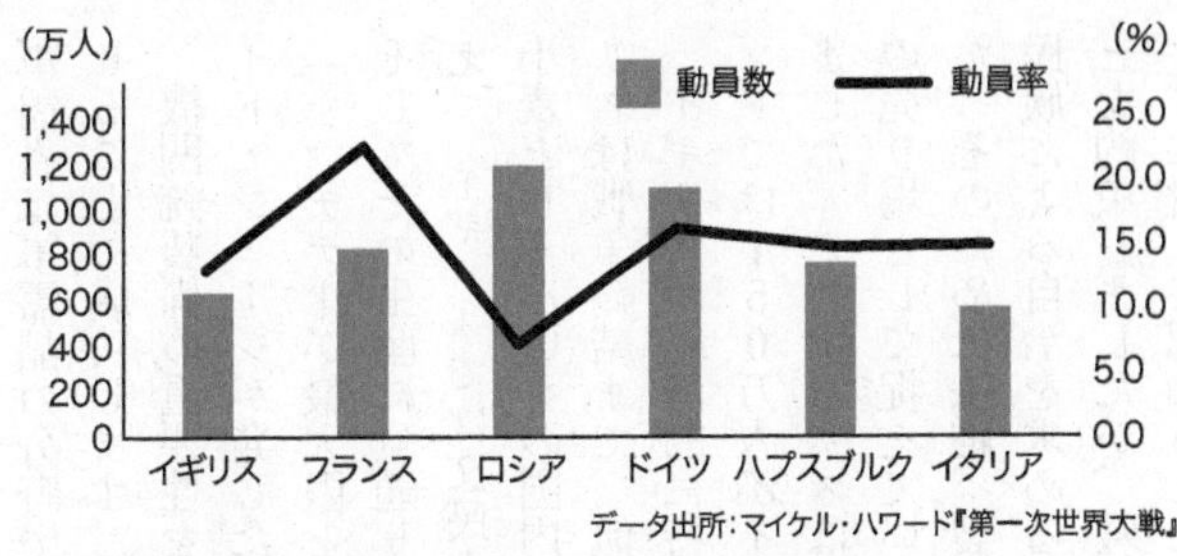

第一次世界大戦の動員数と総人口に対する動員率

イギリスの最大の課題は陸軍兵力でした。その強力な海軍力に比べ伝統的に陸軍は小さく、ヨーロッパ列強の中では唯一徴兵制度を持ちませんでした。開戦時の兵力は約25万人で、キッチナー陸軍大臣は開戦とともに志願兵を募り陸軍を構築し始めました。

志願者は１９１４年末までに１００万人に達しましたが、この人数では必要とされた兵員には足りず、結局イギリスは、１９１６年に徴兵制度を導入して、グラフにあるように終戦までに６２０万人を動員することになりました。

１９１５年春、「西部戦線におけるイギリス軍による攻勢の失敗は弾薬不足が原因である」とのフレンチ将軍の言い訳をメディアが大きく取り上げ、「砲弾スキャンダル」と呼ばれる弾薬増産のための政府批判を行いました。

このため政府は、新たに軍需省を創設して、後に首相になる文民ロイド・ジョージを担当につけました。

軍需省は軍需品の分野で全権を掌握して、官僚・労働者・産業界（官労財）を連合させることに成功します。

機関銃装備の重要性を理解しないプロの軍人キッチナー陸相に対して、門外漢のロイド・ジョージが発した有名な言葉が残っています。

「キッチナーが最大限と言う（機関銃要求の）数字を二乗して、さらに倍にしたまえ、そしてその生産に見通しがつくようならば、最後のまじないとしてさらに倍にしたまえ」[176]。イギリスでは文民を頂点とし、民間の自主を尊重した総力戦体制が構築され、小麦とじゃがいもの国内生産量は戦前の1・4倍にまで増加しました。こうしてイギリスは戦争終結まで、飢餓と必需品の欠乏に悩まされることはありませんでした。

イギリスが経済的に持ちこたえられた大きな要因に、インドの存在があります。インドでは150万人がイギリスの統制下に兵士や労働者として欧州や中東に派遣されました。またイギリスは、戦時中の物不足から、それまで植民地をイギリス工業製品の売り場として捉えていた土着産業抑制策をあらためて、軍事物資の生産を促しました。そのために繊維、製靴など民族産業が発展して民族資本家が育ち、今度は彼らが民族による自治を求めるようになりました。イギリスは戦中に漸次自治権を与えることを約束しましたが、戦後は政治活動の弾圧を目的としたローラット法を施行し、インドに対して認められた自治はかなり制限されたものでした。ここで登場したのが非暴力不服従運動のガンディーです。

第45話　金本位制と資金調達

金本位制

20世紀初頭の先進国は日本も含めて金本位制を採用していました。ここでは各国通貨がゴールドとの交換比率を定めたことにより、金を媒介として為替（かわせ）レートは安定した状態を保っていたのです。1904年から始まった日露戦争においても、日本とロシアの両国は開戦後まもなく金本位制の維持を宣言しましたが、これは戦時国債の海外発行に備えて、国家としての信用力（借金返済能力）を維持しておくためでした。

臨時公債の購入を求めるポスター

第一次世界大戦開戦の危機が迫ると、イギリスの金融市場は証券売買や外国政府発行の債券の利子など、大陸からの支払いが滞り、さらにそれを警戒した国内銀行が債券市場から資金を引き揚げたために一時的に流動性が枯渇して取引が不能になりました。

金融史家R・S・セイヤーズの『イングランド銀行』によると、イギリスでは開戦にあたり紙幣の金との兌換（交換）を停止すべきだとの意見もありましたが、総裁のカンリフ、蔵相ロイド・ジョージや大蔵省のケインズなどの決定によって、イングランド銀行は外国からの需要に対しては正貨支払いを継続するという基本原則が決められました。[17] イギリスは他の国が金輸出を禁止する中で、戦況の進展に伴い金銀貨を輸出禁制品に指定するなど金の流出には厳しい規制をかけはしたものの、アメリカが金輸出を禁止する1917年9月までは外国からの兌換要請に対して正貨（金貨）を支払い続けました。またその後も戦前のレートよりも2％だけ安い1ポンド＝4・765ドルでポンドの為替レートを維持して、最終的に金輸出禁止令が出されたのは戦後の1919年3月のことでした。

戦争景気の中で、日本が輸出によって受け取った外貨も、金に裏打ちされたポンドの形態でロンドンに蓄積されていったのです。一方で開放されてはいたものの、ロンドンの金輸出に対する厳しい規制から、為替取引の中心は次第にニューヨークへ移行しつつありました。

しかし、それは同時に国際貸借の決済によるアメリカからの金の流出も意味していたので、アメリカは1917年9月に金輸出を禁止して金の流出を防ぎます。我が国も数日遅れてアメリカに追随しました。イギリスは戦後の世界経済が、戦前の金融秩序である金本位制の下に再開されることを前提に通貨政策を考えて耐えていたのです。

イギリスの国債小口化

イギリスにおいても戦争は短い期間で終了するという前提で、戦費は当初、短期債やイングランド銀行による政府への貸し出しや、政府紙幣の発行で賄われました。補正予算が作成されたのは開戦3か月後の1914年11月で、歳出予算は通常年の2・5倍に拡大され、同時に長期国債である第1回の戦時公債が発行されました。

イギリスではそれまで償還期限のない永久債であるコンソル国債が一般的だったのですが、戦時公債は償還に責任を持つべきとの考え方から1928年の有限の償還が設定されたのです。戦時公債は以降15年6月に第2回、17年1月に第3回と3度にわたり発行されました。また3年～5年の中期国債である国民軍事債券も順次発行されていきましたが、利子課税や相続税の特別免除、後発の有利な債権への乗り換え条件付きなど、国債消化のための特例がどんどん付加されていきました。中期国債の多くが5％のクーポンで発行されたので、イギリスの第一次世界大戦は「5％の戦争」と呼ばれています。一方で第二次世界大戦は3％国債でファイナンスされたので「3％の戦争」と呼ばれます[178]。

グラフは1914年から15年末までの、イギリスの永久債であるコンソル債とフランスの永久債の利回りの推移です。英コンソル債のデータの欠落はロンドン株式取引所が閉鎖されていたからです。

フランスとの金利差が少なすぎると考えたイギリスでは、その原因のひとつとして、フランスで活発な国債の小口販売にあると指摘がなされていました。そこで15年6月の第2回戦時公債の発売から最低応募額を多くの個人でも買える100ポンドに設定するとともに、郵便局を通じて25ポンドや5ポンドに小口化された券面にして大衆に販売しました。グラフでは5月以降の金利上昇が、しばらくの間フランスよりも穏やかだったことが見てとれるでしょう。イギリスでは戦争の進展とともにこうした小口の国民からの資金調達が計られて、結果として公債保有者の数を増やすことに成功したのです。第1回戦時公債の保有者数は10万人でしたが、第2回では110万人、第3回では529万人にまで増加しました。

1915年の10月にはJPモルガン商会主幹事の下、英仏共同債が中立国のアメリカで募集され、通貨覇権国イギリスにとって初めての外貨建て公債の発売となりました。日本でもまた円建てのイギリス債が発売されましたが、「あの大英帝国が日本か

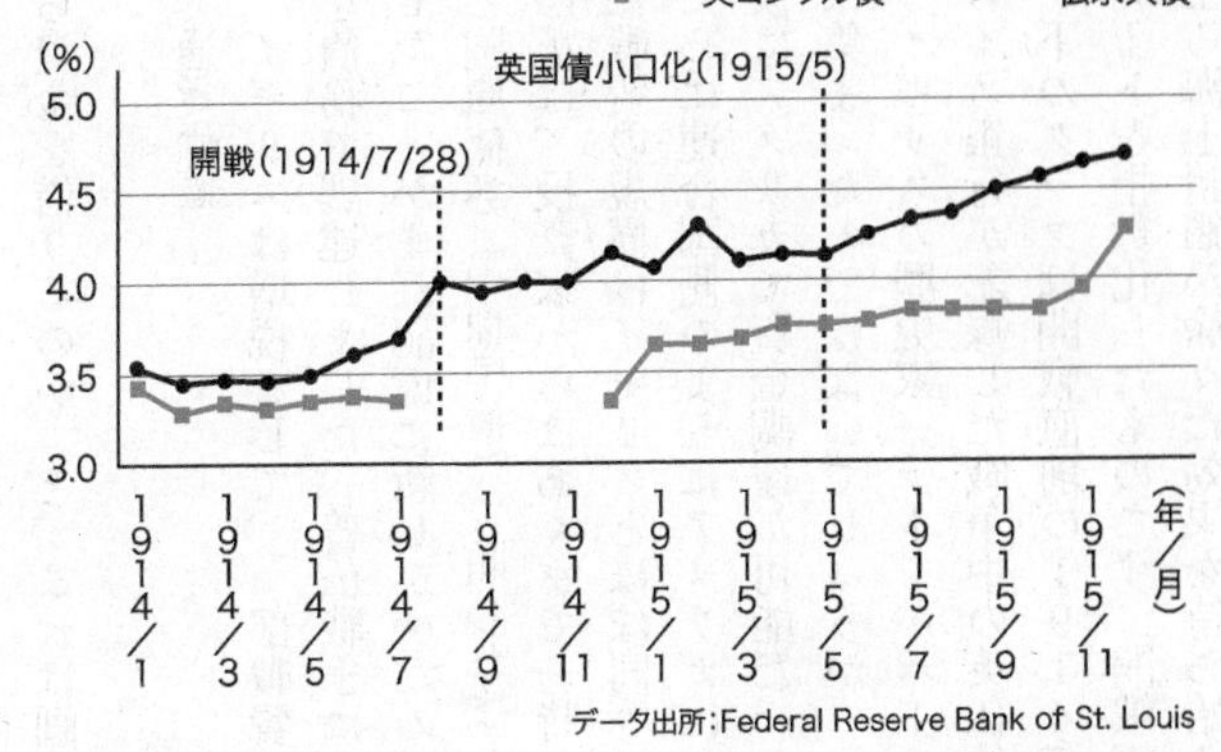

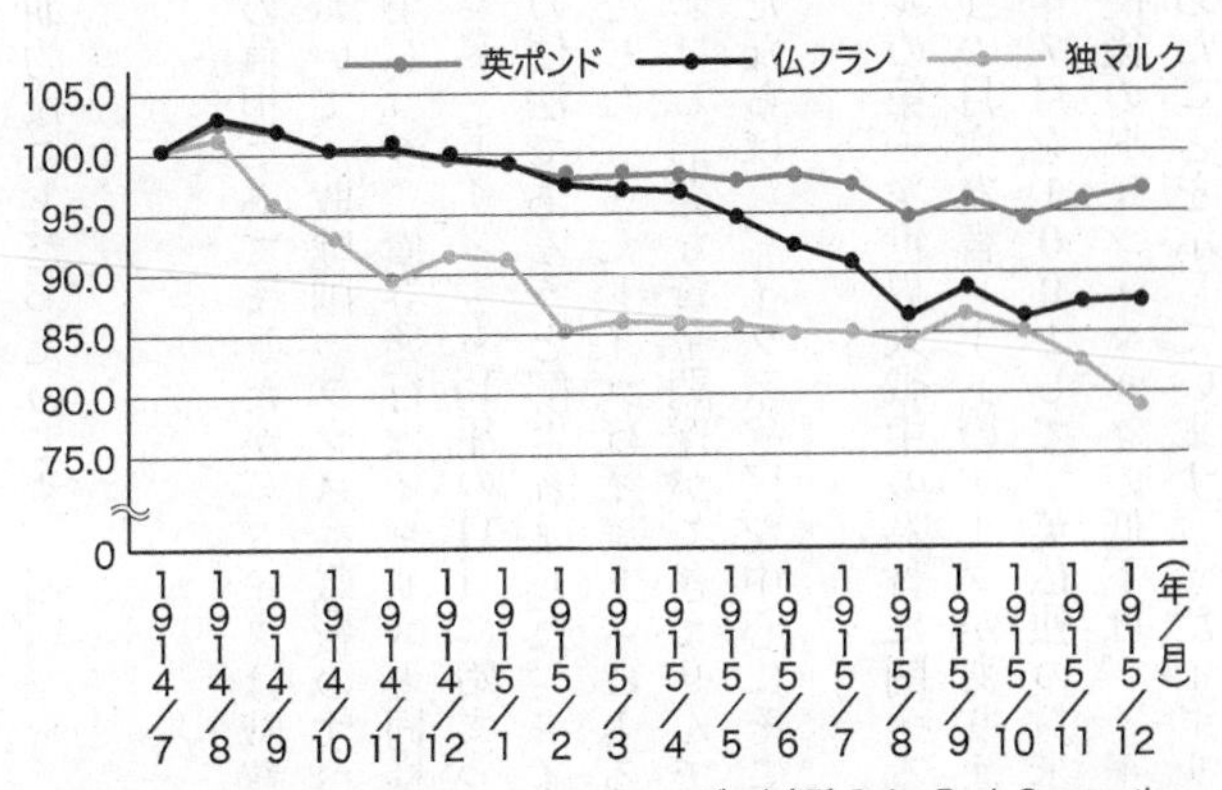

（上）英仏国債利回り（1914～15年）
（下）各国通貨価値の推移（対米ドル）

ら資金を借りるのか」と、これは画期的なことだったのです。

通貨価値

イギリスは増税をして、一部戦費の負担にあてましたが、ドイツは戦費のほとんどを債務で調達しました。普仏戦争において、敗戦国フランスに戦費のすべてを負担させたことがまだ記憶に新しかったのでしょう。債券発行はイギリスと同様に長期国債と国庫債券（中期国債）で賄われました。ドイツでも15年の11月に始まった金兌換の停止は、投資家からはあくまで一時の便法であろうと解されました。ドイツが負担した戦費の規模はイギリスとほぼ同等でした。またドイツはイギリスによる海上封鎖のために連合国側のようにアメリカにおける活発な資金調達ができませんでした。もし仮にアメリカで資金調達が可能だったならば、ドイツ系移民を中心にそこそこの金額は集まったのではないでしょうか。

イギリスの歴史家ジョージ・ホールの第一次世界大戦中の為替に関する論文(179)の中に、スイス銀行が記録した戦争中の英仏独の月次為替レートのデータがあります。前ページ下のグラフは開戦直前の1914年7月を100として、英仏独の対米国ドル為替レートを指数化したものです。開戦直後のドイツ・マルクの低下は、イギリス海軍による海上封鎖が徐々に効果を持ち始めたことを示しています。またイギリスはドイツの中立国経由の貿易も妨害したので、マルクは国際貿易の世界から徐々に姿を消したことが読み取れます。それでもドイツ・マルクは一定の価値を保っていました。あくまで1915年中に限った市場においては、戦争終結のあかつきにはドイツの金本位制は回復されるだろうと考えられていたのだと思います。

第46話　ユダヤ人金融家達

ロスチャイルド

中世のキリスト教では、原則として利子の徴収が禁じられていたために、当時の王侯貴族は異教徒であるユダヤ人の金貸しの中の有力な者から金を貸りました。そしてユダヤ人の金融家は見返りとして、宮廷における特別な地位を獲得したのです。そのようなルネサンス期以降のヨーロッパに見られた宮廷ユダヤ人を「コート・ジュウ」と呼びました。

ユダヤ金融家達は、経済活動の中心の移動に伴い、宗教に寛容なオランダやロンドンに移住するようになり、今度はそこを基点にヨーロッパ中に決済・送金ネットワークを形成しました。

ロンドン、パリ、ウィーンに展開したロスチャイルド、ロンドンの個人金融家のカッセル卿、自由都市ハンブルクのウォーバーグ商会などがコート・ジュウの末裔です。彼らは19世紀の最盛期には列強の帝国主義的拡張に伴い国際政治にも大きな影響力を持ちましたが、第一次世界大戦は彼らが扱うにはあまりにも規模が大きく、またヨーロッパの分断は彼らの強みであった国際ネットワークを破壊してしまいました。

ロスチャイルド家はドイツの一公国のコート・ジュウの出身です。18世紀末に長男をフランクフルトの拠点に据えると、残りの4人の息子たちをウィーン、ロンドン、ナポリ、パリに派遣して銀行を設立させました。当時の銀行家はマーチャント・バンクという形態で今日的な総合商社のように貿易と金融を事業としており、折からのフランス革命に続くナポレオン戦争では大陸封鎖令の隙間をついて大きな富を築きました。

事業は次第に信用供与や貸付業務が主体となっていきましたが、彼らの国際ネットワークは、国家や顧客とのリレーション構築、情報収集、リスク分散、元利金支払いの海外送金などで力を発揮しました。ナポレオン戦争以降の戦争や国際紛争、経済危機の規模が、結果としてあまり大きくなく、個人資産で対応できる規模だったこと、また財務内容が非公開の金融家は、秘密行動の多い帝国主義政策に柔軟に対応できたことから、ロスチャイルドは政治や外交に大きな影響力を持つようになりました。

1825年のイギリスの南アメリカへの過剰投資を原因とする金融危機では、14

5の銀行が倒産し、イングランド銀行から準備金が枯渇しましたが、ロスチャイルドはヨーロッパ中から金をかき集めてイングランド銀行に用立てました。また勃興期にあった初期の鉄道投資では一族は各国で中心的な存在となったし、クリミア戦争では英仏のみならず、トルコに対しても軍資金を用立てました。1869年に完成したスエズ運河は1875年には早くも財政難に陥り、エジプト政府は持ち株の売却を考えました。そこでイギリス政府は急な用立てに、ロスチャイルドから資金を緊急融資してもらい買収したのです。それ以降エジプトはイギリスの支配下に置かれ、やがて保護国となりました。

日露戦争の資金調達では、アメリカのユダヤ系銀行クーン・ローブ商会の実質社主ヤコブ・シフと関係の深い、ロンドンの個人金融家アーネスト・カッセル卿が仲介し、アメリカの資金を呼び込むとともに、シフの親戚筋に当たるハンブルクのウォーバーグ商会が日本国債引受シンジケート団に参加しました。陰謀論では、ロスチャイルドが戦争の黒幕としてしばしば語られますが、当時のロスチャイルドは、ロンドン他、各地に定着して既に三代目に入り、リスク・テークには慎重になっており、日本国債引き受けのシンジケート団に参加したのは日露戦争終了後のファイナンスからでした。

第一次世界大戦の勃発寸前、既にサラエボ事件が発生した後のことですが、ロンドン・ロスチャイルド家を継承する四代目のチャールズは、夏休みにハンガリー・ユダヤ人の夫人と2人の娘を連れてハンガリーの親戚の家を訪ねていました。彼が開戦の危機を感じて急遽帰国して、かろうじてイギリスに辿り着いたのは開戦数時間前のことでした(180)。このエピソードは、ロスチャイルドのような情報強者でさえ、大戦争は起こらないと予測していたこととともに、当時のユダヤ人という民族が持っていた、国境を越えた国際性をも示しています。国籍ではなく、ユダヤ人としての紐帯が国籍以上の意味を持っていたのです。第一次世界大戦は彼らをして国家を選ぶか、民族を選ぶかのジレンマに立たせることになりました。

ウォーバーグ

ドイツのマーチャント・バンクの雄であったウォーバーグも、ヴァルブルクの町のコート・ジュウが発祥です。18世紀の後半にハンブルクに移り住んで銀行を開業しました。自由都市ハンブルクは中立を保ち、フランス革命などの騒乱時には貴族達が財産を持ち込んで保全し、ナポレオンの大陸封鎖では抜け目のない密輸の拠点となって商人達を潤しました。こうしてみるとユダヤ商人達にとって、ナポレオンの大陸封鎖令は財をなす大きな機会であったことがわかります。

１８６８年には当地のユダヤ人への最後の法的束縛が解かれ、ギルドへの加盟やドイツ人との通婚、居住地選択の自由が確保され、ドイツ統一の１８７１年には領内の全ユダヤ人に市民権が与えられました。もちろん政府機関や軍隊などには差別は残されたままでしたが。

こうしてウォーバーグは様々な制約から解放されて国際的な銀行として、パリ・ロスチャイルドとともにオランダ政府向けの借款、ロンドンの業者とノルウェー国債の共同主幹事案件などをこなしていきました[181]。

1893年に4人兄弟の次男マックス・ウォーバーグが経営につくと、折から成長著しいドイツが外資導入国から資本輸出国へと転換するのに合わせて業容を拡大していきました。三男がドイツ語読みでパウル、四男がフェリークスです。

アメリカ向けの投資案件でヤコブ・シフのクーン・ローブ商会とのリレーションが深まり、四男フェリークスがシフの長女フリーダと結婚してアメリカに移ることで、アメリカのドイツ系金融グループと一層親密になっていきました。日露戦争時のドイツによる日本国債の英米独共同引き受け案件は、こうしたリレーションの下で成立したものです。

フェリークスの結婚式に出席した三男パウルが、クーン・ローブ商会の創始者ソロモン・ローブの娘ニーナ・ローブに魅かれて結婚することになりました。パウルもアメリカへ行き、すぐにクーン・ローブ商会の飛び切り優秀なパートナーとなりました。彼は後にアメリカに帰化してポールとなり、やがて米国連邦準備制度理事会（FR

B）の創設に中心人物として関わったのです(182)。

まさに第一次世界大戦が始まって間もない1914年8月10日、ポールは就任の宣誓をして、設立したてのFRBの理事として働き始めました。兄マックスがドイツのために力を尽くしている時、ポールは自らが設計した組織を使って、連合国のために淀みなく戦争資金を供給し続けたのです。

ユダヤ人金融家にとっての第一次世界大戦は、よそ者としてではなく、その国の国民として認められる絶好の機会でした。ドイツでは、マックス・ウォーバーグだけでなくユダヤ人達は戦争こそがドイツにおけるユダヤ人の社会的地位を向上させられる稀有な機会であると捉えました。ドイツに住んでいた約55万人のユダヤ人のうち10万人が軍務に服し、1万2000人が戦死し、3万1500人が鉄十字勲章を受け取りました。しかし、その果報の虚しさは第二次世界大戦のナチスによるホロコーストの存在を知れば十分でしょう。

ユダヤ人金融家達はそれぞれの国家に忠誠を尽くし、すすんで兵士となる若者も大勢いました。そのためそれぞれの一族から数多くの戦死者が出たのです。

金融で成功したユダヤ人はほんの僅かです。欧州各地で各民族に国民国家意識が芽生えつつある20世紀の初頭、よそ者であるユダヤ人の多くは差別や迫害に苦しみました。当時の世界に散らばるユダヤ人は1540万人、ポーランドとウクライナにそれぞれ330万人、アメリカに310万人、ロシア90万人、ルーマニア65万人だったと推計されています。

第47話 ウォール街

モルガン商会

開戦直前のウォール街は、欧州からの換金売りが殺到して暴落しました。このため1914年7月31日の10時の寄り付き直前からニューヨーク株式市場は閉鎖されました。当初のアメリカ経済に対する見通しは、欧州からの投資資金が途絶え、輸出も減少してアメリカ経済は大恐慌に陥るのではないかというものでした。

1914年12月14日に市場は再開されましたが、グラフが示すように、ニューヨーク・ダウ株価指数で閉鎖時から比較して20%も下の水準でした。ところが欧州の戦場での緒戦における砲弾不足が示すように、この戦争はかつてない大量の軍需物資の消耗を伴うものであることが次第に明らかになって、アメリカはほどなく連合国側からの発注で戦争景気に沸いたのです。

モルガン商会は1860年、ロンドンを本拠とするJ・Sモルガン商会のニューヨークの出先として、その息子のジョン・ピアポント・モルガン（JPモルガン）によって設立されました。父子ともにニューイングランド地方出身のＷＡＳＰ（ホワイト・アングロサクソン・プロテスタント）でありアメリカ人です。ＪＰモルガンは、アメリカの鉄道の投資ブームに乗って、一時は中央銀行を持たないアメリカ政府よりも影響力の大きい存在として財閥を形成しました。アメリカの金融界を支配し、幾度となく中央銀行を持たないアメリカの金融システムを支えましたが、第一次世界大戦が始まる前年の１９１３年に旅先のローマで他界してしまいました。その長男のジャック・モルガン（ＪＰモルガン・ジュニア）が跡を継いで社主となりましたが、変人で逸話の多い伝説の銀行家ＪＰモルガンに対して、ジャックはどうしても一回り小さな人物とみられがちでした。しかし現実には、彼は組織運営に長け、モルガン商会の多彩な才能を最大限に発揮させることに成功したのです。この結果、この銀行は第一次世界大戦を通じて多くの人材を輩出することになりました。それは、戦後のパリ講和会議のアメリカ代表団はモルガンの社員ばかりだと揶揄されたほどです[183]。

モルガン商会はロンドンとパリに関連会社を持ち、従業員は人種的にワスプで構成されました。従ってビジネス上も信条からも言語からも、イギリス、つまり連合国の味方でした。開戦直後の8月にはフランスからモルガン商会にニューヨーク市場における1億ドルのフランス戦時公債発行の話が持ち込まれました。しかしブライアン国務長官からは、中立国にとって「最悪の禁制行為である」と許可されませんでした。

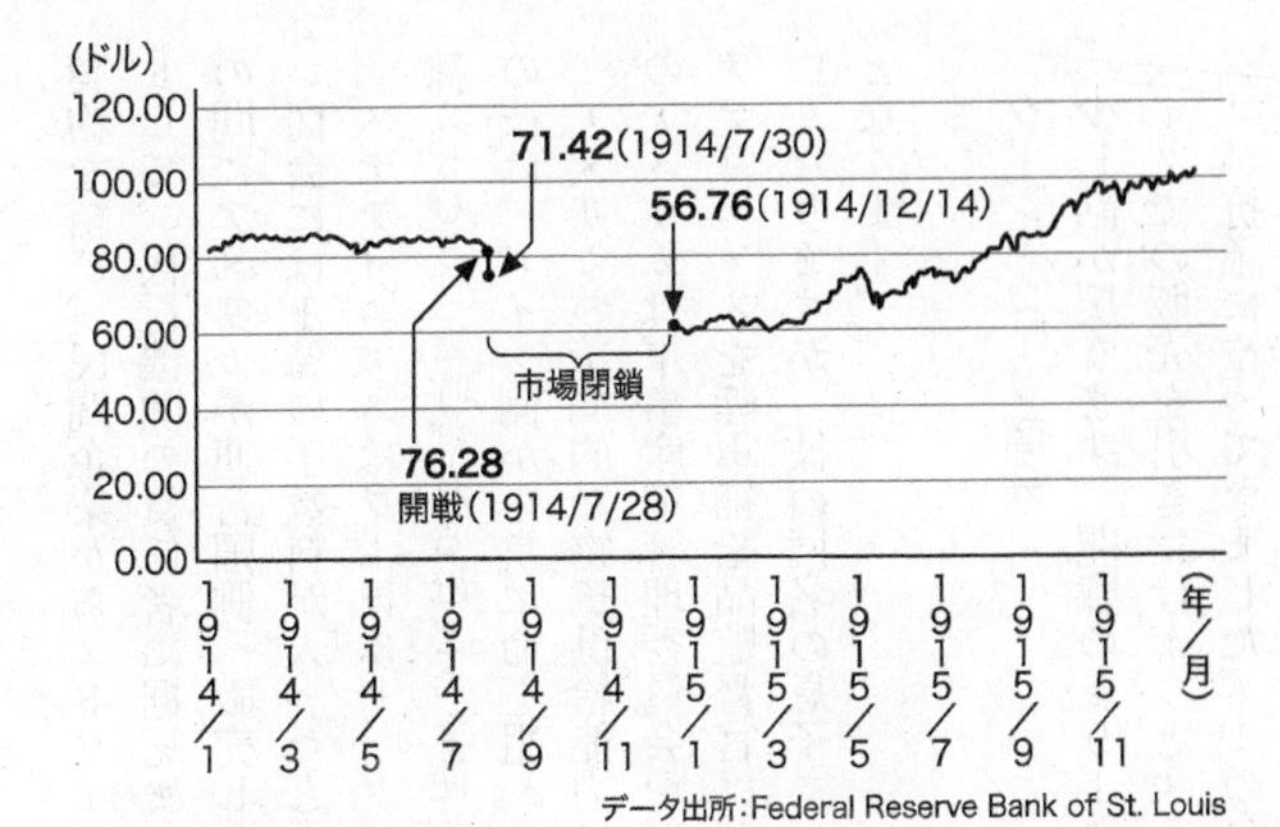

開戦直後のNY株式市場(1914～16年のダウ工業株価指数の推移)

移民の国、当時のアメリカの10％はドイツ系であり、イギリスの迫害によってアメリカに渡った多くのアイルランド移民も連合国側のことを快く思っていなかったのです。

ところが10月になると、交戦国の公債引受は禁止だが、軍需物資調達向けの信用供与であれば許されることになりました。これには農産物の輸出減少を心配したアメリカ地方農民への政治的な配慮がありました。もちろんこれは、法律上はドイツにも適用されますが、イギリス海軍による海上封鎖のために、現実には連合国向けのみの制度だったのです。

モルガン商会はこれを機に、自らが連合国側の軍需物資調達の代行機関となることを提案しました。1915年1月にはイギリス陸海軍と、春にはフランスとも同様に契約を結び、民間企業からエドワード・ステティニアスという辣腕(らつわん)の経営者をスカウトして、代行機関の責任者に据えました。この時の契約は、アメリカが参戦するまでの間にアメリカが連合国側へ販売した全軍需物資30億ドルの約半分を占めて、モルガン商会には1%の手数料が入ったと言われています。

ステティニアスはワーカホリックで、彼の175人の部下は、ステティニアスの奴隷(SOS)と呼ばれるほどこき使われました。この組織が機能した証拠に、戦時中の彼は、ドイツ側から常に命を狙われていました。

アメリカの驚異的な物資供給能力はドイツ参謀本部の全くの計算外でした。参戦後のアメリカは軍事産業管理委員会を設立し、モルガンから業務を移管するとともにステティニアスを陸軍補給品監督官に迎え入れました。彼は戦後の1925年に60歳で亡くなりますが、彼の同名の息子ジュニアはトルーマン大統領の下で有名な国務長官となります。

クーン・ローブ商会

少し話が戻ります。開戦の1914年末に、モルガン商会がロシア帝国債のニューヨークでの販売を引き受けようとすると、ユダヤ系のクーン・ローブ商会のヤコブ・シフが抗議にやってきました。この会社はモルガン商会の唯一のライバル会社で、実質社主のシフはユダヤ人を迫害するロシアを忌み嫌っていました。反対の理由は、アメリカは中立のはずだからロシアに肩入れしてはいけないというものでした。アメリカのユダヤ系金融機関の出自はゴールドマンもリーマン・ブラザースも皆ドイツでありドイツ語を話すユダヤ人でした。

1915年5月にドイツのUボートが客船「ルシタニア」号を沈めた時には、ドイツ人としての自覚があったのでしょう、シフはモルガンにお悔やみを述べに事務所を訪ねました。ところがジャック・モルガンは彼を門前払いにしてしまいました。ジャックは後で冷静さを取り戻すと、今度は非礼を詫びにわざわざシフを訪ね返したのだそうです。二人の人柄が偲ばれます。

ある日シフは保養地で娘とドイツ語で会話しているところを、通行人から怪訝な目で見られ、それ以降、外では一切ドイツ語を使用しないようにしました。またシフの右腕でクーン・ローブ商会の敏腕パートナーであるオットー・カーンは、メトロポリタン歌劇場の主要な後援者でしたが、プログラムからドイツ歌劇を追放せざるをえませんでした。2つのドイツ、すなわち軍人が闊歩するドイツと叙情詩と人間主義哲学のドイツを考えると、ドイツ生まれのユダヤ人金融家達の葛藤は容易ではなかったでしょう。そうするうちにアメリカの世論は大きく連合国側に傾いていきました。

1915年9月に入るとニューヨーク市場での巨額の公債発行を目論む英仏合同使

節団がニューヨークへやってきました。先ずはモルガン商会を訪ねて、次にクーン・ローブ商会のシフのところにも訪ねてきました。シフは引き受けの条件として、連合国の一員であるロシアには1ペニーも渡さないという条件であれば受けると答えたのです。しかしこんな条件を実務上実現できるわけもなく、クーン・ローブ商会は連合国の引き受けシンジケート団からはずされてしまいました。

20世紀初頭にはモルガン商会の牙城に迫りつつあったクーン・ローブ商会も、第一次世界大戦後のドイツ経済の凋落、またナチス・ドイツによるユダヤ人迫害なども重なり、これ以降モルガン商会の背中を間近に見ることはありませんでした。

第一次世界大戦後の日本の海外ファイナンスにおいて、日露戦争でヤコブ・シフに世話になった高橋是清は、主幹事にクーン・ローブ商会を推しました。それでも当時の大蔵大臣井上準之助が世界最強のモルガン商会を選んだのは、時の流れであったと言う他はないでしょう。ゴールドマン・サックスもパートナーのヘンリー・ゴールドマンがシフと同じ理由で公債発行引受を拒絶しましたが、彼が家業を離れることでゴールドマンは対処しました。

第10章　消耗戦の中で

戦争も3年目の1916年に入ると、人々は消耗戦にうんざりしてきました。各国では指導者が交代して体制を刷新しようとします。終わりのない殺戮（さつりく）の中で、大きな変化のきざしが現れます。ロシア革命とアメリカの参戦です。

第48話　1916年の消耗戦

ヴェルダンの戦い

ドイツ軍参謀総長ファルケンハインは、1915年の東方大攻勢（第42話）は成功したものの、広大なロシアを相手に決定的な勝利を得ることは困難で、決戦の場は西部戦線にこそあると確信していました。また、開戦時に大きな陸軍を持たなかったイギリスでは新陸軍の編制が着々と進行しており、近いうちに西部戦線に加わると予想されました。彼は、今のうちに疲弊したフランス軍にさらに犠牲を強（し）いて、戦争継続の意志を奪うことこそが勝利への近道であると考えました。

狙いはフランス生誕の歴史的な都市で、普仏戦争では最後まで抵抗したヴェルダンの要塞(ようさい)です。ヴェルダンはドイツ側に突出しておりドイツ側からは側面が弱くみえました。そしてこの都市を抜けばパリへは一本道です。また、この方面でのドイツ軍は10本の標準軌による鉄道補給網が整備されていましたが、フランス軍側は既存の2本の鉄道線がドイツ側の砲撃射程距離の内に暴露されており、残りは軽便鉄道1本しかないと考えられていました。つまり、この要塞は補給に問題があり持久力が無いと考えられたのです。

１９１６年2月21日、ドイツ軍は１０００門の砲による２５００万発の砲撃に続いて、歩兵による突撃を敢行しました。しかしフィリップ・ペタン将軍[184]に率いられたフランス軍はこれをよく防ぎました。特にペタンは鉄道の代わりに３０００台にもおよぶ自動車を駆使して兵士や砲弾、軍需物資を輸送しました。また前線の兵士にも、肉体的コンディションを考慮し、ローテーションをかけて効率よく休暇を与えて、士気を維持したのです。

戦いは年末まで続き、前線では新兵器として毒ガスや火炎放射器が使用されましたが、両軍あわせて１００万人近い損失を出しながらも決着はつきませんでした。損失という場合は死傷者と行方不明者の合計です。１９１６年8月にはドイツ参謀総長ファルケンハインが攻撃頓挫(とんざ)の責任を取って、ルーマニア方面の司令官へと更迭されま

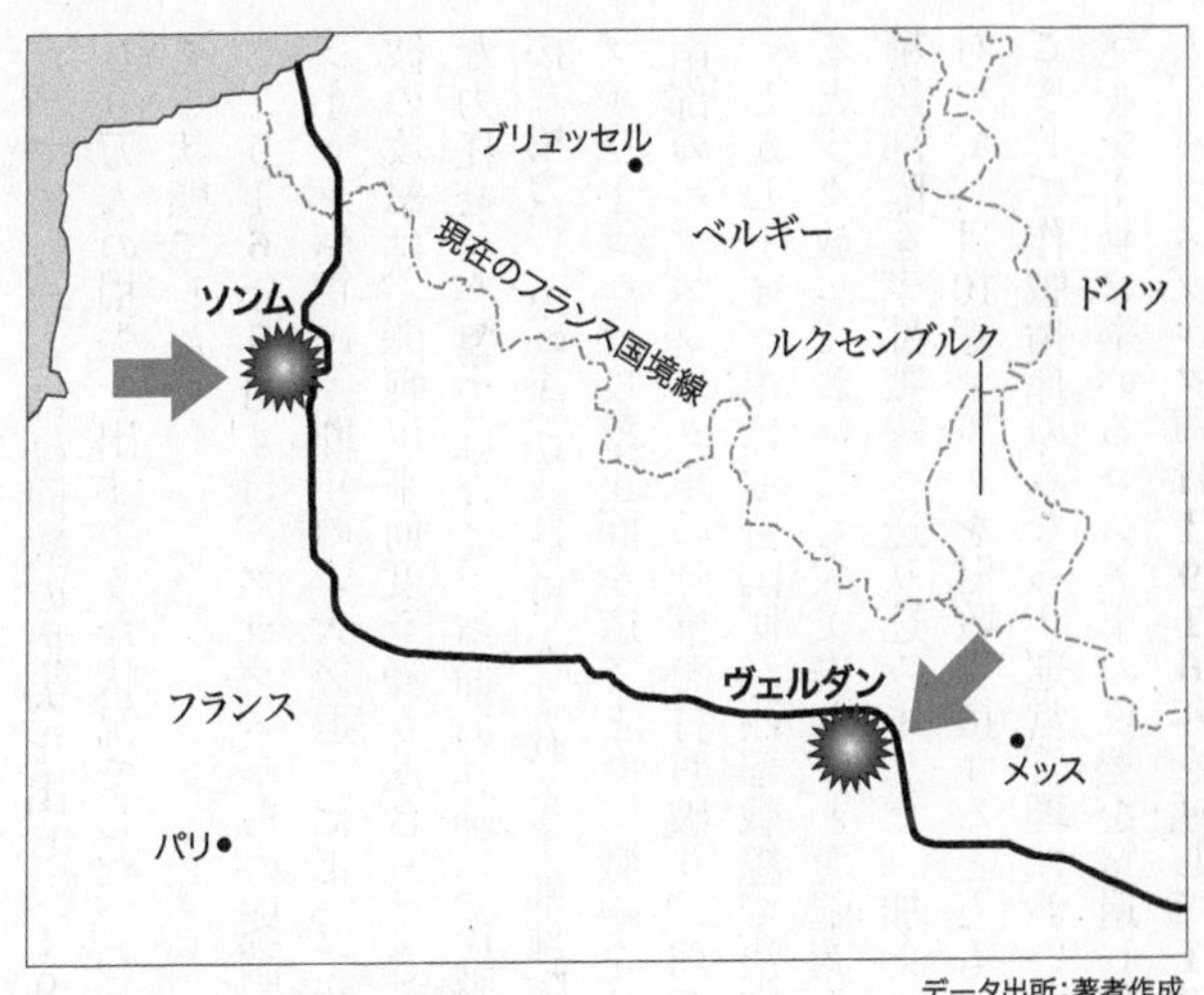

1916年の西部戦線

した。後任には緒戦の東部戦線で大活躍して国民的英雄となっていたヒンデンブルク将軍が就任しました。もちろん右腕というよりは、どちらが主かわからないルーデンドルフ参謀と一緒でした。

ブルシーロフ攻勢

ドイツ軍によるヴェルダン攻撃を受けて、フランスは1916年2月、ロシアに対して東部戦線での策動を要請しました。対面する西部戦線のドイツ軍の戦力を分散させるためです。開戦時に130万人の現役兵と400万人もの予備役兵がいた陸軍大国のロシアは、1914年の開戦以降の数か月間だけで現役兵とほぼ同数の損失を出し、1915年の「大後退」(第42話)では約300万人の損失を出すような状況でした。つまりこの時点ではもはや崩壊寸前ともいえる状態でした。

1916年6月4日、フランスからの要請を受けて、ロシア軍のアレクセイ・ブルシーロフ将軍は、昨年の「大後退」によって後退した部分の一部を押し戻しました。彼の攻撃は、開戦以来何度も繰り返されてきた大量の砲撃とその後の突撃という単調な力任せの突撃ではなく、事前の詳細な作戦計画立案、諸兵科連合(歩兵と砲兵の密接な協力)、攻撃成功後に投入される予備部隊の準備など、工夫されたものでした。ブルシーロフは攻撃正面を広くとり、戦線全体で同時攻勢をとることにより東部戦線南部のハプスブルク軍の守備を打ち破り、前線を約100キロも前進させたのでした。

しかしドイツ軍は連合国側が西部戦線で決定力を欠くことを察知すると、言い換えると少々放っておいても大丈夫なことを確認すると、ハプスブルク救済のために再び精鋭部隊を東部戦線へ送り込みました。加えてドイツは崩壊寸前のハプスブルク軍に対して、月10億マルクを財政支援するとともに各部隊にドイツ軍将校を派遣しました。こうして作戦指揮のみならず運営管理においても統制を強めると、ハプスブルク軍はブルシーロフ率いるロシア軍の攻勢を撃退しました。この戦いでロシア軍は100万人、ハプスブルク軍は1916年を通して175万人の損失を出して、双方の国民の士気を大きく低下させてしまいました。

一方で、当初のブルシーロフ攻勢でのロシア軍の勢いを見て、ルーマニアが連合国側として参戦しましたが、参謀総長から更迭されて赴任したファルケンハインに率いられたドイツ、ハプスブルク同盟軍の前にあっさりと敗北を喫して、ドイツに対して貴重な穀物と石油資源を提供することになってしまいました。ドイツ軍の反攻にロシア軍は停滞して、結果として防御すべき戦線を拡大しただけに終わってしまいました。1916年末のロシア国内では陸軍の相次ぐ敗戦に、革命の気運が盛り上がり始めていました。

ソンムの大虐殺

ロシアのブルシーロフが東部戦線で攻勢に出ていた頃、英仏陸軍は1916年8月には、西部戦線ソンム付近で大攻勢を発動する計画でいました。当初はフランス軍が中核となりイギリス軍が支援する計画だったのですが、ドイツ軍によるヴェルダン攻勢によってフランス軍の兵力が逼迫（ひっぱく）したので、イギリス軍が主導する作戦に変更されました。さらに作戦発動時期も早められました。目標はドイツ軍の構築した塹壕（ざんごう）線を突破し膠着（こうちゃく）した西部戦線をフランス領土内から押し戻すことにありました。変わり映えしない作戦でした。

１９１６年7月1日からの攻撃では、１分間に３５００発以上の高密度の砲撃を１時間以上も続けたにもかかわらず、前進したイギリス兵はドイツ軍の塹壕からの機関掃射によってなぎ倒されました。この作戦での歩兵の役割は、砲撃で崩壊したはずの残敵の掃討と敵陣地の確保にあると考えられ、歩兵は陣地構築用の資材まで持たされていた上に、激しい砲撃にもかかわらず鉄条網はほとんど破壊されていませんでした。作戦は指導部の机上の空論だといわれても仕方ありませんでした。

攻撃はイギリス陸軍13個師団が投入され、初日だけで5万７０００人の損失を出してしまい、これはイギリス陸軍の1日の損失として歴史的記録になりました。塹壕戦では、飛び出した攻撃側の兵士が機銃掃射によって簡単に死んでしまいます。第一次世界大戦の陸戦を題材にした小説や映画では、頑迷で現場を知らない司令官による事務的で官僚的な命令によって多くの若い兵士が戦死するシーンが多くみられます。ソンムの戦いは「ソンムの大虐殺」と呼ばれるようになり、イギリス軍司令官であるヘイグ将軍は「ソンムの肉屋」とあだ名をつけられました。それほど簡単に兵士が死んだのです。

ソンムでは9月に入って、第一次世界大戦で初めて49台の戦車がイギリス軍によって投入されました。しかしまだ戦車としての用兵（使い方）が確立されておらず、台数も少なく故障も多いものでした。

その後、戦線は膠着して11月になって攻勢は打ち切られましたが、それまでに連合軍が63万人、ドイツ軍が66万人の損失を出しました。両軍はその後も再び塹壕を挟んでにらみ合うことになりましたが、フランス軍はもはや大攻勢をかけるだけの戦力を失いつつありました。

こうして東西各戦線で100万人単位の若者が死傷しましたが、1916年の最前線は膠着したまま推移しました。両軍とも何か新しい打開策を模索する必要に迫られましたが、英仏軍では、その鍵を握っているのはアメリカだと考えていました。

第49話　ユトランド沖海戦

海軍省40号室

1914年の開戦早々、イギリス海軍の海底ケーブル敷設艦「テルコニア」号は、ドイツとアメリカを直接つなぐ海底電信用ケーブルの5本すべてを切断しました。これによりドイツからアメリカへのケーブルはすべてイギリスの中継基地を経由することになり、電信はイギリスによる盗聴の危険に晒されました。また盗聴を避けるため、ドイツからアメリカへの通信の多くはベルリン郊外のナウエン無線通信所からも発信されましたが、無線は受信機さえあれば誰にでも傍聴できました。ドイツは解読困難な暗号を作成してこれに対応しましたが、イギリスでは海軍省内にジェームズ・ユーイング教授(185)を中心とする暗号解読班を立ち上げて暗号解読に取り組んだのです。この部署は省内の部屋の番号をとって「40号室」と名付けられました。

当時のドイツの暗号技術が未熟だったことや、イギリス側がいくつかの暗号表を秘密裏に入手したことから、40号室ではドイツ海軍の暗号を解析し、その動向はほぼ把握できるようになっていました。もちろんドイツはそれを知りませんでした。

開戦当初の1914年8月28日に、偶発的なヘルゴラント・バイト海戦が戦われ、イギリス巡洋戦艦艦隊によってドイツの小型巡洋艦3隻が沈められました。しかしその後、ドイツ海軍のUボートによってイギリスの巡洋艦3隻が沈められ、さらに1913年就役の最新型超弩級(どきゅう)戦艦「オーディシャス」が、アイルランド北方に敷設されたドイツ軍の機雷によって撃沈されると、イギリス海軍は北海北部の哨戒(しょうかい)部隊を引き下げて、主力艦隊の拠点をスカパフローに、機動力のある巡洋戦艦艦隊をエジンバラのあるフォース湾におきました。こうしていたずらにドイツ近海へは接近せずに、地図上の破線の位置で、遠巻きにドイツに対する経済封鎖を実施したのです。(第41話)

イギリス海軍は1915年1月に英本土を艦砲射撃しようとするドイツ艦隊の作戦暗号を解読すると、これを待ち伏せして戦果を挙げました。本来、劣勢なドイツ艦隊は、優勢なイギリス艦隊を徐々に消耗させせて、時機がくれば全力をあげた艦隊決戦で雌雄を決する戦略でしたが、これに懲りて、本拠地ヴィルヘルムスハーフェンに水上艦隊を温存する方針をとり、むしろ想定以上に効果があったUボートによる破壊活動に重点を置いた経緯がありました。

しかし、巨額の血税を注ぎ込まれて建設された大艦隊が港に停泊したままでは、海軍の面目が立ちません。1916年になって大洋艦隊（ドイツ艦隊の主力）司令長官に新たに任じられたシェア提督は皇帝からの許しをもらい、積極的な攻勢に方針転換しました。

しかしこの時点になると、戦前3対2だった英独の戦力比は、イギリスが建造中だった新造戦艦を次々に完成させたので、ほぼ2対1にまで広がっていました。

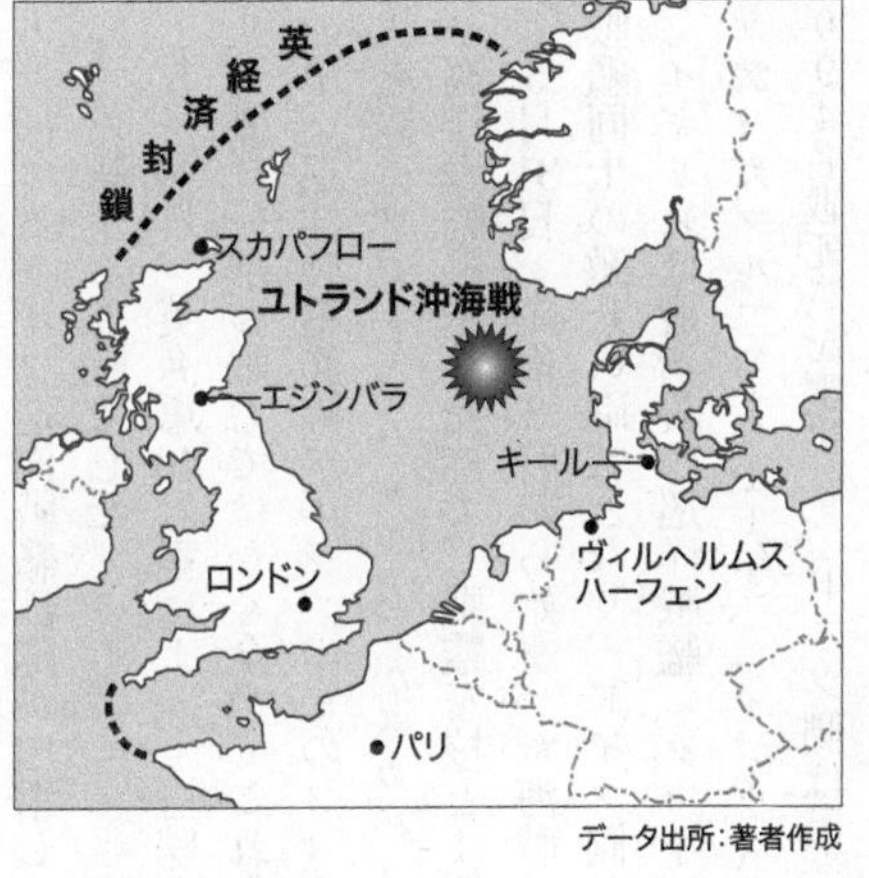

データ出所：著者作成

ユトランド沖海戦

戦略的敗北

1916年5月26日、ヒッパー提督

の指揮するドイツ巡洋戦艦部隊が出撃しました。敵の一部を誘い出して主力艦隊をもって攻撃する作戦でした。

5月30日、英海軍40号室によって盗聴されたドイツ海軍の作戦情報に接して、イギリス側は一部の戦力ではなく全力でこれを掃討すべく、ビーティー提督が率いる速度の早い巡洋戦艦艦隊がエジンバラのフォース湾から、ジェリコー提督が率いる主力の大艦隊(グランド・フリート)がスカパフローから出動しました。英独両軍とも高速の巡洋戦艦艦隊が先鋒(せんぽう)で、戦艦を核とする主力艦隊が後に控える形となりました。

5月31日、午後2時から始まった海戦は、お互いに主力艦隊に誘導する過程で巡洋戦艦同士の激しい砲戦となり、ドイツ側が引き上げる形で日没とともに終了しました。イギリスは最新鋭の巡洋戦艦「クィーン・メリー」(1913年就役)、「インディファティガブル」(1911年)、「インヴィシブル」(1908年)の3隻を含む14隻(6094名戦死)を喪失し、ドイツ側は最新巡洋戦艦「リュッツオウ」(1913年)1隻を含む11隻(2551名)を失いました。[186] ドイツ側は損失の多寡から勝利を主張しましたが、この海戦後も北海におけるパワー・バランスに変化は起こらず、ドイツ艦隊はその後二度と出撃できなかったことから、戦略的にはイギリス海軍が勝利したと解釈されています。

ドイツ側は気づきませんでしたが、作戦意図が盗聴されているような状況下では、その後も勝機は無かったでしょう。イギリスの大艦隊は残りの戦争期間中、ドイツ海軍を封印し、同盟国側の経済封鎖を全う(まっとう)してその真価を発揮したといえるでしょう。なにも戦うだけが艦隊ではありません。

巡洋戦艦は速力が速いために、陸上戦における騎兵隊のように斥候的な前衛として使用されましたが、速力を出すために戦艦に比べて装甲を薄くしてあり、実戦では砲撃戦に際して被害続出でした。この戦訓を生かして、この海戦以降の巡洋戦艦には戦艦並みの装甲がほどこされるようになり、一方で速度の上昇は戦艦にも求められ、以降はポスト・ユトランド型戦艦として高速戦艦が追求されることになりました。開戦前にイギリスのヴィッカース社に発注していた日本帝国海軍の巡洋戦艦「金剛」の就役は１９１３年、この「金剛」型4隻の巡洋戦艦は後に装甲強化の改装を受けて戦艦に艦種変更されることになります[187]。

ユトランド沖海戦以降、ドイツ海軍は再び艦隊温存の方針を採り、ドイツの高価な戦艦群が戦うことは二度とありませんでした。

そしてドイツ海軍の課題は、艦隊決戦よりもむしろUボートの無制限作戦を復活するか否かに移りました。軍人中心の復活派はこれによってイギリスを基点とする補給網を遮断して、連合国側の戦争遂行能力を破壊できると主張し、外交官や政治家中心の反対派は、無制限作戦の発動はアメリカの参戦を促してしまうと懸念しました。この年ドイツでは100隻以上のUボートが生産され、大洋艦隊の優秀な若手将校は潜水艦隊に配置転換されました。

第50話　ヒンデンブルクとルーデンドルフ

カブラの冬

ドイツでは、早くも開戦2年目の1915年から食糧の入手が困難になり始め、国民はこれをイギリス海軍による「兵糧攻め」と呼んでいました。政府は開戦直後から価格統制令を出して、穀物を中心に特定品目の上限価格を定めましたがうまく機能しませんでした。穀物価格に上限が設定されると、農民は統制されて安価になった穀物やじゃがいもを飼料として、高値で売れる価格統制外の豚肉の生産にシフトしました。この農家の動きに対して、政府は、今度は人間の食糧であるじゃがいもの不足を懸念して「豚殺し」の指令を出します。

このために1914年末にドイツに2530万頭いた豚は1915年4月には1660万頭にまで減ってしまいました[188]。その結果、以降は戦中を通じて肉が不足し、ドイツ人は深刻なタンパク質不足に悩まされました。また、こうした価格統制は闇市場を発達させ、金のある者は贅沢(ぜいたく)が出来るので、戦時下の国民の公平感を著しく損なうことになりました。

ドイツ政府は「イギリスの海上封鎖は効果が無い」と内外にプロパガンダしていたこともあり、国民は食糧不足の原因を政府の劣悪な分配制度にあると疑いました。イギリスのせいだとは思わなかったのです。19世紀を通じて西ヨーロッパでは低インフレが続いたこともあり、徐々に進行するインフレに対してドイツ人のみならず、大衆は慣れていなかったのです。[180] こうした中で1916年のドイツではじゃがいもが半減するほどの不作から、ルタバガと呼ばれる家畜飼料用のカブが食べられるようになりました。これが有名なドイツの「カブラの冬」と呼ばれる食糧不足です。

配給量は1日一人1000キロカロリーにまで減り、特に栄養失調のことを「カブラ病」と呼んで国民の間に飢餓の情報が伝搬しました。このため11月に入るとベルリンでは社会主義左派を中心に闇市で食糧を買えない庶民の間でデモが発生するようになっていました。労働者達は戦争協力への代償として選挙制度の民主化を訴えたのですが、それは社会的平等を果たすべきだという約束だったはずでした（第44話）。

ルーデンドルフ独裁

1916年に西部戦線で戦われたヴェルダンやソンムの戦いは両軍とも引き分けでした。しかしドイツ側から見ると、このまま食糧難に耐えているだけでは、人的にも物質的にもやがて行き詰まるであろうことは誰の目にも明らかでした。

参謀総長ファルケンハインは西部戦線の疲弊したフランス軍に戦争終結の突破口を見つけようとしましたが失敗に終わりました。そこで皇帝ヴィルヘルム二世は、緒戦の東部戦線で活躍し、当時すでに木像や銅像までが建立されて英雄化されていたヒンデンブルク元帥（タンネンベルクの戦いの後で上級大将から昇進）を参謀総長に任命し、戦争指導にあたらせることにしたのです。先に紹介したようにヒンデンブルク元帥のあだ名は「君（ルーデンドルフ）はどう思うかね元帥」、実質はルーデンドルフ参謀次長が采配（さいはい）し、彼らが就任した1916年8月以降のドイツは「ルーデンドルフ独裁」と呼ばれるようになりました。彼らは「ヒンデンブルク計画」を策定します。

「意志の力さえあれば万事は後からついてくる」はプロイセンの伝統的な考え方です。それまでのドイツ軍は火薬の生産量に合わせて作戦計画を練ってきましたが（第44話）、この時に立案されたヒンデンブルク計画では、これの順序を変えて、陸軍の必要軍事物資量から生産目標を逆算するようにしました。イギリスが1915年にロイド・ジョージを軍需相に据えると、軍需産業への国家の介入を強化して大量の兵器の生産に効果をあげていることにルーデンドルフは注目していたのです（第44話）。

ルーデンドルフは最高戦争局を創設し、軍需工場に転換が可能な工場はすべて軍需生産に振り向けて、目標値を下達し、あらゆる民生品生産よりも優先させました。さ

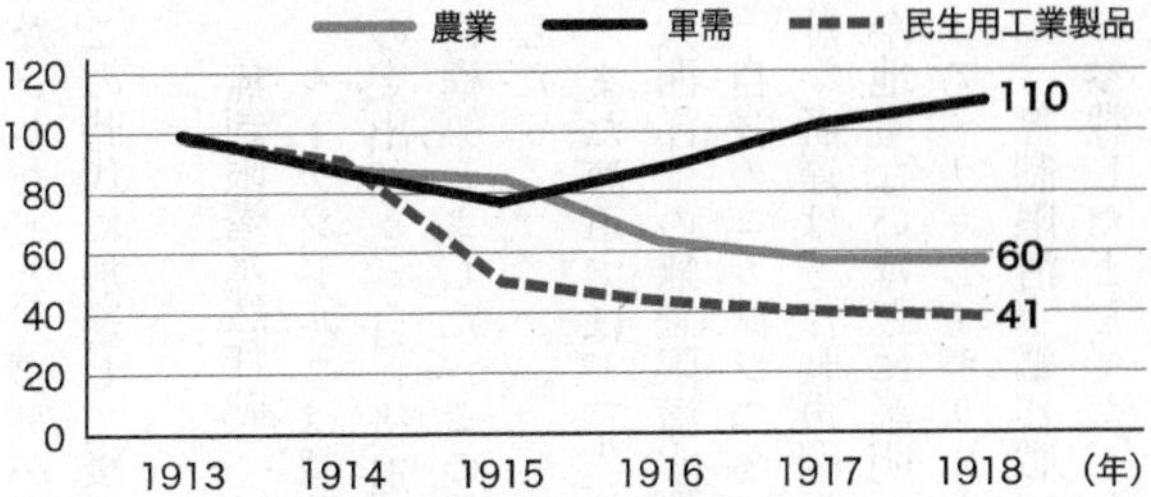

ドイツの農業と工業生産（1913年＝100）

らに祖国補助金法を成立させると全人口に対する徴兵を可能にして、ドイツはいよいよ兵営国家と呼ばれるようになっていきます。どこの国でもあるように、反対者は敗北主義者か通敵行為者とみなされ非国民として過酷に扱われました。

こうして1917年末頃にはまがりなりにも軍需生産増大は達成され、ドイツでは「総力戦」なるものが可能であるとの認識が後世まで（ナチスの時代まで）伝えられることになったのです。

一方で、当然ながら、この副産物として、参謀本部による国家の生産能力の過大な見積もりや、それに則した生産目標は、やがてドイツ経済に対する過負荷による機能停止へと繋(つな)がっていきます。武器はあっても食糧が足りない。民生用の燃料や原料、鉄道本数の不足は、食糧不足を加速して、国民の国家に対する不信感を増幅していきました。抜け目のないユダヤ商人は金儲(もう)けをして闇市で贅沢な食料品を買っているのではないかなどと、事実がどうあれ、ドイツ在住のユダヤ人商人に対する猜疑心や嫌悪もこの時代に加速して後のナチズムへと連なっていきました。

無制限潜水艦作戦

ルーデンドルフは戦略面では、防御に負荷の多い西部戦線のアラスとソアソンの間の突出部を、自ら後退させ、少ない兵力で対応できる防衛線（ヒンデンブルク線）を再構築しました。この後退作戦は十分な準備期間を経て1917年2月に実施されました。

また海軍では、「ルシタニア」号事件を契機に1915年に一度は停止されていた大西洋での無制限潜水艦作戦の再開が要望されました。

自身の「カブラの冬」の食糧不足の経験から、作戦への支持は広がり、ドイツの統計学者達は、作戦再開半年でイギリスは食糧不足によって戦いから離脱すると反論の余地もないほどに証明しました。

アメリカもイギリスと同様に本来は海洋国家であって、大きな陸軍を持っていませんん。無制限潜水艦作戦によってイギリスが半年で離脱するのであれば、仮にアメリカが参戦したとしても、兵員を募集し、訓練を終了して陸軍をヨーロッパに派遣するまでにフランスは屈服して戦争は終結してしまうはずだと主張しました。文官達は、ア

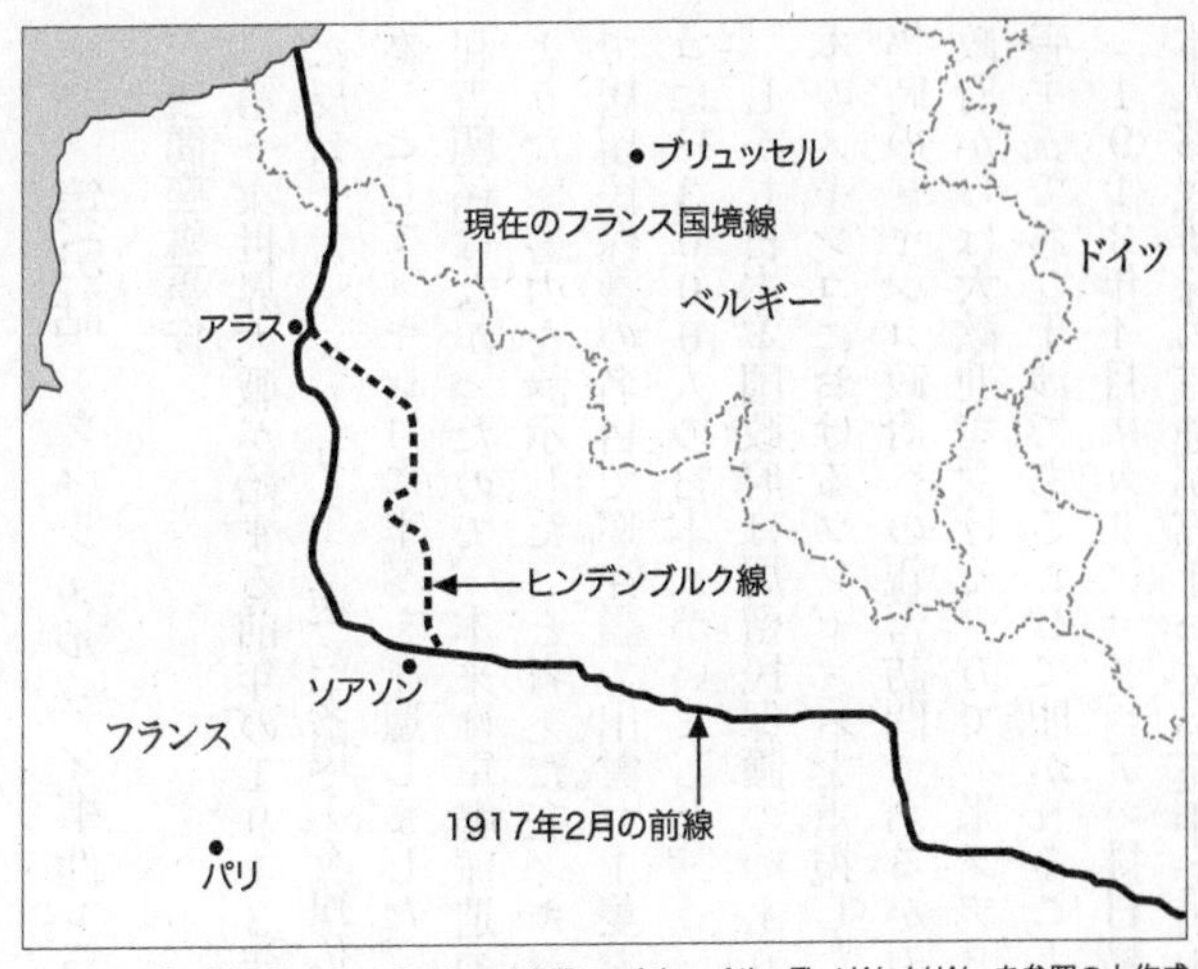

1916～17年の西部戦線

メリカの参戦は、やがて人的物質的に連合国側に圧倒され、ドイツは必ず負けてしまうとして反対しましたが、ルーデンドルフや軍人達はイギリスが半年で離脱しないリスクはあるものの、無制限潜水艦作戦の再開はドイツの勝利のためにはこれ以外に方法がないと考えました。こうして無制限潜水艦作戦は開始されるのですが、極東の果ての日本が、何故かこれに巻き込まれることになりました。

第51話　ツィンメルマン事件と日本

浅間座礁事件

第一次世界大戦が始まる前年の1913年、メキシコの内乱に際して、当時の政権に反対するアメリカと、逆に支援する独仏英三国の列強は親善訪問（実際は示威行為）としてメキシコに軍艦を派遣しました。当時の日本はメキシコとの間に政治上の利害関係はなかったので、本来は軍艦派遣の必要などなかったのですが、列強と同じような影響力を誇示したいと考えた在メキシコ日本公使の強い要望によって、あくまで居留民保護の名目で巡洋艦「出雲（いずも）」1隻を送り込むことになりました。当時メキシコには3000人の日本人がいました。

しかし日本本国政府は居留民保護のつもりの軍艦派遣であったにもかかわらず、日本のメキシコにおけるプレゼンスを重視した出先の公使は、独断で、あたかもこれが当時のメキシコ政府への親善訪問であるかのように振舞いました。そのためメキシコ政府からは大歓迎を受ける一方で、米メディアからは日本海軍のアメリカ方面への膨張主義であり干渉であるとして叩（たた）かれることになりました。[190]

1913年4月にカリフォルニアで排日移民法が成立するなど、アメリカ国内で日本人移民排斥の気運が高まっていた中での出来事だったこともあり、「メキシコとともにアメリカに敵対する日本」というイメージがアメリカで醸成されていました。さらに1914年に第一次世界大戦が始まると、黄禍論の発祥であるドイツも、アメリカにおける反独感情をそらすべく、米国内で反日感情の醸成のためにメディアを通じて工作活動をしていました。

1914年10月、ドイツの東洋艦隊追跡のために、日本は「出雲」に加えて、旧式戦艦「肥前（ひぜん）」と巡洋艦「浅間（あさま）」を派遣して、イギリスやカナダの軍艦とともに西太平洋で共同作戦を展開しました。この時点ではアメリカはまだ連合国側として参戦していません。この作戦中の1914年12月、日本の艦隊がメキシコのカリフォルニア半島、マグダレナ湾に入泊中に「浅間」が湾内の岩礁に座礁する事故が発生したのです。

これを調査に訪れた米海軍も、これが単なる座礁事故であることを認識していたのですが、『ロサンゼルスタイムズ』が大げさな捏造（ねつぞう）記事を書きました。座礁は故意であって、湾には日本の艦隊がおり、機雷を敷設して、毎日数百人の「ミカドの軍隊」が内陸部へ進軍しているというのです。日露戦争に勝利して以降、ミカドの軍隊は精強で恐怖の対象でした。こうした記事に正しく反論する米海軍高官もいましたし、また在米日本協会も新聞広告を掲載して否定したのですが、これに日本人移民排斥運動などの利害が絡み、西海岸ではいつか日本軍が攻めて来ると広く喧伝され恐れられるようになっていました。そうした状況下で発生したのがツィンメルマン電報事件でした。

ツィンメルマン電報

１９１７年1月17日、イギリス暗号解読班「40号室」は、独ツィンメルマン外相が在米ドイツ大使に宛てた暗号電報を傍受しました。この時点ですべての暗号が解読されたわけではありませんでしたが、そこにはドイツは2月１日から無制限潜水艦作戦を再開するが、当日までアメリカ政府には通告しないこと、そして以下の命令を在メキシコ公使宛に伝達すること、と書いてありました。

その命令とは、無制限潜水艦作戦再開の結果、もし米国が参戦してくるようなことがあれば、在メキシコ・ドイツ公使はメキシコ大統領に接して同盟軍として参戦すべく誘うべし。さすれば戦勝のあかつきには、過去にアメリカによって奪われたテキサス、ニューメキシコ、アリゾナの各州をメキシコに返還するとありました。さらにメキシコに日本を誘わせ、連合軍を離れてドイツ側に立って参戦すべく手配するように、と書いてあったのです。

ドイツがメキシコや日本を誘ってアメリカと戦おうなど、この電報の内容が暴露されれば、当時の反ドイツに染まるアメリカ世論を刺激するには十分でした。アメリカはドイツを敵として、すぐにでも参戦するに違いありません。

しかし、この電報を暴露すればイギリスがドイツの電報を盗み見て暗号を解読していることがばれてしまいます。そうするとドイツは暗号を複雑にするなり変更するなりしてしまうでしょう。もちろんそれもあるのですが、それよりもイギリスが電報を傍受した回線は、中立国アメリカの回線で、米ウィルソン大統領がドイツのために特別に使用を許していたものであり、アメリカでさえ盗聴していなかった回線でした。この「ツィンメルマン電報」の内容をアメリカに伝えれば、効果は絶大ですが、それと同時にイギリスがアメリカの回線を盗聴していたことがばれてしまいます。また、電報の暗号は完全に解読できたわけではありませんでした。電報はイギリスが秘匿したまま時間だけが経過しました。

1月31日、ドイツは命令発効の8時間前になって、ようやくアメリカに2月1日からの無制限潜水艦作戦の再開を伝えました。これを受けて米議会の大半はドイツとの開戦を望みましたが、平和主義者のウィルソン大統領は、ドイツとの外交関係を絶っただけでまだ開戦は回避しました。ドイツにとっては望外の結果ですが、イギリスにとっては困った事態でした。

イギリス軍による盗聴の事実がばれずに、極秘電報の内容をアメリカ側に伝えるには、在米ドイツ大使がツィンメルマン電報を受けて、在メキシコ・ドイツ公使宛に発信した中継の電報のコピーを入手できれば解決します。2月10日、イギリスはスパイを使ってメキシコの電報局からこの電報のコピーを盗み出しました。この電報のコピーをアメリカ側に渡せば、ドイツの悪辣な企みを証明できる上に、イギリスによる盗聴はばれずにすみます。

こうしてイギリス海軍「40号室」は2月19日に暗号電報のすべての解読に成功すると、2月23日に至って、わざわざ大西洋を渡ってイギリスまで届けられたメキシコ電報局のツィンメルマン電報のコピーを在英アメリカ大使に手渡したのです。そして2月24日にこの電報のコピーはウィルソン大統領の手元に向けて送られたのでした。

ウィルソン大統領はこれを見て激怒しました。電報は米AP通信社を通じて公表され、3月1日の朝刊各紙の一面に8段抜きで記事にされると今度は全米が驚愕しました。

ニューヨーク・タイムズは「ドイツは日本・メキシコ両国に対米同盟参加を要請した。ドイツ提案の全文公表される」と告げました。アメリカ中がドイツに対する怒りで沸騰したのですが、それでも親独派や平和主義の議員達は電報の出所を疑いました。こんな出来過ぎた電報は捏造ではないかというのです。

メキシコと日本はもちろん電報の存在そのものを否定しました。日本にすればいい迷惑です。ところが、ここで驚くべきことが起こりました。3月3日、ドイツのツィンメルマン外相は、記者会見でこの電報が本物であると自ら認めてしまったのです。

理解に苦しむところですが、その理由を米国の歴史家バーバラ・タックマンは「どうせ戦争には勝つであろうというドイツの尊大さ」だと説明しています(191)。

欧州の戦争に比較的冷ややかだった米西部も、メキシコと日本の脅威に色めきだちました。その後も数週間の間に何隻かのアメリカ商船がドイツの潜水艦「Uボート」によって沈められると、平和主義者のウィルソン大統領もドイツに対する宣戦布告を決意したのです。4月2日、ウィルソン大統領は議会において参戦決意の演説をしました。

第52話　日本艦隊地中海遠征

連合国からの派兵要請

イギリスは1914年の開戦時に、日本海軍の活動範囲を中国沿岸に限定しましたが、直後のドイツ東洋艦隊の跋扈(ばっこ)に対して、開戦1週間後には北米海岸へ、3週間後にはインド洋へとあらたに艦隊派遣を依頼してきました。日本海軍もシンガポールに艦隊を派遣してそうした要望には応(こた)えてきました。

さらに開戦1か月後にはドイツ地中海艦隊の巡洋戦艦「ゲーベン」と軽巡洋艦「ブレスラウ」がオスマンに到着して買い取られる事件が発生すると、イギリスからは

「金剛」など最新鋭超弩級巡洋戦艦の北地中海への派遣要請がありましたが、日本海軍はこの依頼は断っています。日本海軍としては主力艦隊派遣による軍事費の負担増大が、計画中の八八艦隊建艦予算へ影響するのではと警戒し、また仮想敵国である米国への備えとして主力艦は国内に確保しておきたかったのです。

一方陸軍の方では、開戦1か月後の1914年8月31日にロシアから陸軍3個軍団の派遣要請があり、青島攻略の終了した11月にはイギリスから対オスマン戦線への派兵の打診がありました。当時の加藤外相はこれらの要請に対して、日本陸軍は専ら国防を目的としていること、遠くヨーロッパへの派兵には莫大なコストがかかることなどから国民の理解を得られないとして断っています。また日本陸軍は創成期に普仏戦争が重なったこともあり、当時の勝利側であるドイツ参謀本部を手本として成長してきました。エリート軍人の多くはドイツ留学組であったことも、ドイツを相手とする参戦には消極的だった理由のひとつでしょう。ドイツ側の勝利を確信している陸軍軍人も多かったのです。

こうしてしばらくは連合国側からの派兵要請は途絶えましたが、1916年に入り日本が戦争景気に沸き、大幅な貿易上の出超を記録するようになると、再び連合国側からの派兵要請の圧力は強まりました。

1917年1月11日、グリーン在日イギリス大使がシンガポール配置の日本巡洋艦

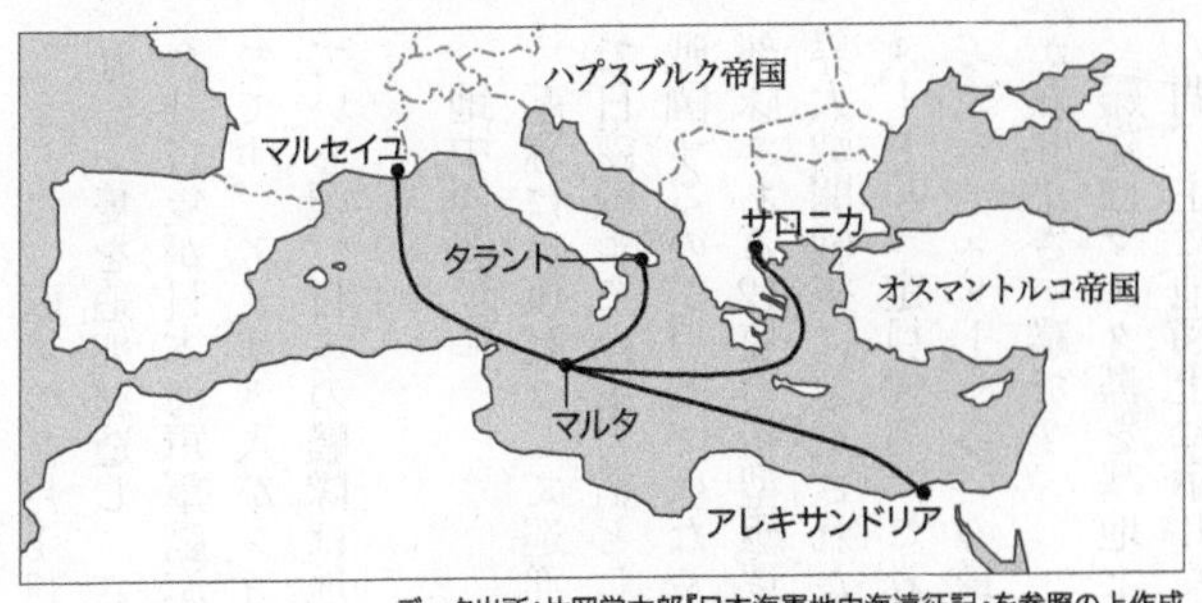

データ出所：片岡覚太郎『日本海軍地中海遠征記』を参照の上作成

日本海軍の地中海遠征航路

隊の一部のケープタウンへの派遣と、駆逐艦隊の地中海への派遣を依頼してきました。ドイツ海軍のUボートはアメリカの参戦を警戒して、北大西洋での無制限潜水艦作戦を中止していましたが、地中海では活発に活動して大きな戦果をあげていました。

この要請に対して海軍内でも賛成反対に意見は二分されました。欧米出張から帰国した日露戦争の殊勲者である秋山真之少将などからも「兵術上の研究、戦後の国際的地位の向上」などを理由に駆逐艦隊の地中海派遣を推進する力が働きました。また、内閣が大隈重信から寺内正毅に代わり、積極派の本野一郎外相、後藤新平内相が入閣していたことも影響して、結局これを受諾することにしました。この時に、日本はイギリスに対する受諾の条件として、ドイツから奪った山東省の戦後の権利と、南洋群島領有の保証を秘密外交で要求して受け入れられました。

こうして海軍は第2特務艦隊9隻を地中海に派遣

しました。直後の2月1日にドイツによる無制限潜水艦作戦の再開宣言の影響で、これに4隻を追加派遣し、さらに後にイギリス海軍籍の駆逐艦4隻の運用を引き受けて、合計17隻が日本海軍軍艦旗の下で、地中海における連合軍艦船の護衛活動に当たったのです。アメリカ人がツィンメルマン事件で日本はドイツと組むのではないかと疑っている頃、日本の艦隊は地中海へ向かっていました。

地中海遠征記

艦隊には旗艦として巡洋艦「出雲」を派遣しました。この艦は、1898年の進水で日露戦争では主力艦として活躍しましたが、この時点では既に旧式艦です。ただし戦闘するのが目的ではなく、潜水艦隊の司令部として機能します。これに加えて実働部隊である12隻の新型駆逐艦を派遣しました。代表的な「樺（かば）」型駆逐艦は、第一次世界大戦開戦後に急造された外洋航海が可能な駆逐艦で、排水量は596トン、全長83メートル、定員90名。これは現在千葉県浜金谷（はまかなや）と神奈川県久里浜（くりはま）間の東京湾を往復しているフェリーぐらいの長さで、幅は半分以下、今から見れば、外洋を航海するにはかなり小さい艦です。

艦隊はマルタ島を基地としてイギリス地中海艦隊司令官の指揮下に入り1年9か月の間、主に地図上に示した航路で商船の護衛活動に従事しました。

護衛回数は総計348回、788隻、兵員70万人に上り、さらに被雷した船に、危険を覚悟で横付けして救助活動に当たるなど連合国側からは非常に高い評価を得ました。

旗艦に集合した艦隊士官たち（『日本海軍地中海遠征秘録』産経新聞ニュースサービス、64ページ）

残念ながらUボートの撃沈はありませんでしたが、日本海軍は被雷によって59名の戦死者と22名の負傷者を出しています。

イギリス地中海艦隊司令部が本国に送付したレポートでは、イタリア海軍は非効率で支援は期待できないとし、フランス海軍は組織に問題があり作戦立案能力に疑問であるとしています。その一方で日本海軍は素晴らしいのだが数が足りず、ギリシャ海軍は計算外で、アメリカ海軍はジブラルタル海峡から大西洋方面が重点で使用できないと報告しています。当時の日本海軍の高い練度がわかります。

この艦隊の何よりの功績は、戦後すぐに

欧州各国を歴訪し、連合国の間で有名となった勇敢なエピソードとともに、極東の日本も欧州の戦場に在ったことを国際社会に示したことです[192]。

この特務艦隊派遣は旧海軍関係者の間では知られていましたが、第二次世界大戦での敗北もあり、日本人の歴史からはすっかり消えていました。ところが2001年になって、片岡覚太郎という若い主計中尉が残した遠征記が、イギリス出身の日本人作家C・W・ニコル氏によって掘り起こされて『日本海軍地中海遠征記 若き海軍主計中尉の見た第一次世界大戦』[193]という本になりました。序文を学徒出陣の出身で海軍関係の作品が多い阿川弘之(あがわひろゆき)氏が感傷的なタッチで担当しています。

この本は、第一次世界大戦の地中海における単なる戦記に止(とど)まらず、当時の若い日本人士官が現代人には無い、特別な使命感を持って欧州で戦ったことが記されています。例えば同書第2話のタイトルは「同色人種のため」になっています。ようやく西洋に追いついたばかりの黄色人種の国日本が、いよいよ西洋に請われて欧州での戦いに挑む。善くも悪しくもこの時、日本は黄色人種の代表の国であるという気概をもっていたのです。

第53話 ロシア革命

圧政への不満

第一次世界大戦開戦前年の1913年、ロシアはロマノフ王朝誕生300周年に当たり、記念祝典が盛大に催されました。当時大量に鋳造された1ルーブル記念銀貨は、現代の日本でも古銭商で取引され比較的入手が容易です。

ロマノフ王朝最後の皇帝であるニコライ二世が即位したのは1894年です。彼はそれまでの抑圧的な統治を踏襲しましたが、即位10年後に始まった日露戦争中に早くもロシア第一革命が起こり、その後も革命の火種が消えぬまま第一次世界大戦に突入してしまいました。国民は開戦時こそ一時的にロシア帝国臣民としての高揚感を持ちましたが、戦争の長期化とともに、長い間くすぶっていた政権に対する不満が再燃しました。

ロシア軍は1915年のドイツ軍による東方大攻勢（第42話）によって大きく戦力を毀損（きそん）すると、その年の9月、ニコライ二世は従叔父である総司令官ニコライ大公を更迭して、自身が総司令官になりました。もともとニコライ二世は戦争勃発（ぼっぱつ）時から自分自身で全軍を指揮しようと考えたのですが、周囲の反対によって、仕方なくニコライ大公を総司令官に任命した経緯があったのです。

これ以降、ニコライ二世は首都ペトログラード（現在のサンクトペテルブルク）を離れて、800キロほど南のベラルーシのマヒリョウにあるスタフカ（ロシア軍の大本営）に詰めるようになりました。しかしこれがよくない結果を招きます。前任のニコライ大公は軍指導力には疑問符がつきましたが、国内外の軍関係者の間ではそれなりに人望の厚い人物で軍の統率には適していたのです。ニコライ二世は軍事面では全く凡庸だったので、この交代によって戦況が好転することはありませんでした。

その一方で、皇帝が不在となった首都ペトログラードでは、ドイツ系で国民に不人気のアレクサンドラ皇后が、私的なアドバイザーであり、国民が怪訝（けげん）な目で見ていた怪僧ラスプーチンの影響下で内政を担うことになりました。情実による人事が横行し、政治的な混乱をもたらしたために、国民の皇室に対する信頼と忠誠心は大きく損なわれることになりました。

ロシアでは第一次世界大戦開戦から１９１６年末までに、首相４人が入れ替わるほどに内政が混迷しました。軍事的には５４０万人近い兵員の損失を出し、国内産業の労働力にも影響が出始めていました。また同年６月には兵員不足から中央アジアのムスリム（イスラム教徒）系国民を徴用しようとして、反乱が起きていました。

次ページの上のグラフは第一次世界大戦全期間を通じての各国の兵員の損失です。東部戦線はロシア、ハプスブルク軍ともに多民族で構成され、敵方に同民族もいたために投降や脱走が多いのが特徴です。

下のグラフは開戦前の１９１３年を１００とした場合のロシアの部門別国民所得の

概算値です。ロシアでは開戦直後に各兵士に小銃すら行きわたらず、日本からロシアへ旧式銃も含めて大量に銃砲を輸出するほどだったのですが、時間の経過とともに大

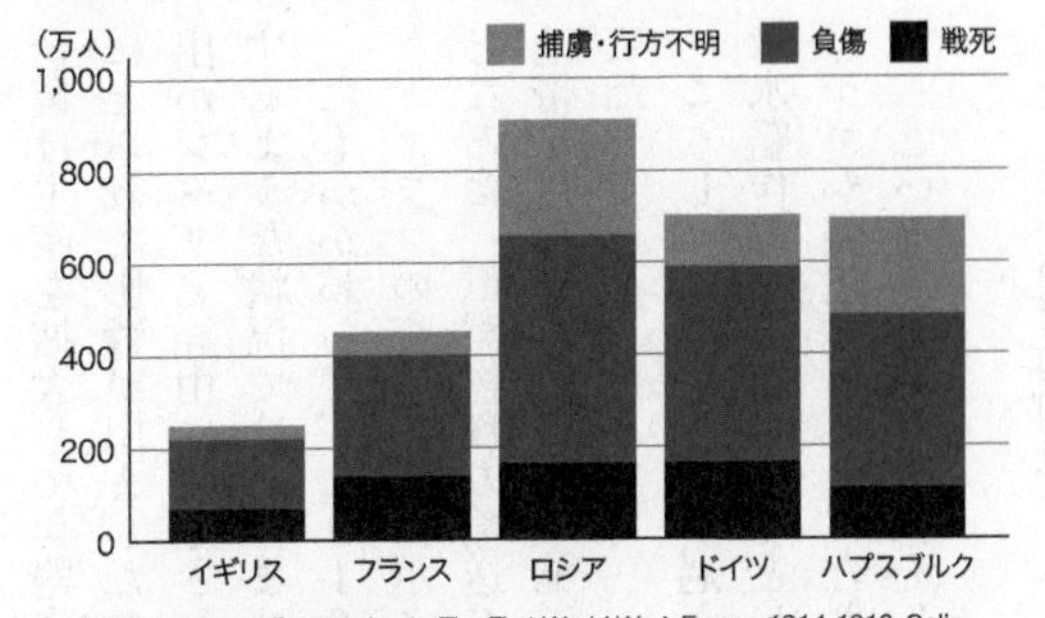

データ出所：*Longman Companion to The First World War: Europe 1914-1918* Colin Nicolson, Routledge

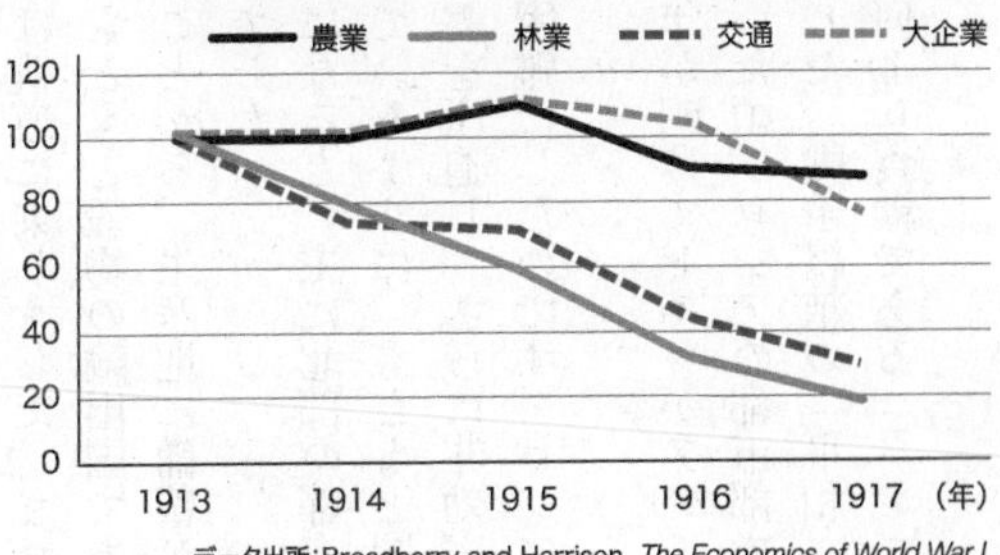

データ出所：Broadberry and Harrison, *The Economics of World War I*

(上) 各国の兵員損失
(下) ロシア部門別国民所得

企業は生産を拡大して兵器生産は軌道に乗りました。また農業生産も、働き手が兵役にとられて影響が出ましたが、もともと穀物の輸出国であり、さらに戦争によって輸出がシベリア経由に限定されたことから、生産地に備蓄が積み上がり食糧危機が発生するような状況ではありませんでした。

にもかかわらず、1916年になると、主に北部の都市部で食糧危機が発生しました。グラフの交通部門に示されているように、もともと国内の輸送インフラが脆弱なところに、軍需物資の輸送が民需を圧迫し、さらに非効率な鉄道の運用が南部の穀倉地帯から都市への穀物の輸送を困難にしたのです。ロシアの飢餓は輸送能力が原因でした。

こうして1916年が過ぎ、年が明けてドイツがアメリカの参戦を覚悟で、無制限潜水艦作戦を再開しようとしていた頃、ロシアの都市部で食糧不足に端を発する大衆のデモが発生するようになりました。戦争終結の「平和」と農民に土地を平等に分配しろという「土地」と、そして何より食糧である「パン」をよこせというのです。

レーニンの封印列車

1917年3月8日、ペトログラードでの国際婦人デーの女性労働者のデモに男の労働者も合流しました。これに対して鎮圧に向かったはずの軍も反乱を起こして、デモに加わりました。この事態にドゥーマ（ロシア議会）は臨時政府を設立して、3月15日にはニコライ二世に退位を迫りました。もはや皇室への忠誠心は失われていたのです。これがいわゆる「2月革命」で、英仏と同じように、議会が主体の民主主義革命であるはずでした。3月にもかかわらず2月革命と呼ぶのは、当時ロシアがユリウス暦を使用していたためのズレです。

臨時政府は戦争継続を宣言して、まずは連合国諸国を安心させました。特にアメリカはユダヤ系移民が帝国の抑圧的な専制政治を嫌悪していたので、帝国の崩壊は歓迎すべきことでした。またアメリカが参戦する際の大儀である「世界の民主主義を守るため」という趣旨に合致する流れでした。

同年4月に入ると中立国であるスイスのチューリッヒに逃げていたレーニンが策動し始めました。彼は2月革命下のロシアに戻って、ボリシェビキ（共産主義）による革命を起こしたいと考えました。しかしこの当時のロシアは同盟国側に包囲されており、またシベリア経由は政情不安定で危険で戻る手段は限定されていました。

そこで、レーニンは敵国であるドイツ軍参謀本部に接触して、ドイツ軍の手引きによってドイツ領内を通過して、スウェーデン、フィンランド経由でロシア入りしました。途中停車が無いので「封印列車」と呼ばれました。ドイツ側の思惑はレーニンによってロシアに戦争を止めさせることです。

臨時政府はケレンスキー新陸相の下でガリツィア（現在のウクライナ南西部）を攻撃したものの、ドイツ軍の反撃の前に敗走しました。1917年9月に入ると、今度はドイツ軍がエストニアのリガに侵攻してきました。農民主体のロシア兵達は、この頃には戦争目的を喪失していました。革命による帝政廃止後の農地の分割などが気になって、脱走して帰郷する者が続出しました。「平和」、「土地」、「パン」を求めた2月革命のデモの参加者が獲得できそうなものは、まだ「土地」だけでした。

新政府が戦争を止めない一方で、レーニンが率いるボリシェビキは「平和」と「パン」を保証することで支持を伸ばしていきました。こうして1917年11月7日に、ケレンスキーが失脚すると、ボリシェビキが単独で政権を獲得して、今度はロシアに「10月革命」が成立したのです。以降この本ではボリシェビキをソビエト政府とよびます[194]。

レーニンは12月6日に同盟国側と休戦し、翌年、1918年3月にはドイツとの単独講和であるブレスト・リトフスク条約（第61話で後述）を批准して、連合国側の戦列から離脱してしまいます。ドイツはこれによって東部戦線がなくなり、いよいよ西部戦線に兵力を集中できるようになりました。

第54話　アメリカ参戦

ウィルソン大統領再選

1916年は参戦各国で戦争指導者が交替した年でした。イギリスでは軍需相デヴィッド・ロイド・ジョージが首相になり、ドイツではヒンデンブルク元帥が参謀総長となりました。ハプスブルク帝国ではフランツ・ヨーゼフ一世が崩御し、中国では袁世凱が死去、日本でも第二次大隈内閣から、山県有朋の推挙を受けた寺内正毅内閣へ変わりました。そしてまだ参戦していないアメリカでは大統領選挙がありました。

1916年11月の米国大統領選は、「彼こそが我々を戦争から遠ざけている」というキャッチ・フレーズの民主党ウィルソン現職大統領と、徴兵と軍備拡充を唱える共和党のチャールズ・エヴァンス・ヒューズ候補の戦いで、選挙人得票数では277対259と史上まれにみる接戦でした。不干渉を旨とするモンロー主義の伝統によってアメリカ世論は戦争を忌避しながらも、英仏との人種的な繋がりやビジネス上の関係もあり、セオドア・ルーズベルト元大統領など、英仏側に立っての参戦を支持する意見も強く、両者は拮抗（きっこう）していました。

ウィルソンは私的補佐官のハウス大佐を交戦各国に派遣して戦争の早期講和の実現を模索していましたが、ドイツ側占領地はフランス領内に食い込んでおり、ドイツにすれば自分達は勝っているという意識が強く、また英仏露は今こそ押されてはいるが、いずれは自分達が勝つという信念を持っていたために調整は容易ではありませんでした。

大統領選後の1916年12月18日、再選を果たしたウィルソンは参戦国両サイドに講和条件の問いかけを出しました。連合国側が1917年1月10日に提出した覚書の内容は「ベルギーとセルビアの独立回復、アルザス・ロレーヌの返還、ハプスブルク帝国の解体および帝国領内諸民族の独立、但しポーランドはロシアから独立する」というものでした。ドイツ側は最高司令部が出したものがあまりに過激で、外務省が穏便な形に直しましたが、それでも「ベルギーの保護領化、ハプスブルク帝国によるバルカン支配など」、とうてい両陣営が近寄れるようなものではありませんでした。ドイツはこの返答を書いているタイミングで、裏側では無制限潜水艦作戦の再開を決定し、それに際してはアメリカ参戦の可能性まで計算していたのです。

こうして無制限潜水艦作戦の再開、そしてツィンメルマン事件（第51話）を受けて、さすがの平和主義者であるウィルソンも、1917年4月2日に至りアメリカの参戦を決心しました。米国は大統領が参戦を決められません。米国議会に諮り同月4日に上院82対6、5日に下院372対50の圧倒的多数で米国は参戦を決めたのです。それまで欧州に干渉しなかったアメリカが、やがて世界に覇権を唱えることになる「アメリカの世紀」が始動した瞬間でした。[195]

徴兵と自由公債

米国人の多数は戦争に関わりたくはありませんでしたが、開戦直後のイギリス海軍による海底ケーブル切断によってドイツ発の情報量が英仏発に比べて圧倒的に不足していたこと、ルーヴァン図書館炎上に代表されるベルギーでの嫌悪すべき蛮行、米国人が犠牲になった「ルシタニア」号事件、またその後のイギリス海軍の海上封鎖によって連合国側との貿易量だけが拡大したことなどから、ドイツへの同情はほとんどありませんでした。開戦にあたりアメリカ国内のドイツ系移民のうち50万人は指紋を採取され、そのうち危険人物と目された2000人は収容所へ送られました。

1917年5月には選抜徴兵法が施行され、427万人の大陸軍建設が計画されました。このうち50万人は外国生まれで、その75%は英語が話せませんでした。[196]終戦時には計画はまだ途中段階で、訓練中も含めて約300万人がアメリカ陸軍に所属し、そのうち140万人が欧州の戦場にいました。計画の途中で戦争が終わったのです。

陸軍の欧州への派遣は1918年以降になると考えられていましたが、一方で連合国側の軍資金は枯渇寸前でした。米国の参戦は陸軍の派兵もさることながら、資金調達の側面で大きな支援となったのです。

データ出所:ロバート・ソーベル『ウォール街200年』、Broadberry and Harrison, *The Economics of World War I.* 、セントルイス連銀提供資料を参照の上作成

1914〜19年のダウ工業株価指数の推移。米国の株式市場は連合国の資金調達の影響を受けた

グラフは第一次世界大戦を通じてのニューヨーク・ダウ工業株価指数の推移です。開戦に際して、経済学者のアーヴィング・フィッシャー教授は、欧州からの投資資金回収によって米国株は大暴落を起こすと予想しました。予想は開戦当初だけ的中したものの、次第に欧州からの工業製品の強い需要によって産業界は活況を呈するようになり、株価はウィルソン大統領再選のタイミングに向けて急上昇しました。フィッシャー教授は当時の米国を代表する経済学者でしたが、この後1929年の大暴落でも予想を大きくはずした事で有名になりました。

英仏は約20億ドルの米国証券を売却して物資輸入用のドル資金の確保を図る一方で、1916年からは英仏共同債など約17億ドル分を米国市場で募集しました。さらに輸入のためのドル資金が不足すると、米国産業界は貿易信用を使った短期貸付などで対応してきましたが(第45話)、1917年に入ると、それもほぼ限界に達しようとしていました。

参戦が決まるとウィルソンはすぐさま30億ドル分の信用供与を決定し、それ以降は

1917年に発行された自由公債のポスター

英仏の米国市場における直接の債権発行に代わって、リバティー・ボンド（自由公債）の発行を決めました。ウィルソン大統領再選直後は自由公債の大量発行が予想されたので、投資資金逼迫への警戒から株式は大きく売られたのです。

自由公債とは、米国が市場で資金調達をして、その後連合国側の諸国に借款するもので、グラフ中に番号があるように戦中に4回、戦後に1回、総額２１０億ドルの募集が行われました[197]。ここでの自由とは、人権抑圧的な皇帝専制政治に対する民主主義を意味しました。この時期にはロシアも2月革命を経て共和国となっていたので堂々と「自由」と言えたのです。

政府と募集を行う銀行団は映画スターや有名人などに協力を求めて映画や演説会など、全国に大々的なキャンペーンを展開しました。またイギリスの経験をふまえて債券の売買単位を１口１００ドルと小口に分割して、資産家だけではなく広く一般国民全体に対して販売されました。米国人一人当たりの国債保有額は１９１７年の自由公債募集前に12ドルだったものが、終戦の翌年１９１９年には２５０ドルに達し、35万人だった投資家人口は１１００万人にまで達しました。金融史の側面では、第一次世界大戦によって米国における証券の大衆化がすすみ、戦後から１９２９年の大暴落に至るまでの大相場、言い換えれば株式バブルの参加者形成に資することになったのです。

余談になりますが、このグラフの形、株価チャートをご存じの方には御馴染みのパターンで典型的なヘッド・アンド・ショルダース（日本語では三尊天井）を形成しています。証券人口の増加とともに、素人にもわかりやすいチャート分析も活況を呈することになりました。

第55話　大正の天佑

空前の輸出ブーム

日露戦争直前の1903年に5600万円だった日本の内外公債残高は、1907年には22億7000万円と、この年の一般歳出の377%にまで膨らみました。その後一般歳出は第一次世界大戦まで毎年6億円前後で推移しますが、そのうち軍事費が2億円、利払いなどの国債費も同じく2億円で、それぞれが総支出の3分の1を占めていました。また貿易も輸出産業が未成熟なために常に輸入超過気味で、貿易決済が正貨（金）である以上、金本位制下における保有正貨は減るばかりで、結果として通貨量は抑制され景気は低迷しました。そのために皮肉にもさらに外債を発行して保有正貨高を維持したのです。

こうした状況を一気に解決したのが、第一次世界大戦による輸出ブームでした。

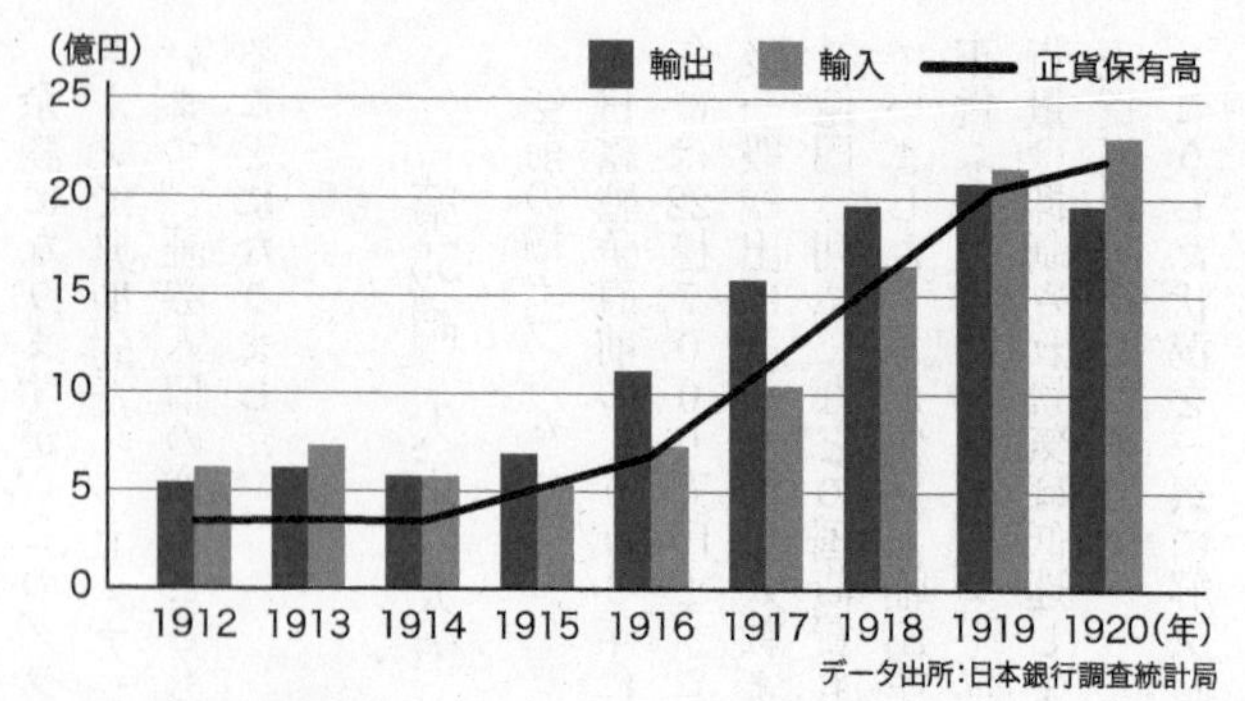

輸出入と保有正貨

戦争に参加した列強が軍需物資の生産にシフトし、彼らの植民地であるアジア・アフリカ市場への民生品の輸出が途絶えると、日本に代わりの物資を求めてきました。井上馨のいう「大正の天佑」です。

また、ただでさえ戦争のための物資輸送が求められている時に、欧州海域ではUボートの活躍によって1200万トンの商船が撃沈され、1500万トンの商船が政府の徴用となって合計2700万トンの世界の船腹が貿易から撤退しました。1914年の世界の船腹量が4500万トンなので、これに海上封鎖されたドイツの持ち船も考慮すると欧州の船腹の大部分が姿を消したといっても過言ではないでしょう。

このため商船は慢性的な不足となり、日本の造船業、海運業はボロ儲けの状況になりました。不定期船運賃は1914年末で戦前の2倍、15年末に8倍、16年半ばで16倍、17年末には28倍に達し、7500トンクラスの商船の売値は5倍にも暴騰しました。[198]日本が外貨を稼ぐとともに、多くの船成金が登場したのがうなずけます。

国内需要向けの輸入物資である鉄や、ドイツが特産の化学、薬品、染料なども不足し、これらの在庫を持つ商人も物価高騰で大儲けして成金となりました。俄かな好景気に沸いた日本、100円札を燃やして足元を照らす成金の絵は教科書などで御馴染みですが、株屋はそうでもありませんでした。株式市場の動きはそれほど単純ではなかったのです。

御大典のご祝儀相場

当時の株式市場では日清、日露戦争の経験から、「戦争は買い」という漠然とした教訓がありました。しかし株式市場の歴史を綴った『兜町盛衰記』（著・長谷川光太郎）によれば、これは素人筋といわれる一般の投資家達のことであって、東京兜町や大阪北浜の取引所周辺の玄人筋では、日露戦後の株価暴落とその後の長い不振の経験から、株は空売りも含めて売っていれば間違いないという考え方が蔓延していたのだそうです。

当時の株取引では「呑み行為」が日常的に行われていました。「呑み行為」とは、

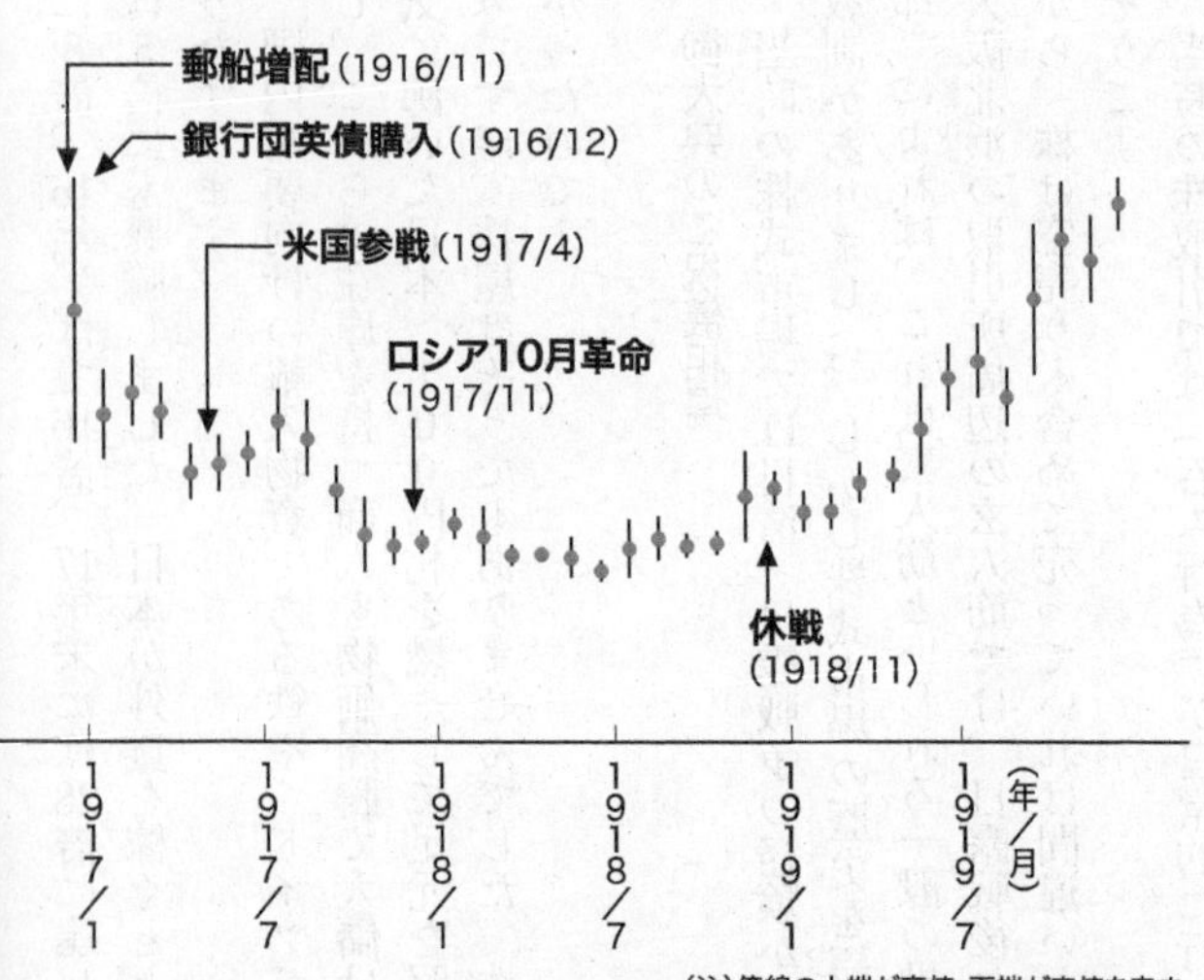

日本の株式は暴騰した

例えば顧客がとある株式に「買い」注文を出したとして、株の仲買人（証券会社）が、これを市場に出さずに、自身の勘定で売り向かうという意味です。

こうした手法で上手く商いをこなす（株式ポジションを運用する）仲買人は、後で儲かれば手数料を少し払い戻すというようなサービスもやっていたので、投資家の方も事情は理解した上で発注していたのです。

相場が安定していた時は、少々の決済事故が発生しても、なんとか仲間内で埋め

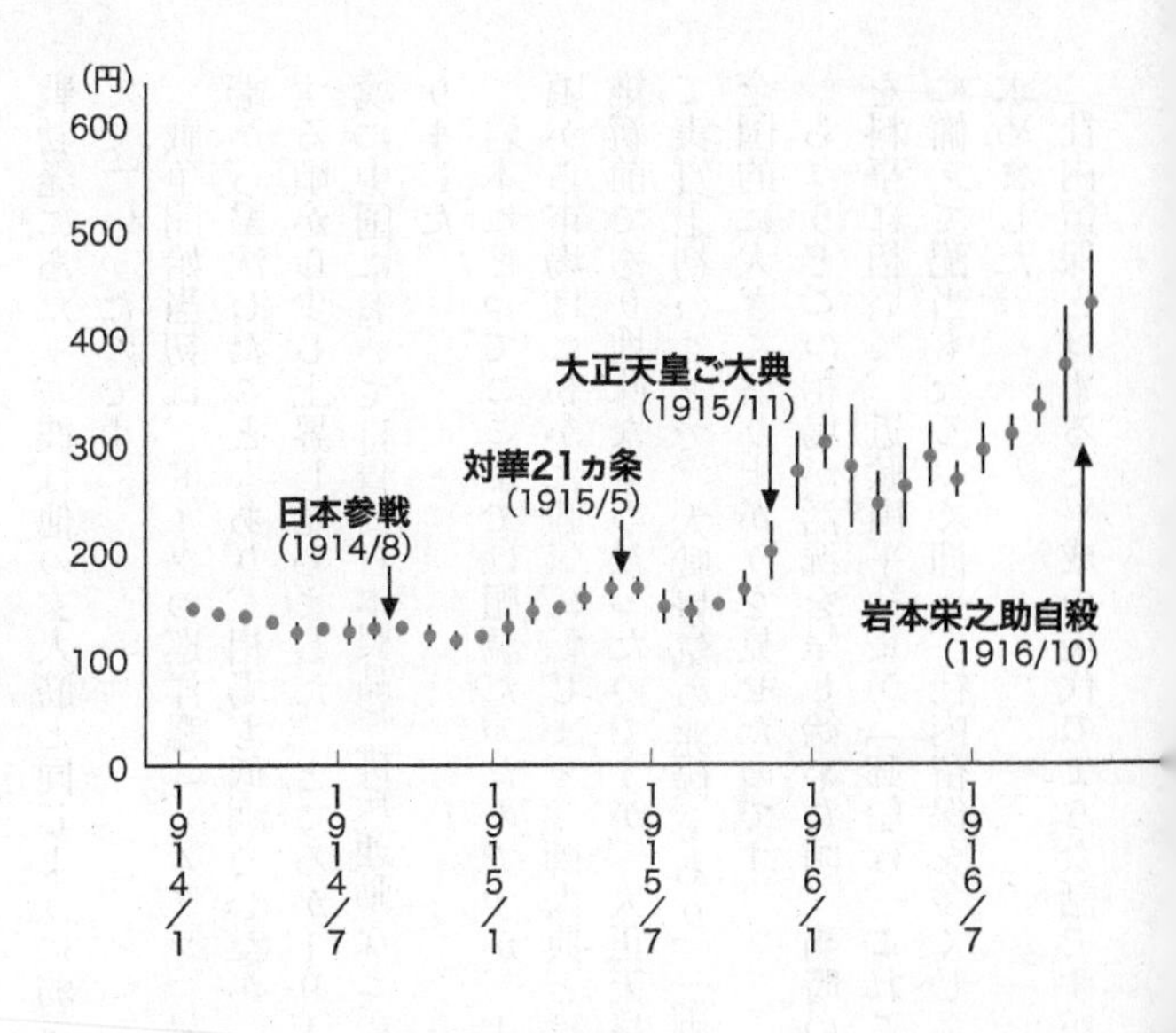

1914～19年の東京株式取引所株月足の推移。第一次大戦で

合わせをしてやりくりしていました。

日露戦争の相場を機会に成り上がった北浜の大手仲買人で（上記のような理由で仲買人＝相場師だった）、岩本栄之助という30半ばの「快男子」がいました。仲間をよく助け、人望が厚く、若くして財を築き、米国の金満家に習い、寄付による社会貢献を目指しました。

彼が1911年に当時の金で100万円を拠出して建設を始めた建物が、現在も大阪市中之島[199]にある中央公会堂です。第一次世界大戦勃発にあたり、彼は他の玄人筋と同じように弱気を決め込んで客の買い注文を「呑んで」いったのです。

戦争開始当初は、ドイツの巡洋艦「エムデン」号がアジアで連合国側の貨物船を片端から撃沈したこともあり、相場も低調でしたが、日本軍がドイツの青島要塞を占拠する頃から少し上昇し始めました。ところが1915年5月の対華二十一ヵ条要求を境に中国において日貨(日本製品)排斥運動などが発生すると、相場は再び調整に入りました。

岩本にとってここまでは順調だったのですが、1915年11月の大正天皇御大典の頃から市場はにわかに強気に転じます。御大典とは「即位の礼」で、明治天皇の時は維新前であり地味なものだったのですが、大正天皇の「即位の礼」は大日本帝国として実質上初のことで、大戦景気の兆候もあり、「御大典景気」として、お祭り気分で全国的に大きく盛り上がりを見せたのです。

ちょうどこの相場が活況を呈し始めた頃、当時の市場の筆頭銘柄日本郵船が大株主を料亭に招いて、近藤廉平(こんどうれんぺい)社長が「郵船は、これこれの儲けをしておりますが、後日に備えて配当もなるべく抑え、社内留保を多くしようと思います」と経営への理解を求めました。

社内留保とはまるで平成の現代のような話ですが、この当時も今のようなアクティビスト[200]がいました。織田昇次郎です。彼は郵船の株を秘密裡にしこたま仕込むと、財界の大物、郷誠之助などを前面に担ぎ出し「郵船増配期成同盟」を組織して郵船に特別配当を迫ったのです。実際のところ相場師織田の狙いは配当などよりも株の一時的な人気化に伴う値上がり益の方でした。もともと戦争景気で大増益予想のところです、郵船の株は騰がる騰がる。

当時は大蔵省が横浜、神戸、大阪の三港貿易高という数値を毎月10、20、30日に旬報として発表していました。株式市場はこの数値に一喜一憂しながら、輸出の拡大、すなわち正貨の増加＝通貨量の増大を材料に１９１６年の末に向けて急騰したのでした。

弱気に立つ仲買人の相場師岩本栄之助は「呑み」でショート・ポジション（から売り）を持っていた為に、この上昇相場にいよいよ資金繰りがつかなくなりました。仲間内では事情もあることだし、中央公会堂建設のために寄付した一部でも返して貰ったらと勧められましたが岩本は頑として応じず、１９１６年10月22日に短銃で自分の頭を撃ち抜きました。生死をさまようこと5日間、岩本を慕う北浜の人々は大阪天満宮で夜通しかがり火をたいて生還を祈りましたが、結局むなしかったのです。彼の寄付した公会堂は、彼の死後、第一次世界大戦休戦の１９１８年11月に落成して、１００年経った今でも浪花の景観に花を添えています。

一方で郵船の増配問題も岩本逝去のすぐ後に増配が決定されました。皮肉なもので、株式市場もこのあたりがピークで、12月になって大蔵省が銀行団にイギリス国庫債券1億円の購入を促すと、株式市場からは資金が引き揚げられてしまったのです。もう少し我慢すれば岩本も、というのは相場の禁じ手「たられば」です。船成金達とは違い、株成金続出のエピソードは実は戦後の相場まで待たなければならなかったのです。この相場はニューヨークの株式市場ともよく連動していました。しかし、株価こそ下がりましたが、輸出の活況は海外から正価を呼び込み、日本は倒産寸前の貧乏国から、とうとうあのあこがれの大英帝国に金を貸すまでの債権国になったのです。これは、ほんの10年前の日露戦争の頃ならば想像もつかないことでした。

第56話　中国参戦と日米外交戦

寺内正毅と西原借款

中国国内で極めて評判の悪かった対華二十一ヵ条要求を袁世凱が受諾した背景には、彼が日本からの援助を期待したという側面がありました。また孫文など、袁政権に敵対する側でも、大なり小なり、それぞれが別のチャンネルで日本への資金援助を求めていました。

袁世凱は1915年12月に帝政を再興して皇帝になりましたが、南の方では帝政に反対する諸省が叛旗をひるがえして続々と独立してゆきました。袁世凱は列強から調達した資金が枯渇し始めており、軍事費のみならず各省に対する交付金も滞り始めていました。ここでの地方の独立とは、覇権を狙う戦国時代のようなものではなく、連邦制としての中国という国家体制を目指すことを前提としたものです。袁世凱の基盤である北洋軍閥内でも、安徽派の段祺瑞などが帝政に反対して勢力を伸ばしていました。こうして味方不在のまま袁世凱は1916年3月に帝政を取り消すと、6月には失意のうちに死去しました。

袁世凱の死後、副大統領の黎元洪が後を継ぎ、日本の憲法にあたる臨時約法を復活して議会を招集しましたが、彼は軍事力の背景が無かったので国政は安定しませんでした。北洋軍の段祺瑞などが中央で権力抗争を展開し、地方では南方の諸省の将軍達が勢力を誇示し、東北部では新たに日本史では有名な張作霖が台頭したのもこの時でした。

対華二十一カ条要求においても、独断が目立ち元老達の受けが良くなかった大隈内閣は、1915年こそ大正天皇御大典（即位式）もあり延命しましたが、翌年の10月には総辞職しました。

大隈は元外相で政党人の加藤高明を後継に推薦しましたが、山県有朋は長州出身の陸軍元帥で朝鮮総督の寺内正毅に組閣させました。これは元老の独断による非立憲主義な内閣であり、寺内の顔がたまたま大阪通天閣のビリケン人形に似ていたことから世間ではビリケン（非立憲）内閣とからかいました。

対華二十一ヵ条要求以来、日貨（日本製品）排斥運動など日中関係は悪化し、その結果として大隈内閣も袁世凱排斥政策をとっていましたが、寺内正毅はこうした政策に批判的でした。彼は「誠意」と「親善」を柱とする「王道主義」を中国政策の基本方針にかかげて、１９１７年始めにはあくまで日本の優位的地位を中国が認めることを前提に、中国に対する内政不干渉の政策を決めました。

一方で、この頃になると、日本にこれまで不足がちだった正貨が戦争景気によって蓄積され、財政的な余裕から、武力的な威嚇よりも、むしろ経済的な援助によって中国における日本の権益を確保しようという考えが台頭します。おりしもアメリカはタフト大統領（在任：１９０９－１３）の下で、それまでの力でねじ伏せる「砲艦外交」から海外投資によって政治的影響力を高める「ドル外交」へスタンスを変更していたので、日米両国の対中政策はここに符合して競合することになりました。

経済的援助の代表的なものが、袁世凱亡き後の北洋軍閥筆頭である段祺瑞に対する「援段政策」すなわち「西原借款」です。実行者の民間人西原亀三は寺内が朝鮮総督の時に知遇を得ました。そしてその当時の朝鮮銀行総裁であった勝田主計がこの時蔵相になったので、寺内、勝田、西原の3人は「朝鮮組」と呼ばれて、この時点での大陸政策を仕切りました。

西原借款は1917年1月の交通銀行借款500万円を始めとして、同年7月に寺内は「段内閣に相当の友好的援助を与え、時局の平定を期す」と不干渉政策を止め「援段政策」を閣議決定すると、1918年9月に「米騒動」によって寺内内閣が総辞職するまで、計1億4500万円の資金をほとんど実質担保無しでつぎ込みました。見返りに「日華共同防敵軍事協定」締結や山東省の権利に対する交換文書などが作成されましたが、資金の殆(ほとん)どが段祺瑞の軍閥の軍事力強化に使用されたので、彼が勢力を失うと同時に、上記に兵器代借款も加えた約1億7000万円が焦げ付いて戻ってきませんでした。「大正の天佑」のバラマキでした。

中国の参戦

日本は基本的に中国の第一次世界大戦への参戦には反対でした。戦後に中国が戦勝国としての立場を得ると、日本が得た山東省などの権益の喪失につながると懸念したからです。1917年に入り、アメリカがドイツへの宣戦布告を決めると、今度はアメリカが、自身が中国に手薄な間の日本の権益拡大を牽制(けんせい)するために中国に参戦を促しました。中国の議会が紛糾する中で、一旦(いったん)下野した段祺瑞が7月に国務総理に復帰すると、日本は段を懐柔すべく前記の「援段政策」を決めたのでした。段祺瑞は西原借款で「参戦軍」と呼ばれる3個師団を日本軍の指導下で創設することを決めると、日本も納得して中国は8月14日に参戦しました。

実際には中国はシベリア出兵で僅かな兵を出しましたが、欧州の戦線へ軍隊を派遣することはありませんでした。それよりも、中国は参戦する以前から労働力が不足していた英仏に対して、民間の仲介会社を通じて約14万人もの労働者を欧州に派遣していました。彼らは港湾の荷揚げから塹壕掘りや死体処理など危険で嫌われる仕事にも従事して、約5000人が死亡しています。その多くは戦後になって帰国しましたが、フランスに残った約3000人の中国人はパリに中華街を残しました。

外交面で見るならば、欧州で中国に権益を持つ列強が戦争をしている間に、中国での権益を拡大しようとしたのが日本であり、それを牽制したのがアメリカでした。

一方で経済的な側面を貿易のデータから見るならば、第一次世界大戦開戦以来、日本の対米貿易は輸出入とも着実に伸び、米国は最大の貿易相手国であって、本来は中国における市場獲得競争で争うべき取引相手ではなかったのです。

特に当時の日本の主力商品である、綿業、絹業、機械工業の3つの産業で、どの産業が日本に正貨をもたらしているのかという観点から見るならば、絹糸や絹織物などの絹(シルク)関連産業が他を圧倒していました。

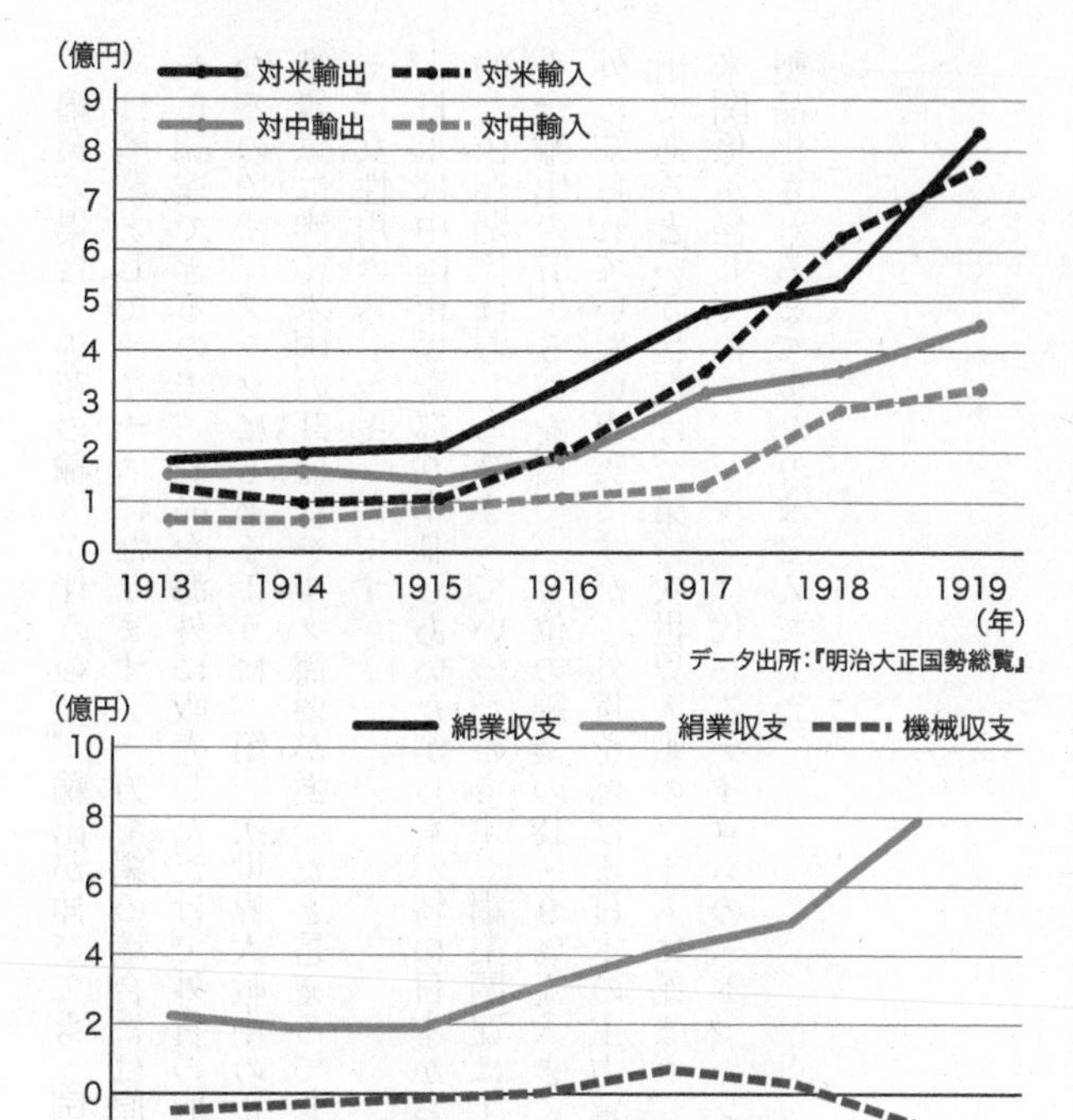

データ出所:山本義彦「両大戦間期日本の貿易構造——統計指標による分析(上)」(静岡大学人文学部編『静岡大学法経研究』36巻1号)

(上) 対中・対米貿易の推移。対米の輸出入が急拡大した
(下) 産業別貿易収支の推移。外貨獲得では絹が圧倒的だった

綿業の場合、綿花の輸入が伴うので、輸出が伸びても、国内消費分があれば貿易収支は産業としてマイナスになります。一方で絹の場合には原材料のかいこも国内農家から調達できるので、製品を海外に販売しただけで外貨の収入、つまり正貨の流入になるのです。グラフにもあるように、第一次世界大戦中の正貨の蓄積の背後には、大戦景気に沸く米国の旺盛（おうせい）なシルク需要があったと言えるでしょう(201)。もう少し細かく言えば女性用のストッキングです。

日米は中国市場を巡り牽制しあいながらも、特に日本から見た場合、米国との経済的な依存関係はむしろ深まっていったのです。絹業関連は1919年の金額ベースでも全輸出の37・5%を占め、2位の綿業の18・9%を大きく引き離していました。意外に知られていない事実ですが、外貨を稼げる日本の主力貿易商品がシルクの対米輸出であるという状況は、第一次世界大戦のブームに始まり、第二次世界大戦直前に日米関係が怪しくなり、シルクに代わるナイロンのストッキングがデュポン社によって製品化されるまで変わりませんでした。

第11章　新兵器の登場

１９１７年、戦線は相変わらず膠着(こうちゃく)しながらも、新兵器が本格的に活躍を始めます。戦車、飛行機、潜水艦。これらの兵器はやがて第二次世界大戦の主力兵器となり、進化を遂げながら現代にまで至っています。

第57話　底なしの泥の中

ニヴェル攻勢

１９１６年8月に、ヒンデンブルク元帥がドイツ軍参謀総長に就任すると、ルーデンドルフ将軍が参謀次長に就き、実質的には彼が戦争指導に当たりました。ルーデンドルフ独裁です（第50話）。

一方、フランス軍では１９１６年の消耗戦での甚大な損失に、陸軍はもはや国民や兵士達の信頼を失い始めていました。同年12月、それまでの最高司令官ジョッフル将軍は責任をとってニヴェル将軍へと交替しました。ところがこのニヴェルもまたフランス軍伝統の攻勢至上主義者でした。戦局打開のために、ようやく戦力が整い始めたイギリス陸軍と共同でドイツ軍防衛線を突破する大作戦を実行に移します。

1917年4月16日に開始されたこの作戦は「ニヴェル攻勢」と呼ばれました。フランス軍としては初めての戦車128両と火砲3810門が準備され、歩兵が前進するすぐその前を順次砲撃して敵を事前に撃破しておく移動弾幕射撃方式が採用されました。しかしこの戦いではまだ制空権がドイツ側にあったので、戦車は敵に接する前に砲撃で破壊され、自軍の砲撃は計画通りに効果を出せませんでした。このために結局は従来の歩兵突撃の延長とさして変わらなくなってしまったのです。

作戦開始後3日目の19日、目標は当初のドイツ軍戦線突破から至近のシュマン・デ・ダム高地の確保に大きく縮小されましたが、損失は膨らむばかりでした。23日に至り、ポアンカレ大統領はこの作戦のあまりの人的損失に、国民の士気の低下を恐れて作戦の続行を禁止しました。ニヴェルの予定した作戦では損失1万5000人で9キロの前進を計画していましたが、5月初頭時点での戦果は18万7000人の損失を払いながら、わずか500メートルの前進しかできていませんでした。

ニヴェルは5月10日に更迭され、後任にはヴェルダン戦で活躍したペタン将軍が任命されたのですが、フランス軍の士気は著しく衰えてしまいました。5月27日には約3万人の兵士が移動命令を拒否、脱走者はあまりいませんでしたが、突撃命令には従

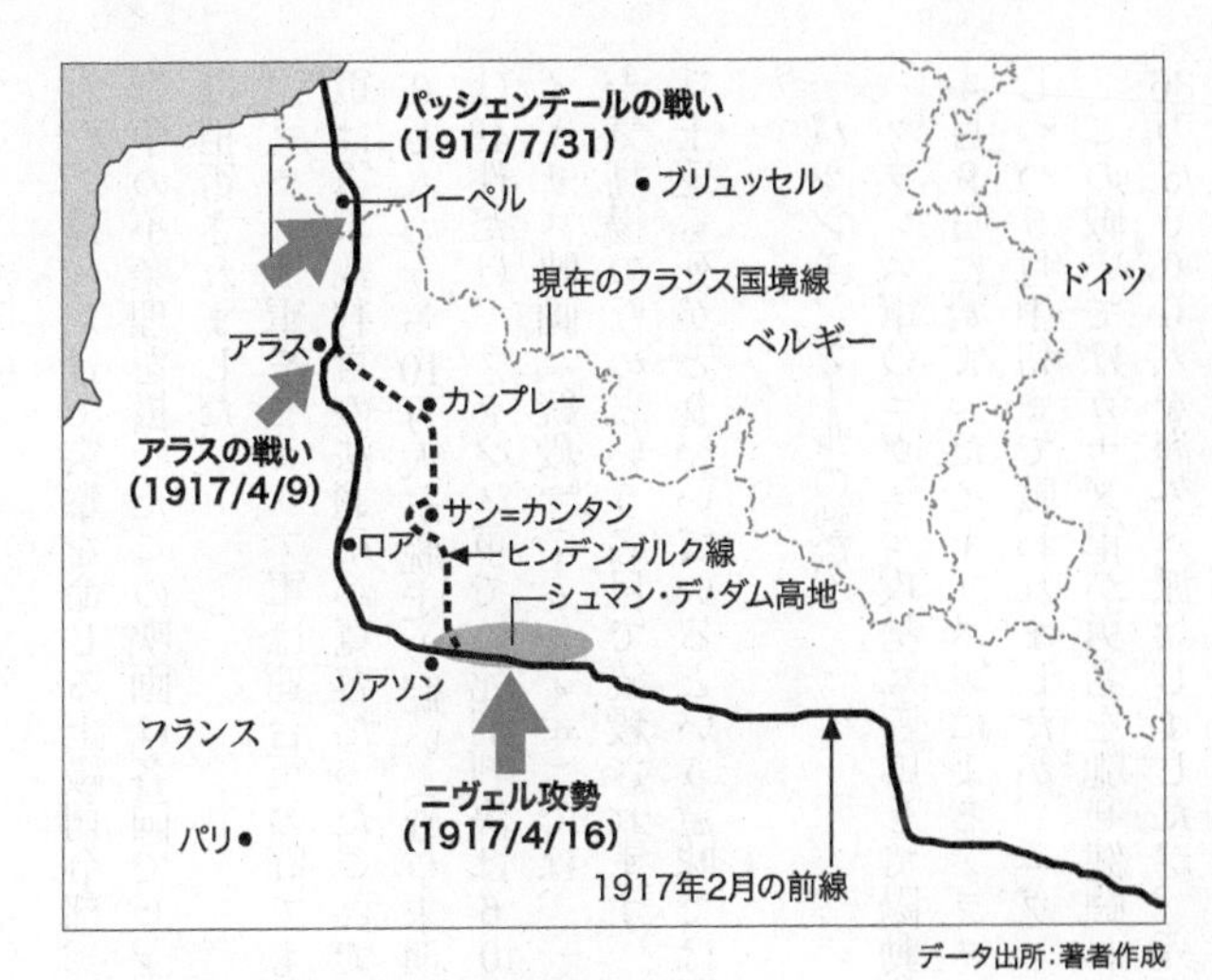

凄惨を極めた1917年の西部戦線

わなくなりました。厳しい軍律に批判も多く、ペタンは無理をせずに、休暇や食事など、兵士の待遇改善を実直に行って軍への忠誠心を取り戻さなければなりませんでした。１９１７年の6月、積み重なる損失を前にフランス陸軍は戦力的にも精神的にも崩壊寸前の状態にありました。

スタンリー・キューブリック監督、カーク・ダグラス主演のアメリカ映画『突撃』（１９５７年）はこの頃のフランス軍の士気をテーマにした映画です。突撃を拒否する兵士への見せしめのためにフランス軍はしばしば抽選で兵を選んで臆病者として銃殺刑を執行しました。建前だけで突撃を命じる上級司令部、それに抗する前線の指揮官のジレンマ、戦争の不条理を扱ったこの映画は各国でヒットしましたが、本場のフランスでの上映は拒否されました。

フランス軍やイタリア軍は連合軍の間でも処刑が多い軍隊でした。意外にもドイツ軍は軍事裁判官の法適用が寛容だったことで知られています。具体的には独軍132 0万人のうち10万人が脱走の疑い（戦争末期を除く）で逮捕されましたが、死刑判決は48件だけ。フランス軍での死刑判決は600件、英軍でも346件もありました[202]。イギリス映画『銃殺』（1964年）では、一度は許されかけた脱走兵士が、攻撃前の士気高揚のためという名目で銃殺されます。ただし、処刑を見ながら攻撃に出かける兵士達も死がとりついているという意味では同じようなものでした。

パッシェンデールの戦い

フランス軍のニヴェル攻勢に呼応して陽動作戦として実行されたのが、1917年4月9日に始まったイギリス軍によるアラスの戦いです[203]。こちらも15万人の損失を出しつつ5月中旬まで戦われましたが、ニヴェル攻勢の失敗とともに終了しました。

この戦いではカナダ軍が勇名を馳せ健闘しました。カナダはこの戦争全期を通じて36万5000人を海外へ派兵しましたが、死傷者合計は実に21万人にものぼりました。

カナダでは1917年10月に徴兵制が施行されています。カナダ映画『A TIME OF WAR 戦場の十字架』（2008年）は戦場の不条理や悲惨さとともに、当時のカナダで暮らすドイツ系移民の苦悩も描かれています。

一方、オーストラリア兵はガリポリ（第40話）でも健闘しましたが、この方面の戦いでも活躍しています。オーストラリアは32万2000人を戦地に送り込み、6万人が損失（死傷者）ではなく戦死しています。こちらは徴兵をめぐり2度の国民投票が行われましたが、成立しませんでした。こうした多くの犠牲者を前提に、カナダ、オーストラリア、ニュージーランドなどの英連邦諸国の指導者たちは、宗主国イギリスに対する戦後の政治的発言力を増していったのでした。これはインドも同じで、インド人自身による自治の要求につながっていきます。

膠着した西部戦線で、英仏・独両軍は地下にトンネルを掘り進め、敵陣地下に爆薬を仕掛けて陣地ごと吹き飛ばし塹壕（ざんごう）線の突破口を作ることを考えました。トンネルを掘り進む工兵はお互いに音を探知し合いながらまるで水中の潜水艦戦のように地下を掘り進みました。

1917年6月7日早朝、ドイツ軍が大規模陣地を築いていたイーペルの南方4キロのメッシーネ丘陵が大爆発を起こしました。オーストラリアで金鉱を掘っていた者達からなる工兵隊が中心となって仕掛けた爆薬でした。約1万人のドイツ兵が、一瞬で死亡または生き埋めになりました。この爆発音は遠くロンドンでも聞こえたそうで、これが新たな攻勢立案の後押しとなりました。

英軍総司令官ダグラス・ヘイグ将軍は、ニヴェル攻勢後の6月に入り、フランス軍内部の統制上の不穏な情報に接しました。突撃命令をきかなくなったという情報です。しかしそれでもロシア革命に伴う混乱、また、それに乗じたドイツ軍の西部戦線への兵力移動による今後の攻勢の可能性などを勘案すると、やはり今こそイギリス軍は攻勢に出るべきだと判断しました。自分の考えに沿う情報だけを集める認知バイアスそのものです。

目標はイーペル付近を起点にUボート作戦の基地があるベルギー海岸までの突破としました。Uボートの基地を叩こうというのです。しかし戦後の検証で明らかになりましたが、ヘイグは戦いたかっただけで、Uボートはドイツ領を基地としていてベルギーに基地などなかったのです。これが7月31日から始まったパッシェンデール（第三次イーペル）の戦いです。

この時、ドイツ軍はちょうどメッシーネ丘陵爆破以降、陣地を強化し態勢を立て直し終えたタイミングでした。ドイツ軍の陣地は3線からなる縦深陣地（縦に深みのある陣地）でした。第1線は固守せず小兵力をおき、最初の砲撃を避けて被害を最小限度に抑えます。そして第3線に予備兵力を配置して、敵歩兵が第1線に進出した後すぐに反撃できるように準備していました。また後方に隠蔽した砲兵部隊は敵の進出を前提にあらかじめ自軍の第1線に照準を合わせていたので進出した敵はすぐに撃破できました。

パッシェンデールの戦いに参加したオーストラリア兵（1917年10月29日撮影）

イギリス軍歩兵は比較的容易に独軍第1線を確保しましたが、それはドイツ軍が計算したとおりで、それ以上には進めませんでした。４２５万発にも及ぶ味方の激しい砲撃による地面の掘り返しに、8月の雨が溜まり、戦場はまさに泥沼化しました。イギリス軍は２１８台の戦車を投入しましたが、泥沼の中では前進できませんでした。

またドイツ軍は１９１５年から塩素系の毒ガスを使用していましたが、この時から効果の高いマスタードガスを使用するようになり、イギリス兵を苦しめました。

オーストラリア映画『ザ・サイレント・ウォー 戦場の絆』（2010年）は塹壕下に爆薬を仕掛けたオーストラリア工兵隊の映画です。またオーストラリアはメル・ギブソン主演『誓い』（1981年）、ラッセル・クロウ監督・主演の『ディバイナー 戦禍に光を求めて』（2014年）など、主にガリポリ方面での第一次世界大戦の映画が豊富です。

イギリス映画では、1916年のソンムの戦いですが、007ジェームズ・ボンド役のダニエル・クレイグ出演『ザ・トレンチ』（1999年）に塹壕戦の様子がよく描かれています。

乾燥した9月が過ぎると、10月は再び大雨となりました。イギリス軍は甚大な犠牲を出しながらも戦果は乏しいものでした。それでもヘイグは相も変わらず攻撃することに固執しました。

低湿地の戦場は沼地と化し、塹壕も水浸しとなり、イギリス兵は独軍のガス攻撃に泥沼の中でのたうち回りました。傷病兵、脱走兵が顕著に増加しましたが、ヘイグは11月6日の最後の攻勢まで手を緩めませんでした。

イギリス軍のこの戦いにおける損失は当初30万人以上とされました。後に陸軍の公式記録は訂正されて24万5000人となったのですが「それほど少ないはずはない」

と誰も信じる者はいなかったそうです。

後方にあったヘイグの司令部は戦いの後になって初めて戦場を訪れ、沼地と化した戦場を見て驚いたと伝えられています。「パッシェンデール」という言葉が、戦場の持つ悲惨さの象徴として有名になったのは、戦いの最終段階での戦死者の4人に1人が溺死者だったからです。しかし、それでもヘイグ将軍の戦意はいっこうに衰えませんでした。

毒ガス

「窒息性または有毒ガスの散布を唯一の目的とする投射物の使用を禁止する」。戦場における毒ガスの使用は、1899年ハーグ会議、1907年のハーグ平和会議を通じて禁止されていました。しかし毒ガスはドイツだけではなく、英仏も含む各国がそれぞれ研究を続けていました。最初に毒ガスを使用したのはドイツ軍で、1915年4月のイーペルにおける攻勢でした。この時5730本のガスボンベがドイツ軍最前線に集められていたことは、フランス軍の知るところでしたが、毒ガスの効果については過小評価されていました。

ガスボンベの栓を開放してガスを放出する方式では、風向きによっては味方に被害を及ぼします。フランスの戦場での卓越風は西風なので、放出方式は風上の連合国側に有利でした。

その後、砲弾に各種の毒ガスを詰め込んで、突撃前の砲撃で使用するように進化していきました。毒ガスは、ガスマスクなど対処法が比較的容易だったのですが、ドイツ側の非道を強調すべく連合国側のプロパガンダに利用されたきらいがあります。そのために効果がすこし大げさに伝えられました。実際には、連合国側も遠慮なく毒ガスを使用しています。第一次世界大戦に生産された毒ガス15万トンのうち、ドイツが6万8100トン、イギリス2万5735トン、フランス3万9955トンと両軍ともほぼ同じ量の毒ガスを戦場に放出したのです(204)。

ナチス・ドイツは7000トンのサリンガスを保有していましたが、ヒトラーは最後まで使用を許可しませんでした。なぜならばヒトラー自身が第一次世界大戦で連合国側のガス攻撃によって負傷したからだと伝えられています。

また、毒ガスによる負傷者は第一次世界大戦を通じた全負傷者の5・7%、戦死者の1・32%を占めたに過ぎませんでした。多いような少ないような数字です。

第58話 戦車の登場

ランドシップ委員会

マークV戦車

狙い定めた敵の機関銃を前に、生身の兵士の集団突撃は自殺行為でした。塹壕戦となった第一次世界大戦では、一斉突撃攻撃のたびに無為に多くの死傷者を出すことになりました。

この時、歩兵突撃の最大の障害物であった有刺鉄線（鉄条網）は、南北戦争後の米国で、広い牧場の家畜の囲い込み用に発明されたものです。ボーア戦争では障害物として広く歩兵対策に活用され、その後の日露戦争の旅順要塞攻略においても、多くの歩兵が鉄条網を越えられずに機銃掃射を受けて戦死しました。敵の機銃弾を弾き返しながら鉄条網や塹壕を乗り越えて、砲弾で掘り返された荒れ地を走行できる万能の自動車が期待されました。

第一次世界大戦開始直後から、英海軍航空隊は１９０８年製ロールスロイスを装甲化した車を保有していましたが、車輪では戦場の悪路を走れず、敵塹壕の突破攻撃には適しませんでした。

イギリスのアーネスト・スウィントン陸軍中佐は、悪路を走破して塹壕を乗り越えるために車輪ではなくキャタピラーに目をつけました。しかし軍のエリートには騎兵出身者が多く、勇敢な騎兵突撃こそが戦場の華であると考えて、こうした当時でいえば「ちゃち」な技術に関心を持ちませんでした。そのためウィンストン・チャーチル海軍大臣（陸軍の経験はあるが）など、むしろ陸軍の専門外の人間が開発の後押しをしました。

1915年2月に陸軍ではなく、英海軍本部内にランドシップ委員会が設けられ、陸上を走る軍艦として、次々と試作車が発注されました。「タンク」という名はこの当時、戦車の開発を秘匿するために、水タンクと偽装して名づけられたものです。

こうして後に主力として活躍するマーク・シリーズ戦車の原型がウィリアム・フォスター社において1916年1月に開発されました[205]。乗員は8名です。戦場への移送は鉄道を使用するので、車幅など基本的な大きさは鉄道の規格（軌間）の制約を受けました。マーク戦車は横に張り出した砲塔部分をはずして輸送しました。

初陣は1916年9月、戦争が始まってちょうど2年が経過していました。ソンムの戦い（第48話）の最中です。49台のマークⅠ戦車が準備されましたが、攻撃開始地点にまでたどりつけたのが32台、さらにこのうち9台が攻撃開始時に早くも故障、5台はすぐに穴にはまって動けなくなり、9台が歩兵の歩行速度についていけませんでした。このためドイツ軍陣地に突入できたのはわずか9台という状況でした。ドイツ軍は最初こそ驚きましたが、よく狙って砲撃すると簡単に破壊できるので、この時は将来重要な兵器になるとは考えませんでした。

第二次世界大戦では戦車王国の観を呈するドイツ軍も、第一次世界大戦では本格的な運用はしませんでした。この時の戦車に対するイギリス軍内での評価も、当然ながら全般に低かったのですが、英軍最高司令官のダグラス・ヘイグ将軍だけは兵器としての将来性をくみ取り、すぐさま１０００台を発注するように本国にかけあいました。１０００台の戦車の運用には８０００人の戦車兵の育成が必要になります。単なる思いつきではなかったと思います。この頃フランス陸軍もルノー社のＦＴ型と呼ばれる小型の戦車の集中量産に入りました。

カンブレーの戦い

英王立戦車軍団にジョン・フレデリック・フラー大佐という、後に世界の戦車戦の規範となる書物を数多く残した参謀がいました。１９１７年の後半、パッシェンデールの泥濘（でいねい）で苦戦する戦車を横目に、戦車の進撃に適した乾燥した草地で、大量の戦車を集中投入する作戦計画を練っていました。戦車には戦車の特性に向いた戦場があると考えたのです。その戦車戦に適した場所がパッシェンデールからヒンデンブルク・ラインに沿って70キロほど南のカンブレーでした。ここは、これまで激しい戦闘が無かったために砲撃によって地面も荒れていませんでした。またヒンデンブルク線としてドイツ軍が意図的に後退した防御線上にあり、ドイツ軍塹壕は3線の縦深陣地を持ち、いわば鉄壁の構えの場所でもありました。ここを破れば戦車の評価も上がるでしょう。

この「カンブレーの戦い」は、高名な戦史家のリデル・ハート[206]や前記のフラー大佐によって、「戦車戦の始まり」としての成果ばかりが強調されてきた歴史があります。しかし、この作戦では奇襲としてドイツ軍に攻撃を察知されないように、恒例となっていた事前の砲撃を控えたという大きな特徴もありました。

また歩兵と戦車と砲兵の密接な連携や、敵の砲の位置を発砲音から推定する音源評定という新しい技術なども投入されていました。戦車の前進を妨げないように自軍の発射する砲弾も着弾点にクレーターができにくい仕組みを工夫するなど、戦車のために戦闘が計画されました。

１９１７年11月20日朝6時、３８１台の稼働戦車（４７４台が準備されていた）が3台一組となり、その後を歩兵が従う形で進撃を開始しました。これまでの戦い方では事前に数日間の砲撃をして鉄条網を破壊して、その後に歩兵突撃を敢行してきましたが、この時は戦車が鉄条網を押しつぶすので、事前砲撃が必要無く、ドイツ軍側からみれば全くの奇襲となりました。

歩兵と戦車が協同できなくなった箇所では、戦車は個別に砲撃で破壊され、歩兵は機銃掃射でなぎ倒され、後に戦訓を残しました。それでも奇襲は成功して英軍は日没までに予定通り8キロほど進撃して大戦果をあげました。鉄壁と思われたヒンデンブルク線の塹壕の突破が可能であることを示したのです。

この大勝利の報告にイギリス全土が沸き、全ての教会の鐘が鳴らされ勝利が祝われました。戦争はもうすぐイギリスの勝利に終わると考えられました。しかし、残念ながらこの鐘は早合点でした。

翌日には、偶然にもドイツ軍に、ちょうど東部戦線から移動してきた新しい師団が加わると、戦いは激戦となりイギリス軍の被害が大きくなりました。11月23日の段階での稼働戦車はすでにわずか92台にまで減少していました。26日には、以前であればイギリス軍の事前砲撃段階で、攻撃を察知して集められていたはずのドイツ軍の援軍が周辺の戦線から到着。イギリス軍にも占領地域を確保するだけの予備兵力があれば侵入を確固たるものにできたはずでしたが、パッシェンデールの消耗で予備兵力は枯渇していました。

11月30日になってドイツ軍の総反撃が始まると、イギリス軍は形勢不利となり、12月4日には退却を始めました。こうして結局イギリス軍が侵攻した部分すべてをドイツ軍に取り返され、さらに南部地域では新たにドイツ軍に占領された箇所まであったのです。

カンブレーの戦いはわずか10日間でしたが、両軍ともそれぞれ4万5000人の損失を出し、当初華々しい戦果をあげて、勝利を確信して鐘まで鳴らしたイギリス軍の落胆は大きいものでした。

しかし機械としての信頼性はまだまだ不十分でしたが、それまで難攻不落で膠着状態にあった塹壕戦に、戦車部隊の投入や砲兵協調など、新しい戦線突破の方法と可能性が見え始めていたのです。

第59話　航空戦と撃墜王

リヒトフォーフェン

レッド・バロンとして有名な撃墜王リヒトフォーフェンは、1892年、プロイセンの男爵家の長男として生まれ、当時の花形である陸軍の騎兵将校になりました。開戦はポーランド国境で迎え、やがてベルギーへと転戦しましたが、その頃には塹壕と機関銃の戦いが主流となって、華やかな騎兵突撃の活躍の場はすでに無くなっていました。彼は1915年5月に自ら望んで航空学校に入学しました。

開戦当初の航空戦は偵察や着弾観測が中心で、飛行機の上で拳銃（けんじゅう）やライフルで撃ち合うような戦いでした。マルヌの戦い（第34話）では、フランスの偵察機がドイツ軍の方向転換を発見したし、タンネンベルク（第33話）ではドイツ軍の偵察機がロシア側の兵力配置を報告して勝利に貢献しています。リヒトフォーフェンがまだ航空学校にいた1915年7月、フォッカー社がアインデッカー戦闘機（100馬力）に、プロペラ同調装置付きの機関銃を取り付けました。これはパイロットの目の前に機関銃を据え付け、プロペラ回転の間隙をぬって弾丸を発射する装置で機銃の操作も容易で命中率が格段に高いものでした。このため英仏機はバタバタと撃ち落とされ、しばらくは「フォッカーの懲罰」と呼ばれるドイツ軍が制空権を独占する時期が続きました。制空権を持つと、敵偵察機は撃墜されるし、敵は砲撃の際の上空からの着弾観測もできません。

1916年に入ると、英デハビランド社のF・E・2など推進式戦闘機（プロペラがパイロットの後ろについている）やプロペラ同調装置を備えた仏ニューポール社の17型（130馬力）が順に導入され、英仏軍はようやくアインデッカーから制空権を奪還しました。

リヒトフォーフェンは2人乗りの偵察機の偵察員兼後部機銃手として初陣を果たし、その後、単独飛行を経て戦闘機隊に配属されて初撃墜を記録したのは英仏軍が航空優位になりつつあった1916年4月のことで、戦場は激戦となったヴェルダン上空です（第48話）。

当時の戦闘機は航続距離が短いので、戦闘空域は配属された地域に限られました。リヒトフォーフェンはヴェルダン上空でフランス軍機と戦った後、フランス北西部に転属し、その後は戦死するまで、そこで対峙するイギリス空軍とだけ戦いました。いつも同じ相手と戦っていたのです。撃墜のほとんどはイギリス軍機であり、彼を撃墜したのもイギリス軍に所属するカナダ人パイロットだと考えられています。

大量生産時代

1916年8月になると、ドイツ軍は強力なアルバトロスD・II戦闘機（メルセデス製6気筒水冷150馬力）を導入して、英仏軍から再び制空権を奪い返しました。リヒトフォーフェンが第11戦闘機隊を率いて赤いアルバトロスでイギリス空軍と戦ったのがこの時期です。1917年4月のニヴェル攻勢時のアラスの戦い（第57話）では245機のイギリス機が撃墜されたのに、ドイツ側の損害はわずか66機で、イギリスではこれを「血の4月」と呼びました[207]。この戦いでのイギリス搭乗員の平均余命は配属後11日間しかなく、撃墜された搭乗員の80％の飛行回数は20回未満でした。

6月に入るとスヌーピーの愛機である英ソッピース社のキャメルや仏スパッド社のS・VII（180馬力）など、本格的に大量生産される英仏の主力機が次第に配属され、機体の性能よりも、むしろグラフにあるように工業生産力を背景とした数の論理

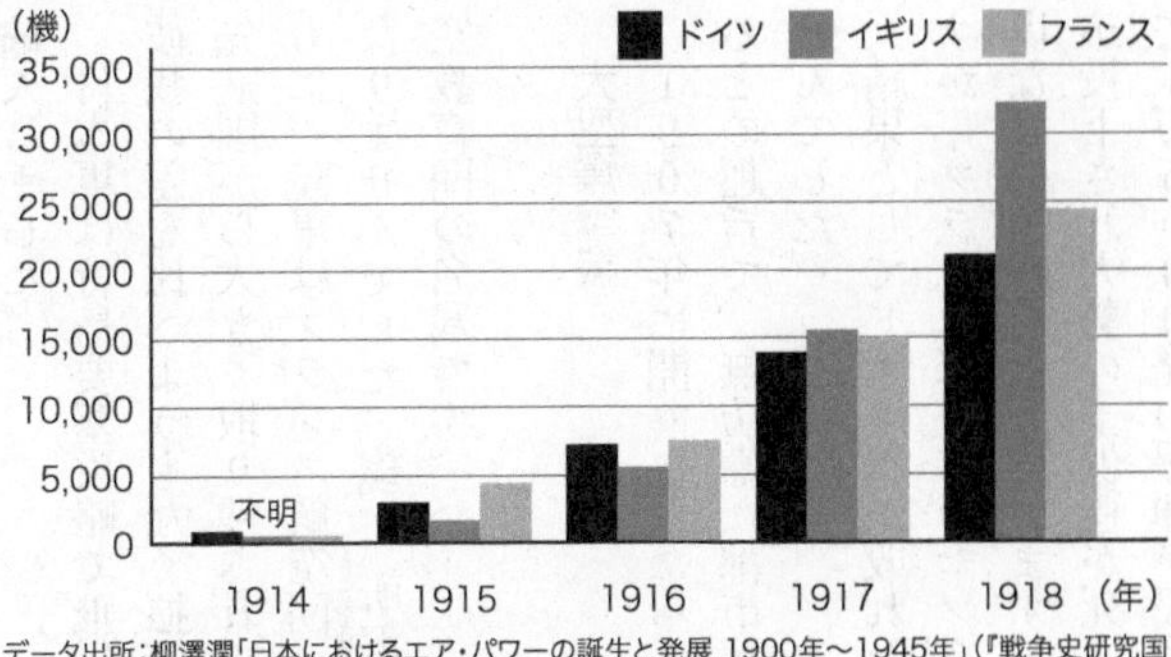

データ出所：柳澤潤「日本におけるエア・パワーの誕生と発展 1900年～1945年」（『戦争史研究国際フォーラム報告書』第4回）

航空機生産機数の推移。第一次大戦中に飛躍的に拡大した

で航空優位は次第に英仏に移っていきました。航空戦は国力の差があらわれます。

　イギリスは１９１８年４月に海軍航空隊と陸軍航空隊を融合して、世界で初めての空軍となる王立空軍（ＲＡＦ）を設立しました。リヒトフォーフェンの最後はこの月で、ドイツ軍最後の春季攻勢（第64話）の最中でした。ドイツ空軍も１９１８年に第一次世界大戦最高性能機と呼ばれるフォッカーＤ・Ⅶ（ＢＭＷ製水冷６気筒１８５馬力）を登場させましたが、制空権がドイツ側に戻ることはもうありませんでした。[208]

　グラフは第一次世界大戦期の独英仏の年別航空機生産機数です。総合計ではドイツ４万５７０４機、イギリス５万５７５６機、フランス５万２０００機、アメリカが１万４０００機、ハプスブルク帝国が４３００機でした。因みに日本は１２０機ほどを国産で製作し、40機ほどを輸入しました。

日本軍は青島要塞攻略で飛行機を飛ばしましたが、戦中の航空機の発達は列強との彼我の差を比べようもなく拡げてしまいました。このため日本は、航空戦において、先進国から大きく取り残されることになり、戦後すぐに英仏から機体を輸入するとともに、陸軍はフランス航空団、海軍はイギリス空軍を招いて航空戦を一から学ばねばなりませんでした。現在所沢（ところざわ）市にある航空記念公園は陸軍が招聘（しょうへい）した仏フォール航空教育団の名残です。

大型爆撃機

１９０７年に開催されたハーグ平和会議では、民間人は戦争の埒外（らちがい）におくべきであるとの趣旨で、無防備な都市への砲爆撃を禁止しました。しかし現実はそうはいきませんでした。

結果としてドイツ軍が敗れたために、パリやロンドンへの都市爆撃ばかりが有名ですが、フランス軍もエッセンやカールスルーエなどの都市、ルールのクルップ社の工場などに爆撃を行っています。カールスルーエでは公演中のサーカスのテントに爆弾が投下され大勢の子供達が死んでいます。ドイツ側の発表では戦争中に英仏軍によって１万５０００発の爆弾が民間人に対して投下され、７４０人が死亡し、１９００人が負傷したことになっています。

大型爆撃機という爆撃専門の機種が初めて登場したのも、第一次世界大戦です。英双発大型爆撃機のハンドレイ・ページは1917年に本格的に配備され、900キログラムの爆弾を積んでドイツ陸軍の前線やリヒトフォーフェンの航空基地を爆撃しています。またドイツ軍は当初ツェッペリン飛行船でロンドンやパリを爆撃しましたが、よく撃墜されたので中止され、1917年からは双発の大型爆撃機ゴーダG・VI(209)にとって代わりました。エンジン音を轟かせ編隊飛行で上空を飛ぶ爆撃機は市民にとって恐怖の的でした。

ドイツ軍参謀次長ルーデンドルフは「総力戦」という新しい国家間の戦争の概念を導き出しましたが、戦争が兵士だけでなく、国民全体で戦うものであるならば、生産拠点である銃後への爆撃は必然であったのでしょう。

フランスの空で戦った日本人

第一次世界大戦でのフランスは義勇兵を歓迎しました。アメリカ映画『フライボーイズ』（2006年）は、アメリカが参戦する以前に、義勇兵パイロットとしてフランス軍で活躍したアメリカ人戦闘機隊（ラファィエット部隊）の話です。こうしたアメリカ人と同じように、フランス軍で活躍した日本人パイロットもいました。バロン滋野(の)こと男爵滋野清武(きよたけ)です(210)。

彼は陸軍幼年学校に入学したものの、校風に馴染(なじ)めず上野(うえの)の音楽学校(現東京芸術大学)に転じてトランペットの兄貴分であるコルネットを習得しました。当時としては変わり者です。若くして結婚した愛妻を失うと単身パリへいき、音楽学校で学びつつも、当時進化を始めた飛行機操縦にとりつかれて日本人として初となる飛行機の操縦資格を取得しました。一旦(いったん)日本へ戻って陸軍飛行学校の教官となるも、やはり日本の軍隊とはそりが合わず再びフランスへ行きます。そして第一次世界大戦が始まると飛行大尉としてフランスの外人部隊に編入されたのです。

フランスには日本のコミックと少し違って、ジャンルとしての境目は明確ではありませんが、もう少し絵に重点をおいたバンド・デジネ(続き漫画)という出版ジャンルがあります。このバンド・デジネの『エーデルワイスのパイロット』(211)は第一次世界大戦の空中戦を描いたものですが、この中にバロン滋野も登場して活躍しています。彼は月間平均損耗率100%(212)というパイロットの世界で、第一次世界大戦を生き抜きました。

第60話　第二次無制限潜水艦作戦

充実するUボート戦隊

ルーデンドルフ参謀本部次長がドイツの実権を掌握した１９１６年の後半、西部戦線は塹壕戦となって膠着し、ドイツ軍首脳は陸上戦では英仏軍を屈服させることは不可能だと考えました。その代案として食糧や鉄鋼など原材料を輸入に頼る英仏の息の根を止めようと、無制限潜水艦作戦の再開を考えました。

無制限潜水艦作戦は１９１５年の「ルシタニア」号撃沈事件（第41話）の後で一度中止しましたが、事件当時就役していたUボートの数は50隻ほどで、整備や移動の時間などを考慮すると、実際に攻撃配備できたのは数隻しかありませんでした。実効性に乏しく、かつ評判だけが悪くなる作戦だったのです。

ところが１９１６年も半ばに近づいて、増産されたUボートの数が揃い出すとその事情は変わってきました。連合国商船撃沈トン数はUボートの数が増える１９１６年半ばまでは月平均10万トン程度だったのですが、その後は無制限作戦実行前にもかかわらず、Uボートの就役数の増加とともに次第に撃沈が増えて、秋口には月に30万トンを超えるようになってきていたのです。

稼働隻数が１５０隻を超えてくると、無制限潜水艦作戦再開によってイギリス経済を麻痺させて戦線離脱させるという戦局打開のアイデアは、その結果生じるであろう米国参戦リスクに勝ると考えられるようになってきました。こうしてドイツ軍首脳部は政治家や外交官の反対を押し切って、無制限潜水艦作戦の再開を決定したのです。

第二次無制限潜水艦作戦の再開が1917年2月、アメリカが参戦を表明した4月には左の上の図のように86万トンの撃沈を記録しました。

少し戻りますが、イギリス軍がガリポリの戦い（1915年2月-16年1月）（第40話）に敗れて、ダーダネルス海峡経由でのロシアとの交易がしばらくは不可能となった1916年1月、英紙『タイムズ』に「ガソリンの欠乏」という社説が掲載されました。

第一次世界大戦では石油を燃料とする船舶、また航空機、自動車、戦車など内燃機関を使った兵器や輸送機器の急増に伴って石油需要が急増しました。ガリポリでの敗退は、連合国にとって、将来的にロシア産の石油が輸入できなくなったことを意味しました。

石油は米国から輸入しなければなりませんが、そのためのタンカーが圧倒的に不足していました。無制限潜水艦作戦開始後の1917年5月にはイギリス海軍の石油備蓄が3か月分を割り、タンカーを確保するためには、Uボート対策は海軍自身にとっても切迫した事態となったのです。ルーデンドルフの読みは当たっていました。イギリスの敗北は目の前だったのです。

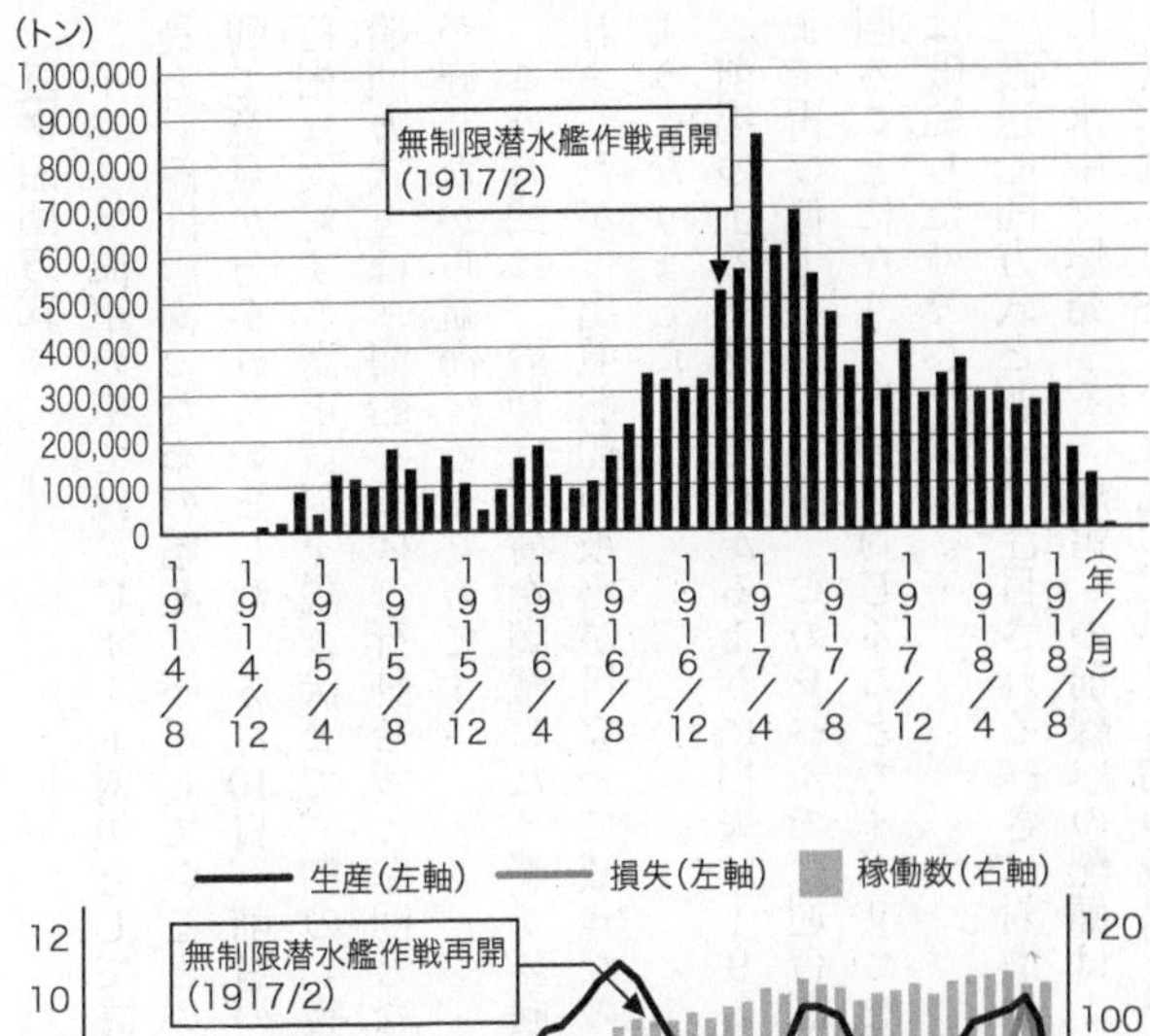

注：生産と損失は6か月移動平均値

データ出所：V. E. Tarrant, *The U-Boat Offensive 1914-1945*を参照の上作成

(上) 連合国商船被撃墜トン数

(下) Uボートの生産・損失隻数と稼働数

護送船団方式

イギリス海軍の中では、Uボート対策として護送船団方式を主張する潜水艦対策部長と、船団護衛のための艦船が不足しているという理由でこれに反対する海軍首脳の間で意見が分かれていました。5月10日、前者の主張を受け入れたロイド・ジョージ首相は反対する海軍首脳を説き伏せて、初の「護送船団方式」を採用しました。護送船団方式とは、商船が単体で行動せずに船団となって陣形をなし、その周辺を護衛艦が守りながら航海するやり方です。

この方式は、最初は積荷を満載したイギリス向けの帰航船舶にだけ限定的に採用されましたが、出航船舶の被害が目立って減ったのを受けて、次第に全体に採用されるようになりました。

前掲の上のグラフでわかるように損失は１９１８年8月初頭ごろに月30万トンレベルにまで再び低下したのです。このレベルでは連合国側の月間新造船建造能力が損失を上回ることになり、海運を封じることでイギリスを屈服させるというドイツ軍の目論見は破綻したのでした。

護送船団方式と並んで注目されるべきは対潜兵器の進化でしょう。護衛艦から投下して水中で爆発する「爆雷」の前線への配備は１９１６年1月からで、3月にはドイツ潜水艦「U68」を撃沈して早くも初の戦果を挙げています。また水中音波探知機も開発当初は水中の潜水艦の存在の有無だけがわかる代物でしたが、1917年以降に方向探知の性能が強化されていきました。さらに船団方式を取ることで飛行船や航空機の使用が効率的に行われるようになり、Uボートに対する探知能力と攻撃能力が向上したのです。

第二次世界大戦時のアメリカ太平洋艦隊司令官ニミッツ元帥は「船団方式は潜水艦を攻撃する絶好の機会である」とその著書『太平洋海戦史』（1969年）に記しています。兵器の発達は、Uボートをして獲物を狙う側から狙われる側に変えていったのです。

その様子は下のグラフの護送船団方式採用後のUボートの損失隻数に現れています。かくして連合国側の商船は増えるが、Uボートの総隻数は増えない状況に陥って、この輸送船とUボートをめぐる戦いは勝負があったのです。

Uボートは第一次世界大戦開戦以来381隻が就役し、連合国の商船5282隻、合計1228万トンを沈めました。ドイツ側の損失はUボート178隻、士官511人、下士官兵4576人でした。Uボート損失1隻当たり連合国の商船30隻を撃沈しました。これは第二次世界大戦時のUボートの戦果の8倍に相等しますが、そのほとんどがイギリス海軍による護送船団方式採用前の戦果でした。

第12章　終戦へ

1918年3月、ドイツはソビエト政府と講和条約を締結すると、東部戦線の兵力を西部戦線に移動して集中投入できるようになりました。しかし急がなければ編制を終えたアメリカ軍がやってきます。ドイツ軍は最後の賭(か)けに出ました。

第61話　ウィルソンの14か条

秘密外交

アメリカ参戦前、ウィルソン大統領はハウス大佐をヨーロッパに派遣して「無併合無賠償」を原則とする「敗者の無い和平」の仲介を試みていました。しかし、中立の立場を維持してきたアメリカは知りませんでしたが、日本も含む連合国諸国は、アメリカが参戦する以前に、すでに「秘密外交」と呼ばれる様々な秘密協約を結んでいました。例えばイタリア参戦の条件として、戦勝後のハプスブルク帝国領の一部併合が約束されていましたし、日本の地中海艦隊派遣には、旧ドイツの租借地である中国の青島利権の承認が前提になっていました。また中近東では、英仏露の間で「サイクス・ピコ・サゾノフ協定」と呼ばれるオスマン帝国領の分割案が既に約束されていたのです。

アメリカからのこうした協定の有無に関する問い合わせに対して、アメリカ参戦直後の5月18日には、イギリス外務省から密約の詳細が送付されてきました。ウィルソンはハウス大佐を欧州に再度派遣して密約廃棄の申し入れをしましたが、それがアメリカ参戦の条件であるならばともかく、既に参戦してしまった以上、連合国からは相手にされませんでした。

1917年8月1日、ローマ法王が世界に向けて和平提案を呼びかけました。これは以前ウィルソンが参戦諸国に呼びかけていた「無併合無賠償」と同様に、あたかも戦争が無かったかのように世界を元に戻そうという案でした。これにはドイツ[213]が少し好意的な反応を示したものの、実際にはどちら側からも相手にされませんでした。

ウィルソンも参戦して立場が変わりました。すでにアメリカ国民の血と肉体をかけて参戦した以上、「勝利なき平和」などは望みようがありません。彼は、戦争の勝利によってのみ世界に民主主義を打ち立てられるのであって、ドイツ軍国主義の打倒なしでは平和は訪れないと考えを改めました。

ウィルソンは、今や世界で最も影響力を持つ（金を貸している）国家の大統領として、彼独自の和平案を考えることにしました。そこで戦後の世界の在り方を研究するアカデミックな専門家集団の組成をハウス大佐に指示します。ハウス大佐はこの時ウォルター・リップマンという弱冠28歳のハーバードを首席で卒業した天才ジャーナリストを見出して この職務の中心人物としました。「調査グループ」と名付けられたこの組織は当初5名でスタートしましたが、1年後には125名にまで拡大しました。この組織は「フォーリン・アフェアーズ」誌を発行する現在の「外交問題評議会」（CFR）に発展しています。

ある日、リップマンが情報収集のために国務省（日本の外務省）の中近東課を訪問すると、そこは課長職たった1人だけの部署で、その課長も中近東に行ったこともない人物だったというエピソードが残されています。アメリカはそうした状況下で戦後の世界の設計図を描こうとしていたのです。

共同交戦国

1917年11月8日、ローマ法王に続いて、今度はロシアの10月革命（ロシア暦）によって成立したソビエト政府が「平和に関する布告」を発表しました。ここでは「公平で民主的な講和」「無併合・無賠償の即時講和」「民族自決」などの項目が含まれていました。特に民族自決に関しては、ヨーロッパ・非ヨーロッパの区別なく植民地を含めた領土・民族の強制的な「併合」を否定して、民族自決の全面的承認の規定がそこにありました。我々の知る後のソ連とは随分違います。

植民地を多く持つ英仏は当然のことながらこの提案を拒否しました。ソビエト政府は、その後単独でドイツと講和を結ぶことになりますが、その時、彼らの政権の存立を正当化するために、ロシア帝国時代に結ばれた秘密外交を国際社会に暴露しました（帝国時代の債務もすべて返さないことにしました）。

アメリカはロシアによる秘密外交の暴露を受けて、「アメリカは秘密外交によって成立した協定に一切拘束されることはない」と宣言しましたが、この宣言もまた英仏日伊など連合国側からは無視されました。

しかしアメリカは、戦後の欧州諸国はいずれにせよ財政的に米国に頼る以外に途はなく、秘密協定などはアメリカのパワーを以てすれば無視できるだろうと考えていました。アメリカはドイツに宣戦布告をしましたが、英仏を同盟国とみなしたわけではなく「共同交戦国」として扱いました。従ってアメリカがどうするのか、すべてを彼らに相談する必要もなかったのです。

こうした理由からハウス大佐が組成した「調査チーム」は、他国からの影響を受けることなく独自の平和構想の完成を目指すことになりました。世界の諸民族の分布状況や民族主義運動の動向などが大急ぎで調査されて、リップマンは1917年12月22

日になって「戦争目的とそれに沿う講和条件」という8項目のレポートを書き終えます。これにウィルソン大統領自身が6項目（最初の5項目と最後の1項目）を追加して「14か条の平和原則」となって、1918年1月8日のアメリカの議会演説で発表されたのです。

14か条の狙いは「各民族集団の自決への要求に応えつつも、それを制約し、各国政府の要求を満たしながら世論の幻滅を避け、連合国の統一を維持しながら戦後処理をはかる」[214]という、どちらかというと玉虫色のものでした。このうち、①公開外交（秘密外交の廃止で「新外交」とも呼ばれるようになる）、②公海の自由、③関税障壁の撤廃、④軍縮、⑤植民地住民の権利の尊重、そしてウィルソンにとって一番大事な⑭国際連盟の創設、などの一般原則は理想主義的で曖昧な分だけ世界の諸国民の熱狂的な支持を得ました。この部分はウィルソン自身が構想したもので世論の幻滅を避けたともいえるでしょう。

しかし問題は、各国政府の要求を満たす必要がある具体的な領土処置が書かれた⑥から⑬の項目でした。⑥は新しいロシアであるボリシェビキ（ソビエト政府）の承認、⑦ベルギーの主権回復、⑧アルザス・ロレーヌの問題、⑨オーストリアとイタリアの国境問題、⑩ハプスブルク帝国下の諸民族の自治、⑪バルカン半島、⑫オスマン帝国の安全保障と帝国治下の諸民族の自治の保障、⑬ポーランド問題などでした。戦争の敗者にすればこの終戦の条件は穏やかで受け入れやすいものでしたが、それは言い換えれば勝者にとっては話にならない条件でした。しかしアメリカが参戦して、アメリカ人の死傷者が増えていく過程で、ウィルソンの気持ちも次第に変化していきました。戦争は理想主義だけでは済ませられないものでした。

ブレスト・リトフスク条約

ソビエト政府は「平和に関する布告」で諸民族の独立を訴えながらも、ロシア革命の混乱に乗じて独立を図ったウクライナの独立は認めませんでした。1917年12月からロシアとドイツを始めとする同盟軍の間で地図上のラインで休戦協定が結ばれていましたが、同盟軍は14か条の演説の翌日である1918年1月9日にウクライナの独立を承認すると、ウクライナ領内の深くまで進撃できる態勢をとりました。

1918年2月10日、ドイツ軍は、実質無防備状態のロシア領内を東に向けて一気に侵攻を開始しました。3月3日に至りドイツは地図にあるように占領地を大きく広げた上でロシアとの間で講話条約である「ブレスト・リトフスク条約」を締結しました。

ロシア革命下の混乱で独立を模索していたウクライナには独立が保証され、ロシア帝国下で支配されていたポーランドを除く東欧のその他の諸民族は、はからずもドイツのおかげで独立することになったのです。

ドイツにすればこの講和条約によって兵力を西部戦線に向けて移動できるようになります。これで西部戦線で決着を付けられると考えたのでしょう。またドイツはこの条約によってウクライナから穀物を得られるはずでした。

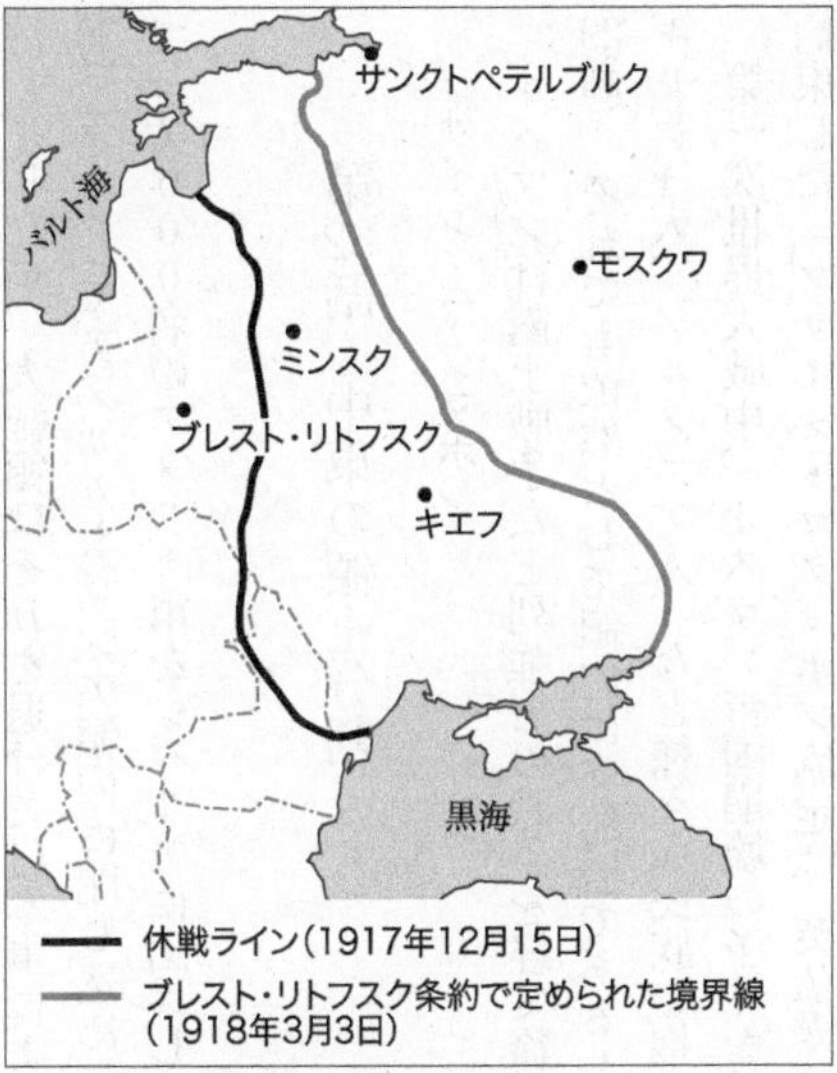

データ出所：Arthur Banks, *A Military Atlas of the First World War*を参照の上作成

ブレスト・リトフスク条約の講和ライン

ドイツ国内ではドイツはいよいよ連合国に対して有利になったかのように映り、3月発行の8度目の戦時国債はよく売れました[215]。またソビエト政府とすれば、国外のことなどよりもロシアの覇権をかけて連合国が支援する白軍とも戦わなければなりませんでした。ハウス大佐はウィルソン大統領にボリシェビキ（ソビエト政府）と話し合うように進

言しましたが、大統領はそれを退けて日本軍によるシベリア出兵を容認しました（第70話）。そしてアメリカもロシア領内に閉じ込められたチェコ軍2個師団救出の名目で、7000名のアメリカ軍をシベリアに出兵したのです。(216)

第62話　中東の領土分割

フサイン・マクマホン

オスマンは露土戦争など列強との戦争を経て徐々に領土を縮小してきましたが（第29話）、それでも依然として領内に支配層であるトルコ人の他、アラブ人、クルド人、ギリシャ人、アルメニア人、など様々な民族を抱える帝国でした。

第一次世界大戦中、オスマン帝国崩壊の予兆を前に、イギリスがアラブ人に領土を約束した「フサイン・マクマホン協定」、英仏露の間に結ばれた列強間のオスマン帝国分割案である「サイクス・ピコ・サゾノフ協定」、イギリスがユダヤ人に対してパレスチナに「郷土」を約束した「バルフォア宣言」の3つは、約束された領域が重なり合う矛盾したものでした。

このため植民地主義の不当な分割の象徴としてイギリスの「三枚舌外交」と呼ばれ、現在の中東情勢にも影響を与えているとよく指摘されるところです。

連合軍がオスマン軍とのガリポリの戦いに苦戦している頃、イギリスはオスマン帝国領のシリアやアラビア半島など住むアラブ人に対して、トルコ人支配に対する反乱を起こして独立するようにけしかけました。イギリスはアラブ人の代表としてマッカの首長であるフサイン・イブン・アリーに狙いを定めて、在カイロのイギリス高等弁務官ヘンリー・マクマホンに条件交渉をさせました。

両者で交換された何通かのマクマホン書簡のうちのひとつ、1915年10月の書簡に、アラブ人の支配すべき領域が示されていたので、これが「フサイン・マクマホン協定」として世に残されました。書簡の内容は非常に曖昧で、フサインの要望する土地に関しては、マクマホンは実質何らの支持の言質も与えずにすましていたのが実情です[217]。

フサインは翌1916年6月にオスマン帝国に対して反乱を起こしましたが、この時フサインは「統一派」と呼ばれる青年トルコ人運動の面々によって、すでにオスマン帝国内でのマッカ総督としての地位が危うくなっており、マクマホンによる工作がなくともイギリスとの妥協は必要な状況でした。イギリスはフサインを過大評価しましたが、彼にはアラブ人全体を結集する力もなければ、オスマン軍を撃退するほどの実力もありませんでした。またイギリスはあくまで英仏の保護下におけるアラブ人の独立を想定しており、完全な独立など考えもしませんでした。

サイクス・ピコ・サゾノフ

フサインとマクマホンの間で書簡が交換されている頃、ロンドンではフランス代表の外交官フランソワ・ジョルジュ・ピコとイギリスの中東専門家マーク・サイクスの間で、第一次世界大戦終了後のオスマン帝国領の分割案について話合いがもたれていました。フランスはオスマン帝国に対する多額の債権保有者であり、シリアには古くから権益を保持していましたが、フランス本国の領土がドイツに侵されている以上、中東に割ける余分な戦力はありませんでした。だからと言って、実質的に軍事力を行使するであろうイギリスの好きなようにさせるわけにはいきませんでした。

両者の予備協定（最終的にロシアの承認が必要だから予備である）が結ばれたのが1916年1月3日。これはガリポリ撤退作戦の最中でした。現実のオスマン軍相手の戦況では英仏軍が撃退されていた時期です（第40話）。しかしそんなことはおかまいなしに、この協定は同年5月にロシアの承認を経て「サイクス・ピコ・サゾノフ協定」として成立しました。これは当事者以外には知らせない秘密外交だったのですが、後にロシア革命のソビエト政府によって国際社会に暴露されました（第61話）。その際にロシアのサゾノフが脱落して「サイクス・ピコ協定」と呼ばれるようになりました。

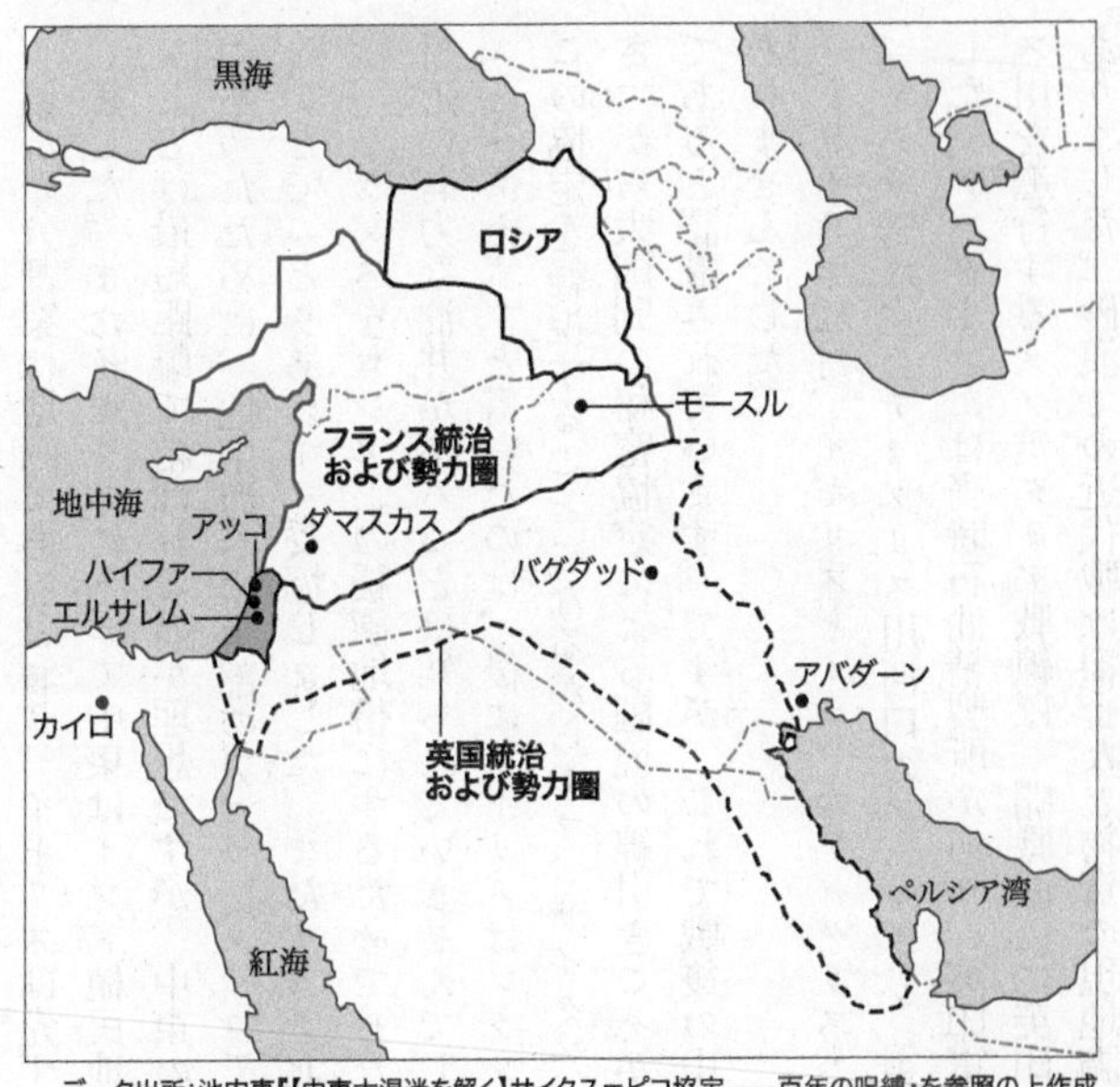
黒海
ロシア
モースル
フランス統治
および勢力圏
地中海
アッコ
ダマスカス
ハイファ
バグダッド
エルサレム
アバダーン
カイロ
英国統治
および勢力圏
ペルシア湾
紅海
データ出所：池内恵『【中東大混迷を解く】サイクス＝ピコ協定――百年の呪縛』を参照の上作成
英仏露の勢力圏

領土の分割案は地図にあるとおり。イギリスは先ずメソポタミアの油田地帯を確保しました。またイギリスにとって中東はインド植民地への経路にあたります。本来インドとは最短距離で結ばれるのが理想ですが、中東の地中海東岸はフランスの影響下にあったために、地中海沿岸南部のアクレ（アッコ）とハイファの港湾だけを確保することで「とりあえず」妥協しました。またイラク北部を大きくフランスに譲ったのは、フランスをロシアとの緩衝地帯にするためでした。この時点ではまだ、モースル付近に有力な油井があることは知られていませんでした。

「とりあえず」と書いたのは、後にイギリスはフランスに譲歩をし過ぎだと考えて、この協定を軽視することになるからです。サイクス・ピコ協定はその「わかりやすさ」から大国間の秘密協定による国境の線引きこそが、現代の中近東の諸問題の根源であると認識されています。ですが、これで戦後の中東の国境線が定まったわけではありませんでした。

1916年12月、イギリスとインドのティグリス方面軍がバグダッドを目指して、ペルシャ湾に注ぐティグリス川河口のアバダーン（現イラン領）から進撃を開始しました。アバダーンには当時石油精製所があり、英印軍が守備していました。ティグリス川を遡行するメソポタミア戦線は、開戦直後に英印軍が補給困難で敗退した経緯がありました。砂漠での近代戦は糧食など物資の現地調達が不可能な以上、ロジスティクスの戦いになります。態勢を立て直した英印軍は1917年3月にはオスマン軍を排撃してバグダッドに到達しました。

1917年10月、地中海側ではイギリス陸軍エドモンド・アレンビー将軍指揮する在カイロのエジプト遠征軍が、エルサレムに向けて北上しました（パレスチナの戦い）。アレンビーは艦船による補給を巧みに使って海岸線を北上、10月にガザからオスマン軍を駆逐すると、12月11日には聖地エルサレムに入城しました。これは、イギリス本国では「素晴らしいクリスマス・プレゼントである」とメディアでは喧伝（けんでん）されました。エルサレムはサイクス・ピコ協定では英仏どちらにも属さない国際管理地域と決められていました。

この戦闘ではイギリス連邦のオーストラリアとニュージーランド合同の「アンザック（ANZAC）軍」兵の血が多く流されました。フランス外交官のピコもイギリス軍に同行していましたが、アレンビーはエルサレムの占領政策についてピコの口出しを却下しました。サイクス・ピコ協定を軽んじ始めたのです。

アラビアのロレンスが活動したのはこの戦線で、フサインの息子ファイサルの部隊に同行してオスマン軍の鉄道破壊に従事しました。ロレンスは後に、ファイサル軍の戦果を誇張した記事をタイムズに寄稿して、この時はアンザック兵達を憤慨させたのだそうです。

バルフォア宣言

イスラエル建国を目指す運動「シオニズム」のシオンとは、ユダヤ人の故郷であるパレスチナのエルサレム地方の歴史的な地名です。19世紀末、この地方には2万5000人程度のユダヤ人達が古くから暮らしていました。そこに1894年のフランス陸軍のユダヤ人参謀将校ドレフュス大尉の冤罪（えんざい）事件（第21話）をきっかけとして、ユダヤ人の民族独立運動としてシオニズムが盛り上がり、ユダヤ人が集まり始めました。

その当時パレスチナへ向かったのは、東欧各地で迫害されていたユダヤ人農民でした。彼らは違法にパレスチナに侵入した難民ではなく、シオニスト運動で集められた資金を元手に不在地主から土地を購入して、オスマン帝国の臣民としてスルタン（君主）に許可をもらって農民として入植したのです。こうしたオスマン帝国支配下のパレスチナのユダヤ人は第一次世界大戦直前には8万5000人にまで達していました。一方でこの地にはパレスチナ人も70万人いました。(218)

1917年、イギリスの中東問題の専門家サイクスはアメリカの参戦に当たって、ユダヤ人がアメリカの政治に大きな影響力を持つことを考慮して、イギリス政府は何らかの形でシオニズムに賛同する旨を宣言すべきだと考えました。これが1917年11月2日のバルフォア英外務大臣からロスチャイルド卿（きょう）あてに書かれた書簡「バルフォア宣言」です。

ここではイギリス政府が、パレスチナにユダヤ人の民族的郷土（国家とは書かれていなかった）が樹立されるべく努力することが書かれていました。この時点ではファイサルも、つまりアラブ人も「一応」シオニズム支持を表明していたのです。国土の中の一部に恩恵的なユダヤ人の郷土（国家ではない）があっても構わないと考えたのでしょう。

意外かもしれませんが、世界各地で成功していたユダヤ人達はこのことによって起きるであろう「反ユダヤ主義」を懸念していました。彼らは民族として筋金入りの苦労人でした。ロスチャイルド家は元々、ユダヤ人は移住した国に従うべきだと考える同化主義者でした。しかし、オスマン帝国崩壊の予兆を前に、パレスチナであればユダヤ人も救われるかもしれぬと、一部の者はシオニズムに尽力するようになっていったのです[219]。

「バルフォア宣言」が英『タイムズ』紙上で公開された少し後、エルサレムを占領したイギリスのアレンビー将軍は、次の要衝であるダマスカスを目指して攻略の準備を始めました。内陸の戦いでは兵站（へいたん）確保のための鉄道の事前整備が欠かせませんでした。

中東の領土分割はまだまだ定まりませんでした。

第63話　瓦解する同盟国

内部崩壊

地図は1918年初頭の第一次世界大戦の戦線を表しています。東部戦線はブレスト・リトフスク条約締結前の休戦期間の前線です。戦線はフランスから中立国であるスイスまでの西部戦線、イタリアとハプスブルクとの間でのイタリア戦線、バルカン半島サロニカ(テッサロニキ)のセルビアをめぐるハプスブルク・ブルガリア・オスマン軍対連合国軍の戦線、カフカース地方にあるオスマンとロシアの戦線、それに南側からオスマンに迫るパレスチナとメソポタミアの戦線から構成されていました。

イタリア戦線では、1917年10月にドイツ軍がハプスブルク軍の応援にかけつけ、カポレットの戦いにおいて、ヴェネツィアに迫るまでイタリア軍を後退させました(第43話)。しかしながら多民族で構成されるハプスブルクは、すでに経済的な疲弊が激しく、帝国内各民族の独立の気運も盛り上がり、これ以上の戦争継続にドイツとの共通利益を見出せなくなっていました。もし同盟国側が勝ってもハプスブルクはドイツの保護国のような立場に組み入れられることは必定であり、仮に負ければ、ウィルソンの民族自決の考えに沿って帝国は解体されるでしょう。1916年11月に68年間在位して崩御したフランツ・ヨーゼフ一世の後を襲ったカール皇帝は、早々とドイツ

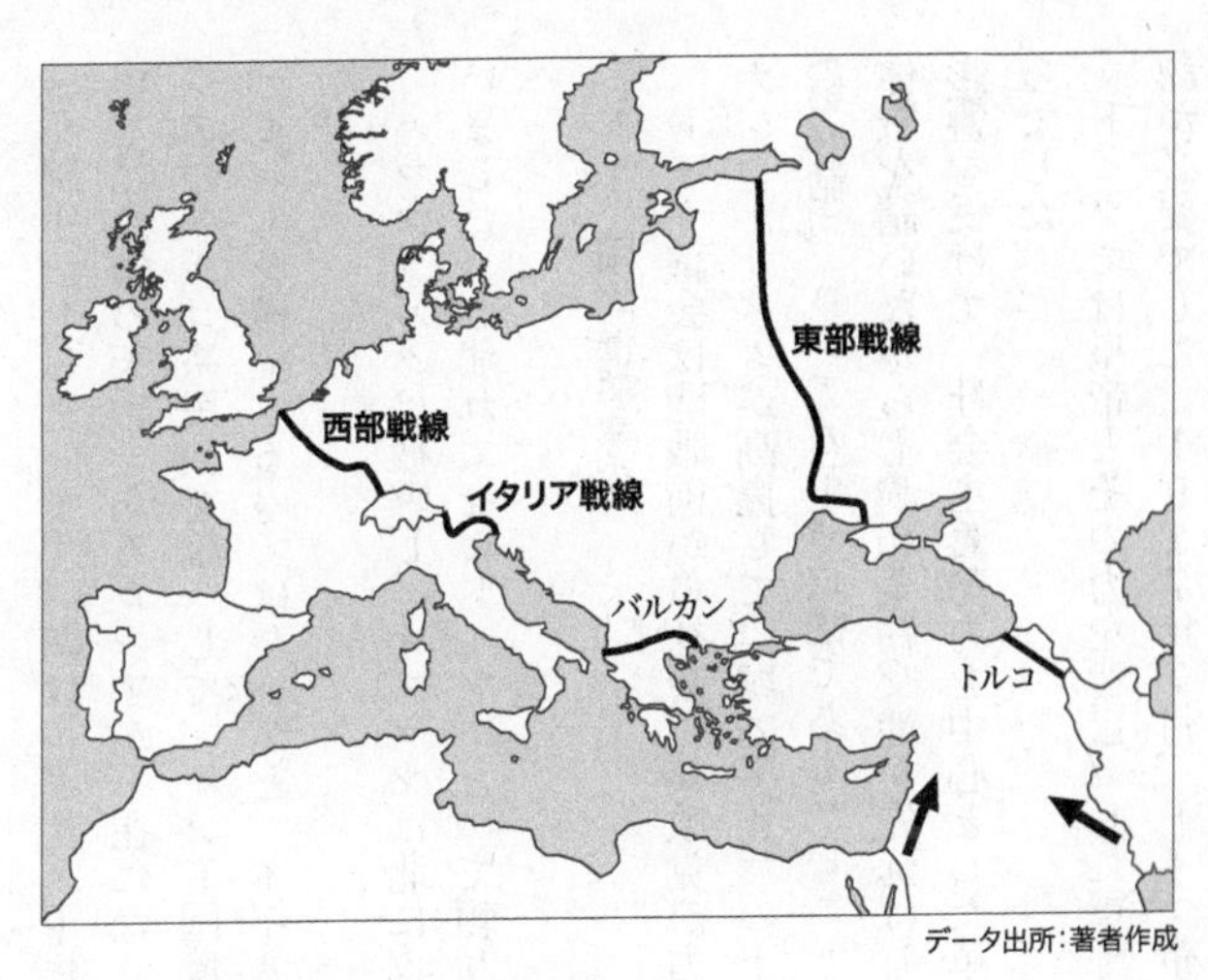

データ出所：著者作成

1918年の戦線

に見切りをつけて、フランスとの間で極秘に平和交渉を始めました。またブルガリアは降伏したルーマニアの一部を切り取ってすでに満足しており、戦争継続の必要性を実感できずにいました。

オスマンは1917年を通じてパレスチナとメソポタミアの戦線に集中していましたが、ロシア革命の進展とともに、カフカース地方ではロシア軍が引き揚げて、同地のアルメニア人、アゼルバイジャン人、グルジア（現ジョージア）人がトランス・コーカシア共和国を作りました。

しかし元々お互いの仲が良いとはいえない民族集団は長続きせず、1918年に入るとオスマンはこの地域を制圧してしまいます。南はイギリス軍によってアラブ地域が侵される一方で、北東では永年の天敵であるロシアが不在になりました。この間にオスマン帝国は中央アジアのトルコ系民族を統一して、インド国境にまで迫るパン・ウラル＝アルタイ・ヘゲモニーを構築するのではないかと、イギリス軍首脳部の間では真剣に懸念されました。

ハプスブルクは疲弊し、オスマンは北に攻めてはいましたが、南から攻め込まれていました。いずれにせよドイツにとって頼りになる同盟国ではありませんでした。

ドイツ国内情勢悪化

ドイツ議会は開戦前から社会主義政党が力を持っていましたが、戦争勃発とともにナショナリズムが高揚して「城内平和」の下に戦争協力をしてきた経緯がありました（第44話）。ロシアの革命政権であるソビエト政府が、1917年末にドイツに対して休戦を請いながらも講和条約交渉を先延ばししたのは、やがてドイツもロシア革命の影響を受けて、社会主義勢力を中心とした革命が発生するのではないかと期待したからでした。

ドイツでは皇帝とその力を背景にした軍部の力が強いのですが、予算には議会の承認が必要でした。1917年7月、ドイツ帝国議会は212対126で「強制的な領土獲得や、政治経済的または財政的強制手段によらない方法による、相互了解の平和と人民の恒久的和解」を求める講和決議案を採択しました。要するに議会は講和を求めたのです。さらにシビリアン・コントロール、つまり軍部は帝国議会の下におくべきと主張して、戦時公債の追加発行を認めませんでした。これに対してルーデンドルフが率いる最高司令部は、首相であるベートマン・ホルヴェークが帝国議会を抑制できないのであれば、これを代えるまでと、皇帝に進言して彼を更迭しました。

そして最高司令部は、ドイツ軍が占領した土地はすべて併合すると主張する傀儡（かいらい）の「祖国党」の創設を支援しました。これはドイツ初のポピュリスト的右翼運動で、ナショナリズムに盛り上がる国民には予想外に人気があり、党員は1年後には125万人にまで膨らみました。

ドイツでは食糧の不足が深刻でした。グラフは開戦前の1913年を100とした場合の各年度の消費指数です。肉の消費量は1916年時点で既に開戦前の30%となり、卵に至っては20%を割っていました。[220]じゃがいもだけがタンパク質のかわりに摂取されていたのです。民間だけではなく、軍隊も飢えていました。ナポレオンは「軍隊は胃袋で動く」と言いましたが、糧食が不足するような軍隊は士気もあがりません。

1917年8月、ドイツの軍港ヴィルヘルムスハーフェンで戦艦戦隊の水兵たちによる反乱が発生して、死刑で処罰される者もあらわれました。ロシア革命の思想的な影響もありますが、根本原因は食糧でした。

特に将校と水兵の待遇の格差に不満が集中しました[221]。ドイツ海軍では身分による差別がとても大きかったのです。例えば英米の海軍では1899年に兵科と機関科の身分差をなくし、フランス海軍では将校の2割が、下士官、水兵上がりの准士官から選抜されていました。また日本では平民の出自であっても、勉強ができれば兵学校を経て提督への途も開かれていました。しかしドイツ海軍ではそうした処置は一切ありませんでした。兵科士官を身分と経済力のある人材に限定するために、新任士官の食費や制服代をしばらくは親の負担としてきたほどでした。

1918年1月には軍港のあるキールと首都のベルリンでも食料を巡るストライキとデモが発生して、戒厳令が布告されました。ユトランド沖海戦以降、出撃しない海軍の士気は著しく低下していました。

軍隊が食糧不足でしたから、一般の国民はさらにひどい状況にありました。食料を求めて配給を待つ人々の列は、暇つぶしの会話を通じて、政府によって統制された情報以外の不満を拡散しました。これがやがてストライキとなり、ロシアのように革命の原動力となりかねませんでした。

愛国主義が支配していたドイツ帝国も、1916年に「カブラの冬」(第50話)をすごし、1917年の冬に至ると、それまで無制限潜水艦作戦によってかろうじて繋(つな)

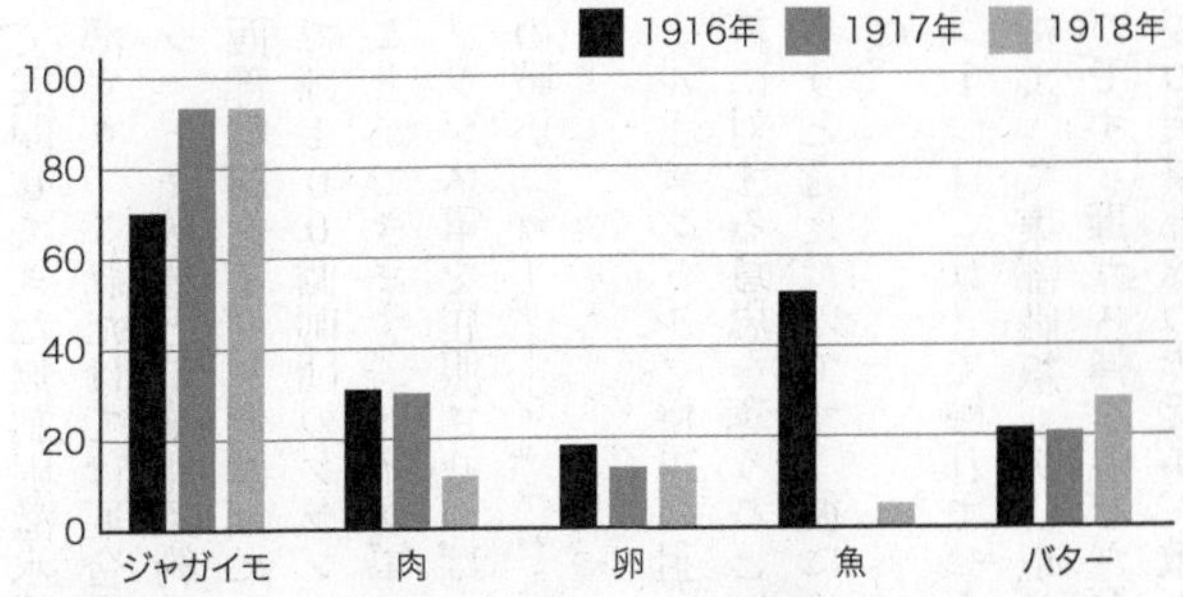

データ出所：ジャン＝ジャック・ベッケール、ゲルト・クルマイヒ『仏独共同通史 第一次世界大戦<上>』

ドイツの食糧事情（1913年＝100）。総じて悪化の一途をたどった

いできた勝利にむけての一体感を次第に失いつつありました。イギリス海軍による海上封鎖は食糧不足というダメージを、ロシア革命は思想的な影響をドイツ国民に与えました。

そうした中、ルーデンドルフは、ロシアの降伏によって余った東部戦線の兵力を移動させ、西部戦線での兵力の集中展開が可能になりました。その一方で彼は、1918年の夏までにアメリカは100万人の戦力を準備するだろうと考えていました。参戦した米国兵が大挙ヨーロッパにやって来るまでに、英仏を屈服させねばなりませんでした。

第64話　ドイツ軍春季攻勢

新戦術と新兵器

1917年末、ドイツが年初来必勝の作戦とし

て展開してきた無制限潜水艦作戦は連合国による護送船団方式の採用によって効果が薄まり、これだけでは連合国の早期降伏は見込めなくなりました。しかし一方でボリシェビキ政権との講和条約によって、ドイツ軍は東部戦線から44個師団を引き抜いて、西部戦線を199個師団にまで強化できるようになりました。これであれば西部戦線では100個師団のフランス軍、58個師団のイギリス軍に対して数の上で優位に立つことができます。ドイツ軍はアメリカ軍100万人が到着する夏までに、イギリスとフランス軍を屈服させねばならない状況でした。これがドイツ軍最後の大攻勢、皇帝の戦い（カイザーシュラハト）とも呼ばれる1918年の一連のドイツ軍春季攻勢です。

ルーデンドルフ将軍の狙いは先ずは強力なイギリス軍を倒して、イギリスの戦争継続に対する意思を奪うことにありました。そうすればフランス軍は自然に屈するであろうと考えたのです。彼には勝利のための具体的な2つの新しい手掛かりがありました。

1つはこれまで触れませんでしたが1917年9月にドイツ第8軍フーチェル将軍によって東部戦線リガ（現ラトビア共和国）攻勢で実証された「浸透戦術」というものです。毒ガス弾を混ぜた短時間での正確で強烈な砲撃のあと、最前線に集結した精鋭の突撃部隊の歩兵が、敵の小拠点を無視して一気に敵陣内に前進する。無視した拠

MP18 短機関銃

点は孤立するので後続部隊の処理に任せ、大きく敵地に侵攻することだけを考える。これは、これまで積み上げられてきたドイツ軍の戦訓の集大成がリガの地で発揮されたものだったのですが、ルーデンドルフはこの作戦を西部戦線の英仏軍に対して大規模に適用しようと考えたのです。

もう一つは、ベルグマンMP18短機関銃の完成です[222]。塹壕戦における最大の障害は敵陣の機関銃です。敵陣を制圧するためにはその火力に対抗できる大量の携行可能な機関銃が必要でした。この新型銃は3月までに少なくとも5000丁の配備が可能な状態でした。

ルーデンドルフは各部隊から優秀な兵を抽出して彼らに機関銃を持たせ、先頭に立って「浸透」の先鋒の役割を果たす突撃隊を編成しました。

突撃隊は機関銃の制圧力を頼りにしゃにむに前進して敵の通信所や指揮所をめざします。また、リガ攻勢で活躍した職人芸の砲術指揮官、ブルフミュラー大佐による砲撃指導を徹底して万全を期しました。もっとも、懸念材料もありました。ドイツ軍は長い戦役による疲労の蓄積が顕著で、突撃隊はエリート集団で優秀であっても、その後方部隊は戦意も技術も相当劣化していたことです。また大砲の数が揃わず、もはや各方面での同時の攻勢は困難で、作戦毎にブルフミュラー大佐ともども砲兵隊も移動しなければならなかったことです。攻撃と攻撃の間に間が空いてしまうのです。

空腹の軍隊

1918年3月21日にその第1弾であるミヒャエル攻勢が発動されました(①)。ミヒャエルとはドイツの守護天使です。全ドイツ軍の半数に当たる大砲6473門、迫撃砲3500門が集められ、航空機730機の支援の下、突撃隊が正面する英第5軍に向けて侵攻しました。目標は鉄道結節点アミアンを確保して英仏軍を分断することにありました。撃墜王リヒトフォーフェンの伝記[223]にも、作戦の意図を秘匿するために連日出撃して、敵偵察機の侵入を許さなかったと書いてあります。

対するイギリス軍は大砲2500門に迫撃砲1400門、航空機579機で迎え撃ちましたが、ドイツ軍の侵攻はすさまじく、最深部では4日間で64キロも押し込まれました。また同時にクーシーの森からは120キロ離れたパリに対して砲撃が開始されました。有名な「パリ砲」です。合計で360発近くの砲弾が発射されパリ市民2

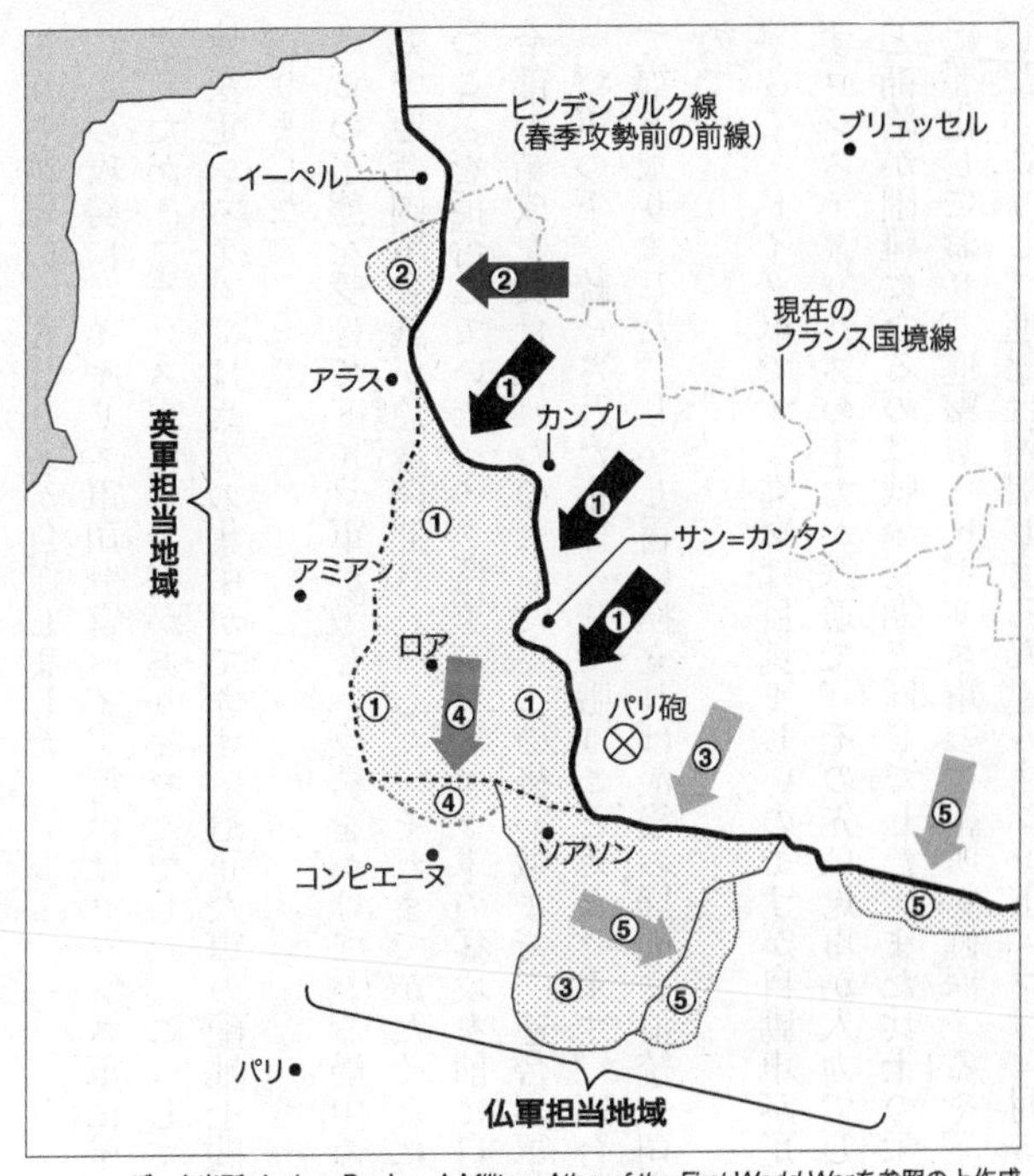

データ出所:Arthur Banks, *A Military Atlas of the First World War*を参照の上作成

1918年ドイツ軍春季攻勢占領地

50名が死亡、620名が負傷しました。

この攻勢に、イギリス軍司令官ヘイグ将軍はフランス軍に予備部隊の派遣を依頼しましたが、フランス軍にも余裕がありませんでした。こうして各国軍バラバラでの意思決定システムでは兵力の集中ができず、適正な軍の配地上問題であることが明確になりました。

この事態を受けてドイツ軍が激しい攻勢をかけている最中の3月26日にアミアン近郊で連合国軍会議が急遽（きゅうきょ）開催されました。それまでかたくなにフランス軍の風下に立つことを拒否していたヘイグ将軍が、ドイツ軍の猛攻を前に自尊心を抑えて、統一指令部の結成を受け入れたのでした。この後終戦まで、連合国軍はフランス軍フォッシュ将軍の下、統一された指揮系統で戦うことになります。連合軍にとっては災い転じて福となりました。しかし言い換えれば最後の局面まで統一司令部は作られなかったのです。

さて、ドイツ軍です。進撃は目覚ましいのですが自動車が足りません。相も変わらずロジスティックスの主力が鉄道で、その先は馬車か人力でした。進撃すればするほど補給が困難になるのは戦争初期と同じでした。また兵士の栄養状態は年を追うごとに悪化しており、進撃してイギリス軍の補給所を確保するや、食糧をむさぼる有様でした[24]。こうして進撃は停滞しました。ルーデンドルフは4月5日にミヒャエル攻勢を中止して、矛先を北部に切り替えることにしました。

4月9日、再びブルフミュラー大佐の砲撃とともに、ドイツ軍春季攻勢第2弾ゲオルゲット作戦②が発動されました。ここではドイツ軍のあまりの攻撃の苛烈さに、このまま後退すればイギリス軍はドーバー海峡に突き落とされると危惧したヘイグ将軍は、「進退窮まれり、我々は自分達の正義を信じ、各自最後まで戦うべし、祖国の安全と人類の自由はこの瞬間の我々個々の行動にかかっている」[225]と命令を発しました。これはイギリスの新聞に掲載され大きな反響を呼びました。ところがイギリス軍が正に背水の陣でなんとか持ちこたえると、ルーデンドルフは4月30日に再び作戦を中止しました。この時点でドイツ軍は3月21日の作戦開始以来すでに精鋭35万人を失っていました。

おそらく客観的に見ればもはやドイツ軍勝利の望みは絶たれていたでしょう。それでも5月27日、ルーデンドルフはフランス軍の戦線に攻撃の矛先を変えました、あわ良くばパリを目指そうというのです。ブルッヒャー・ヨーク作戦③です。再び砲撃の専門家ブルフミュラーが登場し、こんどは4時間半で200万発の砲弾を撃ち込みました。防衛側のフランス第6軍は基本的に攻撃的態勢をとっていたので、縦深陣地を構築していませんでした。そのために、戦線はやすやすと突破され、ドイツ軍は、一時はパリに迫るかにみえました。フランス政府は再び首都を移転しようかと思案しましたが、今度はポアンカレ大統領とクレマンソー首相が動きませんでした。仮にパリが陥落しても英仏軍は戦い続けたに違いありません。そうこうしているうちに65万人にまで膨れ上がったアメリカ軍がいよいよ戦闘に参加しはじめました。体格は欧州人より大きくて、陽気で、ガリガリのドイツ兵にくらべて、なにより栄養満点で、どう見ても強そうな兵隊達でした。

もしも講和の交渉ができるものであれば、ルーデンドルフにとってはこの頃が潮時というものだったでしょう。ジェット・コースターに例えるならば最高地点に達していたのです。後は下るだけ。しかし彼は攻撃を続けました。6月9日グナイゼナウ攻勢④、この頃のドイツ兵はアメリカ兵と対照的にみじめなほどに痩せ細り、行進の速度も遅かったそうです。

そして7月15日、ルーデンドルフ最後の攻撃、名付けて「平和のための奇襲」、マルヌ・ランス攻勢⑤が発動されました。色々と作戦名を考え出すものです。この頃には撃墜王リヒトフォーフェンも激戦の中で既に戦死していました。ドイツ軍は制空権も確保できなくなり、作戦の企図は連合軍偵察機によって見透かされていました。また連合軍は新兵器の運用にも習熟し始めました[226]。フランスのブレゲ爆撃機による歩兵部隊への空対陸の攻撃も効果を見せ、陸上ではフランス製ルノー戦車が威力を発揮し始めました。

さらに、インフルエンザが流行の兆しを見せ、栄養不良のドイツ軍兵士を蝕み始めていました。8月5日にはアメリカ軍を含む連合軍が奪われた突出部を奪還し、ルーデンドルフは予定されていたさらに次の北部への攻撃を断念せざるを得ませんでした。

こうして米軍と夏の訪れとともに、ドイツ軍最後の春季攻勢は終わりを告げ、ルーデンドルフにはもはや打つ手は無くなってしまったのです。

第65話　ドイツ陸軍暗黒の日

援軍来着

7月15日から開始されたドイツ軍春季攻勢第5段「平和のための奇襲」が、フランス軍による激しい砲爆撃によって18日の夜にその前進が停止させられると、それと同時にフランス軍はドイツ軍に対して新たに激しい砲撃を開始して攻勢に転じました。最新型のルノーＦＴ17戦車を含む３４３輛の戦車と、約３６０機の戦闘機と爆撃機が反撃を支援しました。また新しい試みとして、進軍に応じて航空機から落下傘による前線への補給もおこなわれました。ドイツ軍は兵士が疲弊して糧食が欠乏する一方で、英仏は新しい機械装備を得て、両者の戦争のやり方にはあきらかな技術的な格差が出始めました。

7月26日には連合軍全軍を統括するフォッシュ総司令官から、すべての戦線に対して全軍進撃命令が出されましたが、フォッシュは一度に大きな領域を狙う大胆な作戦ではなく、補給を考慮しながら少しずつ着実に進撃していく戦略を選びました。持てる者の強みです。

8月に入るとアメリカ軍の42個師団が前線に到着。8月8日には、イギリス軍がフランス北部のアミアン方面でフランス軍の支援を得て攻勢を仕掛けました。ここでは戦車690輛が用意され、連合軍は制空権を確保して、事前の攻撃意図は完全に秘匿することができました。イギリス軍は1日で12キロも進撃し、ドイツ軍は約7個師団が壊滅しましたが、イギリス軍の被害は軽微でした。

よほど印象的な1日だったのでしょう。ルーデンドルフは8月8日を「ドイツ陸軍暗黒の日」と日誌に記しました。この日を境としてドイツ軍の脱走兵が飛躍的に増大しました。公式統計では75万から100万人のドイツ軍兵士が、戦争の最後の数か月間に前線から姿を消しています(227)。

8月28日にはカナダ軍がヒンデンブルク線の一部を突破し、9月12日にはアメリカ陸軍が初めて単独で作戦を遂行し、ヴェルダン南方のドイツ軍突出部サン・ミシェルを奪回しました。本格的な陸軍を持たなかったアメリカ軍は、戦争当初には素人部隊と揶揄(やゆ)されましたが急速に力をつけていきました。一方でドイツ軍は量も質も劣化が止まりませんでした。

同盟軍崩壊

同盟軍は西部戦線だけではなく、各戦線で押され気味でした。9月15日、バルカン半島の仏英軍とセルビア軍がサロニカ（現在のギリシャ・テッサロニキ、ギリシャは1917年6月に連合軍に加わった）からブルガリアに攻撃を開始しました。

またその翌日の9月16日、ハプスブルクのカール皇帝は、米国のウィルソン大統領あてに公然と講和を訴えました。皇帝がウィルソンを相手に選んだのは、彼が「14か条の平和原則」を提示していたからで、それが講和の条件決定のためのガイドラインになると期待したからです。

ハプスブルク帝国内では、ドイツ、ハプスブルク、オスマン・トルコ、ブルガリアなど同盟軍の戦線崩壊を前に、チェコスロバキアやポーランドなど各民族が相次いで帝国の統治に対して離反しはじめていました。即位したばかりで、若いカール皇帝の威光では帝国の維持は困難な状況になっていたのです。

1918年の春季攻勢のためにドイツ軍はイタリア戦線の兵力を西部戦線に移動させて、もはやイタリア戦線はハプスブルク軍だけが守備している状況でした。一方でイタリアも十分に疲弊しており、侵攻作戦に乗り気ではありませんでしたが、終戦間

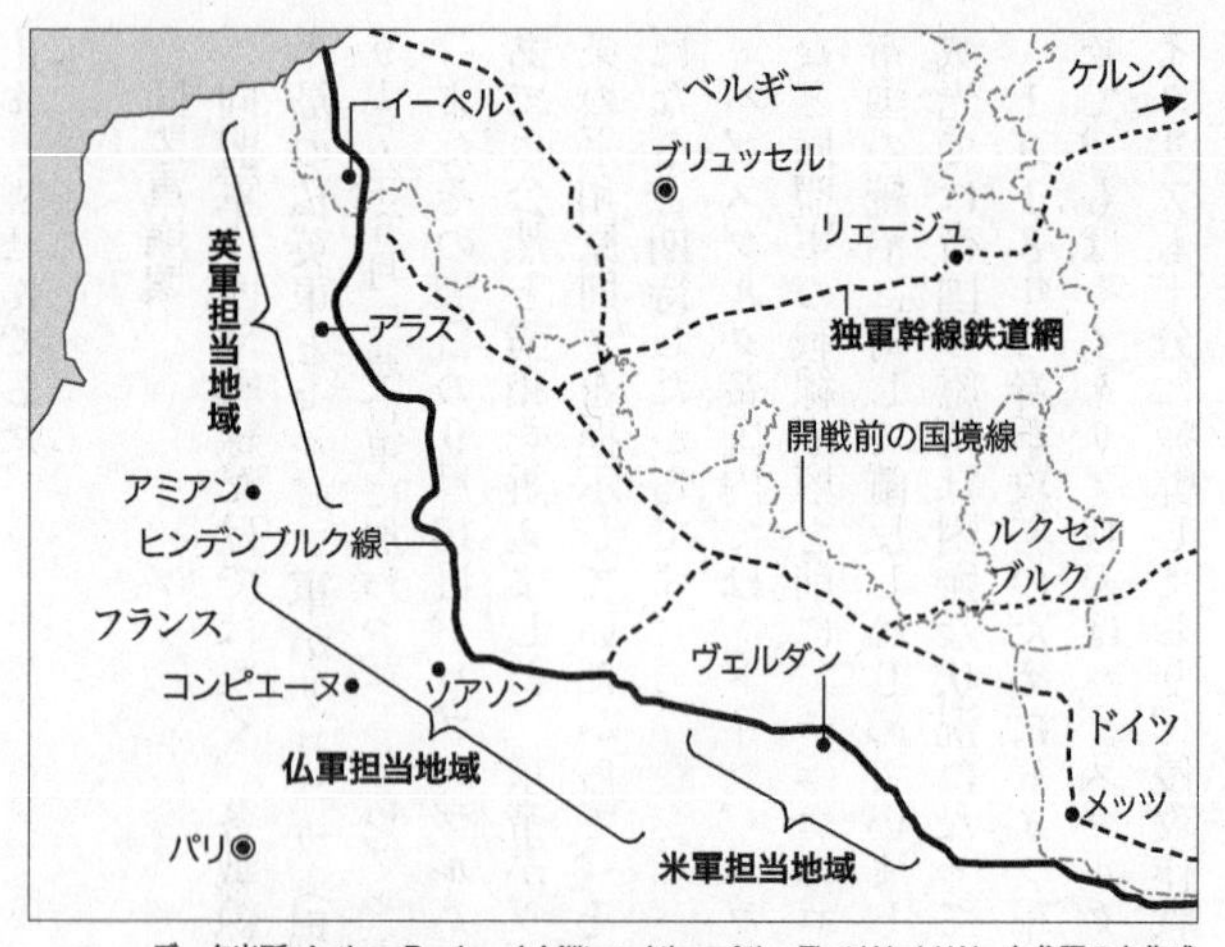

データ出所：Arthur Banks, *A Military Atlas of the First World War*を参照の上作成

連合軍攻勢直前の西部戦線（1918年9月25日）

際の10月には戦後の収穫を求めて侵攻を始めました。

9月19日、パレスチナのイギリス軍が、ダマスカスに向けて侵攻を開始しました。メギドの戦いです。ここでも航空機が偵察と攻撃に活躍し、オスマン軍にはこれを阻止する力は残されていませんでした。

西部戦線の連合軍は9月25日までに、1918年のドイツ軍春季攻勢で失った失地をほぼ回復して、ドイツ軍の最終防衛ラインであるヒンデンブルク線に迫っていました。10月には全軍による進撃作戦を遂行する予定でした。

この防衛線の背後には開戦以来

ドイツ軍のロジスティクスを担ってきたドイツ軍西部戦線の動脈にも相当する鉄道が敷設されていました。しかし注意深く地図を見るならば、ドイツ軍は未だに自国の領土を、ほんの僅かさえ失ってはいなかったのです。

9月29日に至って同盟国側のブルガリアが休戦に調印すると、連合軍はバルカン半島を制して、今やコンスタンチノープルまで侵攻する可能性が高くなりました。西部戦線が崩壊寸前の中で、ルーデンドルフは東方に、つまりボスポラス海峡を失うと黒海が解放されてハプスブルクが崩壊し、ドイツの東国境に新たな戦線が登場するのではないかと不安になりました。もしもそんなことがあればドイツはもはや持ちこたえられません。ここがルーデンドルフの限界であり、軍事的敗北を認めたポイントとなりました。

反撃のための休戦

9月29日、ルーデンドルフはヒンデンブルク参謀総長に伴われて大本営のあるスパにヴィルヘルム二世を訪問しました。そして西部戦線のドイツ軍は今や崩壊の危機に瀕していると上申したのです。これまで戦況を詳細に知らされていなかった皇帝は2人を激しく叱責しました。そして皇帝臨席の下で政府・軍指導部は英仏ではなく、アメリカ大統領ウィルソンに対して休戦と講和交渉を要請することを決定したのです。

時の首相ヘルトリンクはこの会議に呼ばれていませんでしたので、この決定を聞いて辞任しました。

ルーデンドルフが敗北を認めて休戦に対して積極的な姿勢を取ったのは、冷徹な戦略家としてドイツ軍の捲土重来(けんど)を期してのものでした。最終的な敗北を認めたわけではなかったのです。

ここは、今回の戦争の収穫物であるベルギーの占領地や、1870年の普仏戦争で得たアルザス・ロレーヌ地域を放棄して、それらを条件として一旦(いったん)ライン川の線まで引き下がることで休戦を確保する。しかる後、ドイツ軍を維持したまま、ブレスト・リトフスク条約によって得た東欧地域を搾取することで、国力を蓄えて将来の反撃に資するつもりだったのです。

彼にはロシアにおけるソビエト政府の台頭に、欧州への共産思想の蔓延(まんえん)を防止するためにも、連合国側はドイツ軍による東欧の占領を認めるはずだとの都合の良い読みがあったのです。重度の認知バイアスです。

皇帝ヴィルヘルム二世は、10月3日にルーデンドルフの示唆に従い、英仏において比較的人気があったマクシミリアン・フォン・バーデン大公子を帝国宰相に指名すると、皇帝は彼にアメリカとの間で休戦交渉に入るべく指示しました。同時にバーデン大公子は帝国議会の多数派政党の信任を受けましたが、これは帝国議会初のことでした。新内閣には社会民主党からの入閣もありました。

これまでの帝国の総力戦を統括し、事実上ドイツを差配していたルーデンドルフ次長は、ヒンデンブルク参謀総長ともども現職にとどまったままで、降伏（休戦）の交渉は文民である首相にやらせたのでした。

第66話　ドイツ降伏

独裁の終焉

1918年10月4日、バーデン大公子はウィルソン大統領あてに講和のための最初の覚書を送りました。アメリカ側の最初の返答は、ウィルソン14か条の受諾、ドイツ軍の占領地からの自主的撤退、交渉相手としてのドイツ政府の正当性を求めるものでした。それに対するドイツの返事（ドイツ第2の覚書）では、14か条を受諾し、政権の連続性を確認しつつ今後の国政改革、議会民主化計画のメモを送付しました。またバーデン大公子は実際にこれに沿って憲法改正を含む国内改革をすすめました。交渉はドイツとアメリカの間だけで行われ、英仏は参加していませんでした。

覚書交換が始まっても戦闘は継続していました。10月に入ると連合軍がヒンデンブルク線の一部を突破し、10月9日には連合軍が北フランスの要衝カンブレーを占領、連合軍はゆっくりと着実にドイツ国境に向かって前進していました。

10月12日、イギリス貨客船「ラインスター」号がUボートによって撃沈され、英米双方で450人の民間人が死亡する事件が起こりました。アメリカでは、Uボートはドイツの「蛮行」の象徴です。ウィルソン大統領は1か月後の11月5日に米国議会の中間選挙を控えて世論の動向に敏感になっている時期でした。このため、この事件を受けた後のアメリカ第2の覚書は、ドイツ軍による非人道的行為の即時停止、休戦条件の詳細は連合軍の決めたものに従うという強硬なものに変わってしまいました。

連合軍の軍人達の考えは様々でしたが、ドイツからの十分な補償の獲得とドイツ軍を戦闘不能な状態にするという点だけは一致していました。ルーデンドルフの目論むドイツ軍の維持など話にもなりませんでした。

バーデン大公子はドイツ第3の覚書で無制限潜水艦作戦を即時停止すること、また予定されている憲法改正によって講和の決定権は皇帝ではなく議会に移ること、また軍の撤収に関しては連合軍の軍事専門家に委ねる旨をしたためました。

10月22日、バーデン大公子は帝国議会でウィルソンの14か条の平和原則と、その14番目の国際連盟構想を受け入れることを表明しましたが、これに対してドイツ国民は驚きました。

食糧事情の悪化や脱走兵の噂などから、戦況の不利こそ感じてはいましたが、参謀本部による強力な戦勝プロパガンダのためにドイツ軍が負けているとの意識を持つ国民は多くはなかったのです。首相が変わった時、これで戦争は終わったと考えただけで、この先、敗戦国に降りかかるであろう苦難などは想像ができませんでした。

10月23日のアメリカ第3の覚書[228]では、皇帝やプロイセン王国出身の軍人閥など、ドイツの旧支配層が未だに政治権力を保持していてはならないとの指摘があり、これは既存のドイツ軍の解体を示唆したものでした。

「再起のための休戦」を模索していたルーデンドルフはこの要求に対して講和交渉を停止して戦争継続を主張しましたが、もはや彼の支持者は少なく、10月26日ヴィルヘルム二世はヒンデンブルク参謀総長を残したまま、ルーデンドルフ次長だけを解任して、後任にはヴィルヘルム・グレーナー将軍をあてました。ここに1916年8月以来続いてきた「ルーデンドルフ独裁」は崩壊したのです。ルーデンドルフはスウェーデンへ亡命しました。

「背後からのナイフ」

ドイツでは10月28日に憲法が改正され、皇帝の専制的権限を議会に移すこと、首相は職務遂行に関して議会の信任が必要であること、宣戦や講和条約の締結には議会の同意が必要なことなどが決められました。また納税額累計別に選挙民を三分し、それぞれの区分に対して同じ数の選挙権を付与する不平等な3級選挙法（等級選挙）を廃し、婦人参政権を含む普通選挙が導入されました。ドイツはアメリカとの休戦交渉を通じて急速に民主主義化がすすんだのです。

バーデン大公子の内閣発足以来、言論統制が緩和され、活動家達は印刷物を通じて革命思想の伝搬が容易になりました。食糧事情に対する国民の不満は革命思想に結びつきやすく、ロシア革命に倣い各地でレーテ（労兵評議会）が結成され始めました。29日にはキール軍港で海軍の水兵1000名が出撃命令を拒否して作戦が中止になる事件が起きました。この命令とは「死の航海命令」と呼ばれるもので、戦前戦中を通じて多額の国家予算を費やしながら、活躍できなかったドイツ帝国海軍の存在意義をかけた意地の作戦で、強力なイギリス艦隊に対する最後の全軍出撃の自殺的攻撃でもありました。本邦の戦艦「大和」による沖縄特攻作戦を彷彿させます。

この出撃拒否の動きは11月4日に入ると組織化され、キールの反乱と呼ばれるようになりました。ドイツ各地でレーテの結成が盛んになり、ドイツは革命の様相を呈しました。

ドイツの民主的になった政府は、この動きに対して共産革命の影響を排除するため、また、そのことを連合国諸国にアピールするために、在独ソビエト大使に対して即刻退去命令をだしました。またこの間、10月30日にオスマン・トルコ帝国が休戦に調印、

11月3日にはハプスブルクも休戦に調印しました。残るはもはやドイツだけです。

11月6日、アメリカ第4の覚書、通称ランシング・ノートが届きました。ここには英仏伊など連合国諸国がウィルソンの14か条を講和の基礎として受け入れると同時に、休戦条約の詳細は連合国側が決めるものであると、講和は事実上ドイツの無条件降伏である旨が書かれていました。国境へ連合軍が迫る中、この日、エルツベルガー議員を代表とするドイツ休戦交渉団があわただしくパリへ旅立ちました。

11月9日、首相のバーデン大公子は、国内の革命勢力の扇動を封じるためにもヴィルヘルム二世に退位を勧告すると、皇帝は特別列車を仕立ててオランダへと亡命しました。この日ベルリンでは10万人規模のゼネストが発生しましたが、今では与党となった社会民主党の首脳たちが抑圧する方向で動き、革命の芽をつみました。そして翌日の10日、貴族であるバーデン大公子が退き、社会民主党のフリードリッヒ・エーベルトを首相として主要政党が参画する穏健な人民評議会政府が成立したのです。

エーベルトは新任のグレーナー参謀本部次長の協力を得て、軍の力で左翼過激派の革命勢力を抑えました。そしてここに1871年普仏戦争を機に成立したドイツ帝国は終焉(しゅうえん)を迎えたのです。

翌11月11日、パリ郊外コンピエーヌの森に停車した食堂車の車両の中で、代表のエルツベルガーが休戦協定にサインをして、第一次世界大戦は終わりを告げました。

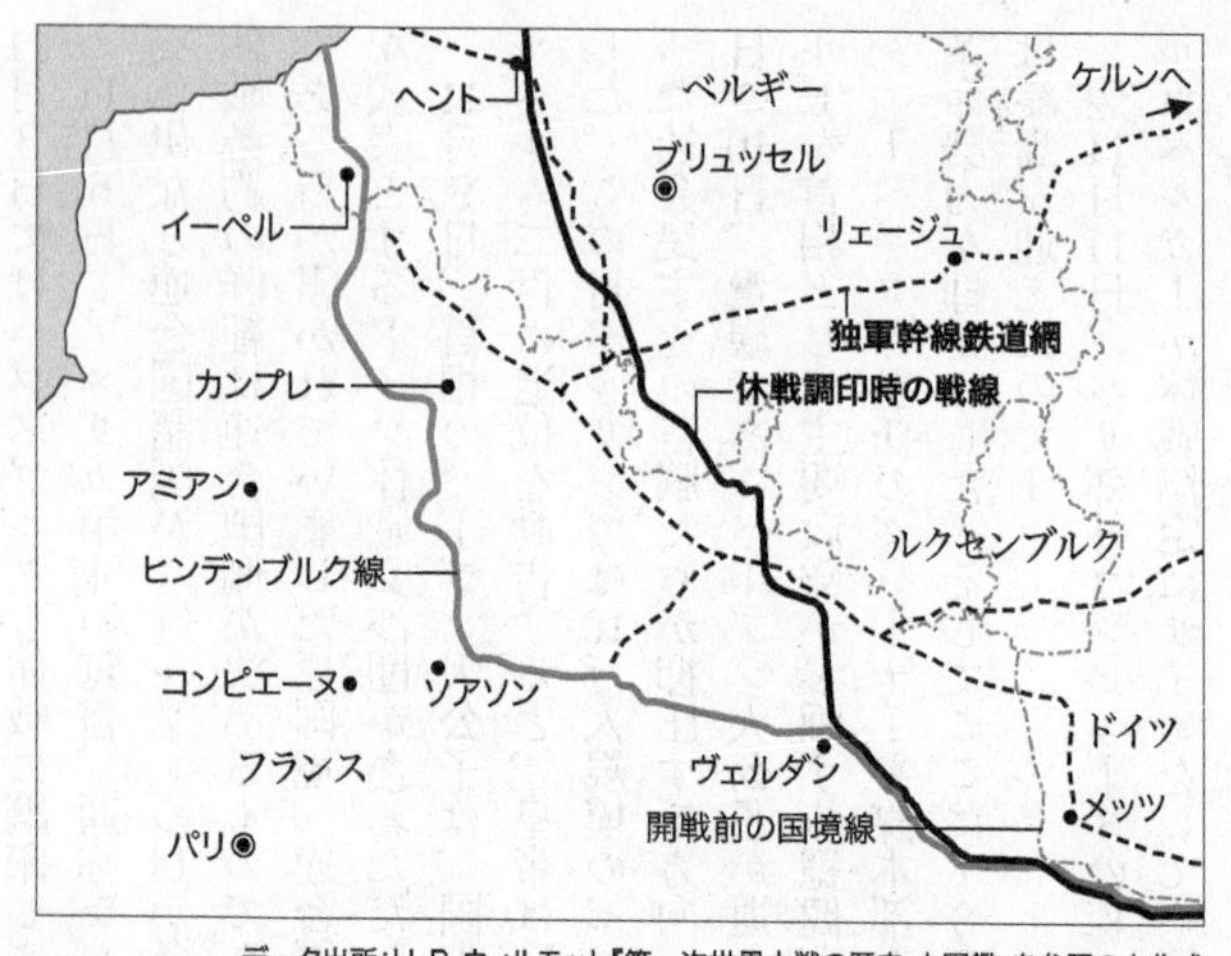

データ出所：H・P・ウィルモット『第一次世界大戦の歴史 大図鑑』を参照の上作成

休戦調印時の戦線

ヒトラーはこの屈辱を忘れませんでした。第二次世界大戦におけるフランスの降伏文書調印は同じ場所に停車した全く同じ車両で執行されることになります。

ルーデンドルフは敗戦処理を政治家にゆだねることで、敗戦の責任を軍部ではなく、政治家達に転嫁しました。休戦の時点でも連合軍の軍隊はドイツ領内に侵攻していませんでした。戦争中の軍によるプロパガンダや報道管制で、劣勢な状況を教えられていない国民は、軍事的に負けた意識が希薄でした。負けた理由は、突如として政権を担った社会主義者や、革命を図った共産主義者達のせいだと考えました。

これが戦後に「背後からのナイフ」伝説として、軍隊は負けなかったが、民主化した政治家が戦争に負けた原因だったと理屈付けされます。後にナチスによって勢力拡大の際のロジックに利用されることになりました。小さな火種が後に残されたのです。

第13章　戦後に残されたもの

パリ講和会議は、ウィルソン大統領が提唱する「14か条の平和原則」に沿って話し合われるはずでしたが、各国のむきだしの利害が衝突する結果となりました。五大国の大役を担いながらも、国際会議に不慣れな日本はとまどいます。ドイツがベルサイユ条約に調印し、講和会議が終了しても各地で紛争が続いていました。そしてドイツによる賠償問題は後の世界に大きな影響を残すことになります。

第67話　パリ講和会議

各国代表参集

ドイツが休戦協定に調印した翌日の1918年11月12日、ウィルソン大統領は、周囲の反対を押して、自らパリの講和会議に参加することを決めました。イギリスはロイド・ジョージ首相、フランスはクレマンソー首相、イタリアはオルランド首相とそれぞれトップが参加することになり、世界人口の4分の3をカバーする33か国が参集しました。

講和会議の先例をひもとけば、ナポレオン戦争後のウィーン会議では、敗戦国フランスが外交的勝利をおさめました。当時フランスのタレーラン外務大臣は、同行させた天才シェフ、アントナン・カレームによるフランス料理を駆使して、戦勝国の代表達を骨抜きにしました。しかし今回は敗者に口出しは無用と、ドイツ代表は呼ばれませんでした。

またこの会議までは外交文書はフランス語で書かれるのが慣習[229]でしたが、アメリカの影響力拡大を反映して初めて英語も公式言語に加えられました。アメリカ政府に対する欧州戦勝国たちの債務は70億ドルにまで膨らみ、さらにその半分の金額をアメリカの民間銀行から借りていました[230]。

日本では1918年9月末に、寺内正毅内閣に代わり立憲政友会の原敬内閣が成立し、それまでの対華二十一ヵ条要求に見られたような、強引な勢力拡張政策からの転換が試みられているところでした。

代表には、フランスのクレマンソー首相とパリ留学時代に下宿を共にし、社会主義活動の手助けもした、首相経験者である西園寺公望が選出されました。フランスの弁護士資格も持つ西園寺はタレーランに倣ったのか、5トンの和食食材とともに、選考会を経て老舗（しにせ）料亭「なだ万」三代目・楠本萬助[231]を同行させましたが、こちらの効果ははっきりとしていないようです。次席には外務大臣経験者牧野伸顕（まきののぶあき）、また後の日本の国際連盟脱退演説で有名になる松岡洋右（まつおかようすけ）、後に首相となる近衛文麿（このえふみまろ）、吉田茂（よしだしげる）、芦田均（あしだひとし）なども随行していました。日本の課題は北太平洋の旧ドイツ領南洋群島処分と山東省の利権継承問題でした。

戦争中は協力的だった連合国諸国も、いざ戦後処理となると利害が交錯しました。理想主義者ウィルソンの最重要テーマは、「14か条の平和原則」の14番目、恒久平和のための仕組みである国際連盟の創設でした。対する英仏、特にフランスはドイツ軍を再起不能の状態にせねば国土の安全は保証されないと考えていました。ドイツ軍の縮小、賠償金の支払い、領土割譲こそが優先されるべき会議の目的でした。

米英仏伊日の五大列強による10人委員会＝最高会議が発足し、会議は1919年1月18日から始まりました。フランスの外務官僚が作成した会議の進行手順では、賠償問題が優先されていましたが、ウィルソンは国際連盟設立問題を優先させ、同時に会議進行の効率化のために、個別問題を取り扱う58の小委員会を立ち上げました。しかし、ウィルソン大統領は、イギリスやフランスを屈服させられるほどの圧倒的な経済力を持ちながら、老練なクレマンソー仏首相やロイド・ジョージ英首相によって手玉に取られてしまいました。

また講和会議が開催される時点では、ロシア帝国の一部だったポーランドがすでに独立して再建に入っていましたし、フィンランドやバルト海諸国も独立の途を歩んでいました。またバルカン半島ではセルビアが周辺国を従えてユーゴスラブ（南のスラブ人）と呼ばれる国を作ろうとしていたように、講和会議で何かを決める前に、連合国の軍事的空白をついて世界は動き始めていました。

人種差別撤廃規約

日本は国際連盟設立について、欧米列強主導の中で黄色人種たる日本に不利益になるのではと消極的でした。ところが大勢が連盟設立に積極的だとわかると、日本は孤立を避け賛成に転じるとともに、連盟規約の中に人種差別撤廃規約を盛り込むことで応じることにしました。

またこれは同時に、当時のアメリカにおける日本人移民排斥問題に対するけん制の含みもありました。国際連盟レベルで人種差別が撤廃されれば、アメリカのカリフォルニア州が定める日本人移民の流入規制（1907年連邦移民法）や、土地所有を制限する法律（1913年加州外国人土地法）を無効にできるのではないかと考えたのです。これは実質的な移民の増減の問題というよりはあくまで日本人としてのプライド（名誉）の問題でした。

他国から干渉されることを嫌うアメリカの世論は、もともと国際連盟構想に積極的ではありませんでしたが、日本の出した人種差別撤廃規約案に強く刺激されて、アメリカ国内では国際連盟参加に対して否定的な声が広がりました。

ちょうどこの頃、3月1日、ウィルソンの14か条の平和原則の中の民族の自決に刺激されて日本統治下の朝鮮で独立運動が起こりました。「三・一運動」です。独立宣言を発表してパリ講和会議に請願しようとした孫秉煕(そんびょんひ)ら33名がソウルで逮捕されました。日本は講和会議への影響を懸念して早期の解決を図ろうとしましたが、運動は規模を大きくして朝鮮半島全土、さらに北に隣接する中国の朝鮮人が多く住む間島(かんとう)地方へと広がりを見せました。

こうした背景もあって、欧米のメディアは、台湾、朝鮮で差別的な行動をしている日本の提案としての違和感を強調しました。また日本においても石橋湛山が当時の社説で同様な点を指摘しています[232]。当時世界では、日本は差別される側であると同時に差別する側でもあると認識されていました。

日本代表団は人種差別撤廃法案をウィルソンに根回しし、提案はアメリカによる手直しを経て提出されましたが、この問題はアメリカの国内問題だけではすみませんでした。英連邦内のカナダ、オーストラリア、ニュージーランド、南アフリカなど白人の国家では、今次大戦では多くの犠牲者を出して、イギリスへの発言力が増している時期でした。彼らは白人以外の移民など受け入れる気はありませんでした。

委員会では、日本の要求は「高潔な動機による案」であることは認められたものの、英連邦内に深刻な問題を惹起しかねないと判断されて却下されました。こうして国際連盟規約の原案には、もともとあった宗教的差別の撤廃案も、人種差別撤廃法案もどちらも組み入れられることはありませんでした。人種的、宗教的差別が存在するような国際連盟ではウィルソンの主張する「民族自決」もかなうわけがありませんが、1919年における人類の自由、平等や平和の概念とはこうした制約下にあったのです。アジアやアフリカの人達は失望しました。

ウィルソンの民主党は1918年秋の中間選挙に敗れていました。本来であれば、名誉ある講和代表団には共和党からも人選すべきでしたが、彼はそうした気配りのできる政治家ではありませんでした。連盟設立の原案提示後、一時帰国したウィルソンを待っていたのは、共和党が多数を占める議会による国際連盟規約に対する反対でした。ウィルソンはここで米国の内政干渉にかかわるような条項の一切を除外するように求められました。

国際連盟が国際紛争を処理するのであれば、時にはアメリカ軍が出動しなければなりません。ところが米国では宣戦布告は上院の専決事項であり、他国の紛争に巻き込まれて自動的に参戦するわけにはいきません。また国境内にどのような人種を入れるべきかの決定権も、米国は他国に委ねる気はありませんでした。

山東省権益問題

中華民国は戦勝国のひとつとしてパリ講和会議に52名の代表団を送り込みました。1919年初頭の中国には、各国から承認された段祺瑞による北京政権と、1917年に孫文によって作られた広州の広東政府の2つがありましたが、王正廷など広東政府側からも代表団に人を送っています。中国は軍隊こそ欧州に派遣しませんでしたが、14万人もの労働者を戦場に派遣しており、うち約5000人が死亡しています。勝利への貢献は十分にあると考えていました。

中華民国は講和会議の場で上手にふるまいました。山東省利権に関して、中国代表で在米大使、コロンビア大学修士号を持つ顧維鈞が流ちょうな英語で「対華二十一カ条要求」を、最後通牒を伴う脅迫だったので無効だと演説をすると、各国代表やメディアの注目を浴びました。

日本は地中海に駆逐艦隊を派遣する際に、山東問題の承認を英仏と秘密取引していました。ですが、国際メディアや秘密外交を否定するウィルソンにとっては知らぬことであり、権益の承認は難航しました。また「対華二十一カ条要求」は最低限の要求であると知らされていた日本国民にも、新聞を通じて、こうした国際世論において孤立する日本の姿が報道されると、少なからずショックを受けることになりました。どうやら日本が大戦中に行ってきた旧来の帝国主義的な外交は、もはや国際社会では受け入れられないということを認識させられたのです[233]。

結局、最後には戦中の英仏との密約を根拠に、山東省の権益は承認されることになりました。本来日本は人種差別撤廃規約案と山東省問題は全く別の案件として考えていましたが、海外メディアからは、国際連盟設立のためにどうしても日本の参加が必要なことにつけこんで、人種差別撤廃規約案撤回を人質に、山東省を得た「日本」として認識されるようになりました[234]。これは濡れ衣です。

また日本は国際連盟からの委任統治領の形態で旧ドイツ植民地の南洋群島を得ることになりました。ここには軍隊を置くことが禁止されていましたので、日本は南洋庁を設置して統治にあたりました。第二次世界大戦では激戦地になります。

日本代表は自国の利権にかかわる議題では活発に活動しましたが、関係のない分野では大勢順応の姿勢を示し、発言も少なく各国代表やメディアからは「サイレント・パートナー」と揶揄されました[235]。

本国からの指示は「正義と認むる範囲に於て遠慮なく意見を述ぶべし」とありました。ですが英語やフランス語に堪能なスタッフの数も不足し、58もある委員会では人員不足からメモを取ることぐらいが精いっぱいで、意見表明などは不可能でした。

3月中旬にはいよいよ最高会議からはずされて、米英仏伊の4か国で主要な会議が持たれるようになりました。パリ講和会議は日本外務省の人材不足、情報発信力の弱さなど、日本外交の未熟さと実力不足を露呈し、戦後の外務省機構改革へとつながっていきました。(236)

第68話　ベルサイユ条約

分断されたドイツ

1918年11月の連合国とドイツの休戦協定に従って、新型戦艦・巡洋戦艦16隻を基幹とする74隻のドイツ海軍水上艦艇は武装解除された上で、スコットランド北部、オークニー諸島の英海軍の主力基地スカパフロー湾に抑留され、講和会議による処分を待つことになりました。ドイツ艦隊の士気はドイツ革命の影響で酷く劣化していましたが、依然として世界第2位の艦隊の存在は脅威でした。

1919年1月にパリで始まった講和会議は先ずウィルソンが提唱した国際連盟創設の議題から始まりましたが、主要なテーマは何といってもドイツの敗戦処理でした。ドイツの軍備の縮小、賠償問題、領土割譲の3つです。

ウィルソンが理想とするように国際連盟自体が平和の監視役として世界の安全保障を担うのであれば、各国の軍備は必要最小限ですむはずです。このロジックで戦後のドイツ軍も最小限の兵力で済むはずだと縮小が提案されましたが、その本質はフランスにとってドイツが二度と将来の脅威とならないようにすることでした。ドイツの軍国主義を牽引（けんいん）した伝統ある参謀本部は廃止され、兵員は志願制のみの10万人以下と決められました。大砲は大きさと量的な制限を受けて、戦車、潜水艦、航空機、毒ガスなどの兵器の所有は禁止されました。

フランスはドイツが国勢的にも経済的にも可能な限り小さい国になることを希望しました。普仏戦争（1870－71）でドイツに奪われたアルザス・ロレーヌ地方の返還はもちろん、そのライン川下流西岸地域にあたるラインラント地方の独立と中立国化も求めました。またドイツ軍が破壊した仏北西部の炭鉱の見返りとして、ザール地方の石炭も要求しました。

さらにフランスはドイツ領の一部を割譲する形でポーランドの再建を支援しました。ドイツ東部国境を軍事的に牽制できる国家が欲しかったのです。

こうして「民族自決」を提唱するウィルソンの「14か条の平和原則」の下で講和条約の交渉が行われたにもかかわらず、戦後は東欧の多くのドイツ人が分断されることになりました。ハプスブルク帝国は崩壊して、ドイツ人居住地域の小さなオーストリアが国家として残されることになりましたが、同民族であるドイツとの統一は認められませんでした。

強引な国境の変更は将来の紛争の種になります。普仏戦争が証明したこの歴史の教訓を、各国首脳は認識していたはずですが、フランスは目の前の国民感情を優先しました。後にヒトラーに様々な言いがかりのきっかけを与えることになります。

ベルサイユ宮殿鏡の間

１９１９年4月に入っても、パリ講和会議の議論はまとまりませんでした。一方で時間をかければかけるほど、占領地にいる連合軍の兵士は祖国に復員していきます。休戦時に西部戦線に１９８個師団あった連合軍の兵力は１９１９年6月時点には39個師団にまで減少する予定で、果たしてドイツに条約を強要できるのか不安になってきました。いつまでも議論を続けているわけにはいきません。

ベルサイユ条約全４４０条の中でドイツから一番抵抗を受けたのは第２３１条の「戦争責任条項」です。ここでは大戦勃発（ぼっぱつ）の「責任がドイツとその同盟国にあることを連合国は宣言し、ドイツはこれを受け入れる」[237]とありました。第一次世界大戦勃発の責任をすべてドイツに負わせることで過酷な諸条件を正当化させた条項です。

これに対してドイツのマックス・ウェバーと指導的学者のグループは公式な宣言を出しました。「我々は戦前や戦中に権限を持っていたことで責任を否定するつもりはない。だが全てのヨーロッパ列強は戦争責任があると信じる」と返しました。ドイツ人の名誉の問題です。しかし結局この条項は残って、歴史家のマーガレット・マクミランが言うには「ベルサイユ条約の、不公平と不正義の象徴として、ワイマール体制下のドイツでも、その後の歴史でも、世界の英語圏でも受け取られることになった」[238]のでした。

イギリスは主要な貿易の相手であるドイツを完全に破壊することも、フランスが戦後に欧州大陸唯一の大国となることも望みませんでした。ロイド・ジョージ首相は講和会議直前の1918年12月の総選挙で、「皇帝を吊るせ、ドイツは償うのだ!」と威勢よく国民の復讐心に訴えて勝利を得ていたので弱気な態度は見せられませんでした。しかし賠償金の問題になるとドイツの手元の現金(ゴールド)は限られています。被害の大きかったフランスやベルギーが多くの金額を獲得すれば、イギリスの取り分が減少するのは目に見えていました。また多くの賠償金を請求することは簡単ですが、戦後のドイツがそれを支払うためには、イギリスやフランスと貿易取引を行い輸出超過の状態を定着させて、外貨を稼ぐ必要があります。これはよく考えれば、同時に英仏のドイツと競合する製造業は壊滅するという意味でもありました。結局、賠償金額の短期間での査定は困難であるとの理由で、賠償問題は先送りすることにしてとりあえず会議を終了することにしました。

この先送りは、連合国首脳にとって、国民の期待値に到底及ばない低い現実的な賠償額を見せずに済みましたが、一方ではドイツに対して白紙小切手にサインを強要する結果となりました。

また連合国はベルサイユ条約227条から230条に書かれていたヴィルヘルム二世をはじめとする戦争犯罪人の裁きを断念して、901人の戦争犯罪人のリストを、ドイツ政府による特別法廷に委ねました（ライプツィヒ裁判）。しかしこのうちで起訴されたのはたったの12人、実刑判決は4年の懲役刑が2人出ましたが、この2人も逃走して、刑に服するドイツ人は1人もいませんでした。この裁判はドイツ国内でさえ茶番とみられ、第二次世界大戦における戦争裁判の在り方に大きく影響を及ぼしました。

会議の結果、ラインラント地方とザールの石炭は連合国による時限付きの占領に落ちついて、ようやくドイツ代表団を招請したのが休戦から5か月後の4月18日です。彼らは5月7日に条約案を提示され、書面による反論のみが許されました。しかしその反論はほとんど考慮されることはなく、6月28日にベルサイユ宮殿の鏡の間においてその名の通りベルサイユ条約に、ほぼ無条件で調印せねばならなかったのです。この条約はドイツだけが対象で、ハプスブルク帝国もオスマン帝国もそれぞれ別に条約が結ばれました。

この鏡の間は普仏戦争の当時、フランス敗戦の仮条約締結とともにドイツ帝国の成立が宣言された場所です。フランスにとって、因縁であり屈辱の場所だったのです（第7話）。

ドイツ艦隊の自沈

それに先立つ6月21日、スカパフローに抑留されていたドイツ艦隊74隻を指揮するドイツ海軍ロイター少将は、数日遅れのタイムズによって、講和交渉が煮詰まり、いよいよ艦隊が連合国によって分配されることを知ると、かねて打ち合わせしたとおりに全艦に対して自沈の命令を下しました。建艦競争は第一次世界大戦開戦の重要な原因でした。このドイツ国民の税金によって建設された、高価な戦艦16隻、その他ドイツ海軍艦隊合計74隻、40万トンの世界第2位の艦隊は、戦うことなくスカパフローの水中に没していったのです[239]。

また数々の「軍艦」に関する著作を残した旧日本海軍の福井静夫（ふくいしずお）元技術少佐は、当時参謀本部に勤務していた神重徳（かみしげのり）大佐が「主力艦を温存し、何もせずに自沈するとは何事か」とこの一件を厳しく批判していたことをよく覚えていました。この神大佐こそ第二次世界大戦最後の、戦艦「大和」特攻出動の菊水（きくすい）作戦、「光輝有ル帝国海軍海上部隊ノ伝統ヲ発揚スルト共ニ、其（そ）ノ栄光ヲ後昆ニ伝ヘ」を手掛けた参謀でした[240]。

第69話　五四運動

「強権」と「公理」

第一次世界大戦における連合国の勝利は、連合国による「ドイツ＝悪」という戦争プロパガンダやウィルソン主義に対する期待も手伝って、中国では「強権」（他国家によって強制される権力）に対する「公理」（世間が認める道理）の勝利だと考えられました。[241] 当時、中国国内では約2500人のアメリカ人宣教師が活動し、本来であればアメリカが受け取るべき義和団事件賠償金を原資に、多くの中国人留学生を米国に送りこんでいました。流ちょうな英語と論理的な弁舌で、パリ講和会議で各国の注目を浴びたコロンビア大学修士の顧維鈞もそうした中の1人です。

アメリカの資本家がどう考えていたのかは別にして、中国の門戸開放を唱え、「民族自決」を唱えるウィルソン主義は、日本や欧州諸国と対等の地位を確保して国権回収を図る中国の、特に大学生などの知的階層にとっては「公理」に沿う主張でした。この間、1905年の清朝の科挙廃止に伴って増加した日本留学組が、二十一カ条要求など相次ぐ日本の干渉に失望して大勢が帰国したこととは対照的でした。

講和会議における中国代表団の目的は「強権」によって奪われた①山東利権の回収と、「強権」によって押し付けられた②関税自主権の回復や治外法権の撤廃など、不平等条約改正のための原則の承認、それに戦中に日本の「強権」によって強要された二十一ヵ条要求の撤回でした。

仮にこれらの「公理」の達成が困難であっても、中国は米国ウィルソン大統領が唱える国際連盟の当初の加盟国となり、国際社会における地位と発言力を確保したいと考えました。

当時の国際社会では「一等国」とは名ばかりの概念ではありませんでした。パリ講和会議において英仏米日伊の五大国は一等国として区別され、1国あたり5票の投票権が与えられましたが、中国はギリシャ並みの三等国として2票しか与えられませんでした。国土の広さや人口、歴史の古さなどを根拠にせめて二等国の扱いを望みましたがかなえられなかったのです。

象徴化された運動

日本は地中海への艦隊派遣の依頼があった際、交換条件としてドイツから奪還した山東省利権を得ることについて秘密外交で英仏伊から保証を得ていました。日本の論理では対価を払ったものであって返還などありえないのです。ウィルソン大統領は秘密外交を認めないスタンスでしたが、パリ講和会議における彼の第1の目的である国際連盟への日本の加盟が微妙になると、1919年4月30日、この件については口を閉ざすことを表明しました。日本の権利を消極的に認めたのです。

この報に接したパリ在住の知識層である中国人留学生達は中国代表団の泊まるホテルを取り囲み、ベルサイユ条約に調印しないように迫りました。ベルサイユ条約に調印すれば山東省利権回復をあきらめることになるからです。しかし一方で、調印しなければ中国は国際連盟への加盟を果たせないというジレンマに陥りました。

本国では北京大学の学生を中心に若者たちが、「強権」によって「公理」がねじまげられたと解釈して憤りました。当時の中国では二十一カ条要求を受け取った5月7日と受け入れた9日が国恥記念日[242]とされていて、7日には大規模なデモが準備されていました。ですが急遽、目前の日曜日である5月4日に「ベルサイユ条約調印反対」としてデモの実行を繰り上げることにしたのです。場所は天安門広場でした。

当時の中国のデモや暴動と言えば青龍刀を振りかざした、西洋文化から見たステレオタイプな暴徒を思い浮かべるかもしれませんが、これは違います。飢えた民衆ではなく、知的水準が極めて高い北京大学の学生達です。学生たちは竹竿と布を買い入れ、北京大学の書道や絵画サークルのメンバーがスローガンを書き3000本の旗を用意しました。また外国の外交官や海外メディア向けに英語のパンフレットを印刷し、海外への情報発信もぬかりなく準備していました。

義和団事件など、それまでの中国におけるデモとの大きな違いは、教育を受けた若い学生達が主体で、海外での少し難解な出来事を動機として、西洋から学んだやり方で、世界にアピールした点でした。学生たちは伝統的な絹の学者用のガウンを着ていましたが、中には西洋的な山高帽をかぶっている者もいたそうです。

デモは5月4日午後2時に天安門広場から開始されました。当初は非暴力を標ぼうしましたが、デモは途中から中国の利権を日本に売り渡してきた交通総長曹汝霖（そうじょりん）宅に向かいました。するとそこにたまたまいた在日公使章宗祥（しょうそうしょう）を殴打すると、興奮して屋敷に火を放ったために32名の学生が逮捕される結果になりました。これが五四運動の起点となる事件です。この事件を機にデモはその後各地に広がり、日貨排斥や労働者によるゼネラル・ストライキにまで発展しました。ここでの「強権」は日本であり、以降、反日は愛国となります。

中国代表は結局ベルサイユ条約には調印せず、ドイツとは単独の講和条約を結びました。またハプスブルク帝国とのサン=ジェルマン条約を通じて国際連盟への加盟を果たしました。

五四運動は、中国で変革が進まぬ根本的な原因を儒教的価値観による硬直化した上下関係やそれに根差す伝統的な社会習慣や男女関係にあると考えました。そして難解な文章を口語体にするなど根本的な変革をめざし、新しい政治制度や社会習慣に変えようとする「新文化運動」という国民的な運動と表裏一体でした。そのために五四運動は単体の一過性のデモという事件ではなく、その後も続く国民運動として捉えられているのです。

事件以降も「強権」に屈する北京政府の中国外交を批判する立場にあった広東政権は、五四運動とともにありました。１９２３年以降ソ連の援助を得て、国民党と共産党が同盟関係のもとに併存していく時代が続きました。１９２４年に設立された蔣介石が校長を務める士官学校の黄埔軍官学校では、政治部副主任に周恩来が在籍していました。国民党と共産党という現代から見れば奇妙な組み合わせは、理詰めで理想を説く社会主義が、当初は「公理」として五四運動に受け入れられたからです。しかしその後、財界の援助を得た蔣介石は１９２６年に共産党員を追い出すと、反共に転じるとともに北伐を宣言します。１９２８年には北京政府の張作霖を満洲に追い、国民党による中国統一を果たして南京政府を樹立したのです。

一方で中国共産党は、五四運動を「中国はいかにして近代化されるか」の「問い」[243]として設定し、その「答え」を１９４９年の「毛沢東の勝利」の中に得たとしました。儒教的中国文化の克服であり、単純化すれば克服と同時に達成した「強権」に対する「公理」の勝利であると位置づけたのでしょう。

１９８９年の天安門事件は五四運動70周年の出来事でした。今また香港では、中国の若い学生達が「公理」である民主化を求めて立ち上がり「強権」（当局）に弾圧されています。五四運動は中国の若者や知識人が「公理」を求めるたびに呼び戻される文化的記憶であり続けているのでしょう。

第70話　シベリア出兵

チェコ軍救済

ロシア革命の頃にまで話を戻します。陸軍大臣田中義一はロシア革命の報と、その後のロシアの不安定な政情に接すると、今こそバイカル湖以東に独立自治国家を作り、日本がこれを指導する体制が望ましいと考えました。陸軍はこれまでの仮想敵国であったロシアの崩壊を前に、今後の軍の存在意義を示す必要があったし、また突如シベリアにあらわれた軍事的空白は、絶好の進出機会と映りました。また海軍も、艦隊の燃料が石炭から石油への転換期にあたり、とれるものなら北樺太の油田を確保したいとの思惑も持っていました。

ソビエト政府がドイツと休戦した後、1918年1月に、英仏はソビエト政府を倒し東部戦線を再興するために、革命に対する干渉戦争をしかけます。その一環として極東方面では日米に対してシベリアへの出兵要請を出しました。当時は無理にシベリアへ進出すると、いずれはロシアと講和したドイツ軍と戦うことになるのではないかと山県有朋などは反対し、寺内首相も消極的でしたが、当時の本野外務大臣や陸海軍は積極的でした(244)。

しかし以前から中国大陸における門戸開放策を掲げ、中国に同情的で、第一次世界大戦に臨んでは「14か条の平和原則」によって民族自決を掲げたアメリカがこれを牽制して、日本は容易に行動に移せませんでした。しかし連合国からの軍需物資が集積されたウラジオストクの港は、革命軍に物資が渡る前に迅速に確保する必要がありました。

日本は1918年4月にウラジオストク港に戦艦を派遣し、陸戦隊を上陸させました。また同時期に財政支援を見返りに、段祺瑞（第56話）の中国との間で「日華共同防敵軍事協定」を締結して、日本軍が中国領土内を自由に行動できるように国際法上の駐兵権を確保していました。主権を脅かすこの事態に憤慨した在日中国人留学生1207名が「救国団」を組織して集団帰国し、翌年パリ講和会議の結果引き起こされた反日民族運動である五四運動へと連なっていくことになりました。

5月、ハプスブルク軍の一部としてロシア軍の捕虜になっていたチェコ軍が、今度は連合国側として参戦するために極東経由で欧州に帰還する途中に、シベリアでドイツ・ハプスブルク捕虜軍、さらには革命軍と揉み合う事態が発生しました。

これまでシベリア方面に出兵したがる日本を、軍事的な勢力拡大ではないかと猜疑の目で牽制していた米国も、7月には人道的立場からチェコ軍救出を目的に期間を限定して、ロシアの領土保全、内政不干渉をベースに日米共同出兵に同意しました。これがシベリア出兵の始まりです。まだ第一次世界大戦の最中でした。

米軍7000人、日本軍1万2000人の兵力が協定されて、救出達成後は速やかに撤兵することで進軍しましたが、3か月後の10月には日本軍の規模は、補給部隊も合わせると実に7万2400人にまで膨れ上がっていました。明らかに本来のチェコ軍救済の規模ではなくなっていました。

シベリア出兵の本質

シベリア出兵はロシア革命に対する干渉戦争であって、ウラジオストクから進軍したとの認識が一般的ではないかと思います。しかし山室信一（やまむろしんいち）氏は『複合戦争と総力戦の断層』[245]の中でシベリア出兵を、単なるロシア革命に対する干渉やチェコ軍救済の出兵ではなく、むしろ規模の大きいシベリア戦争として捉え、その構造を①ウラジオストク出兵、②北満・ザバイカル出兵、③間島（かんとう）出兵、④北樺太出兵の4つにわけています。

このうち①と②がシベリアへ向けての出兵で、ウラジオストク以外の北満起点の出兵が可能だったのは、「日華共同防敵軍事協定」による中国領内における日本軍の駐兵権獲得によるものです。③の間島は現在の中国吉林省東部、北朝鮮と接する朝鮮人自治州一帯で、1910年に日本が併合した韓国の独立運動の拠点となっていた地域であり、中国国内への出兵は植民地の民族運動（三・一運動）の抑圧が目的であって、チェコ軍とは何の関係もありませんでした。また④の北樺太は、海軍の燃料が石炭から石油へと転換する中で、戦前から油田地帯として日本が目をつけていた地域です。さらに、その後の第一次世界大戦における内燃機関を備えた飛行機や戦車、自動車の活躍は、日本にとって石油資源の期待できる北樺太の戦略的重要性を格段に高めて、どうしても欲しい権益となったのでしょう。

この間、日本では戦争景気による都市化や養蚕農家などの米食の増加による米価上昇によって庶民の不満が爆発し、1918年7月の富山を起点に、70万人以上が参加する米騒動が発生しました。9月になると元老たちは国民の一致協力が必要な総力戦体制を意識し、陸軍出身の寺内正毅を首班とする内閣から、政党政治家で平民出身の原敬首班の内閣へと転換しましたが、陸軍の基本的な対外方針に変更はありませんでした。

当時の日本の状況は、ロシア革命に代表される国際的な共産主義の流行の中で、労働争議や小作争議が頻発するなど社会的な動揺を抱えており、日本政府としては当初は対外戦争によって人心を引き締めたいという考えもあったようです。

大義なき出兵

1918年11月に入ると、対ソビエト勢力としてイギリスが支援するコルチャーク元ロシア海軍提督が率いる全ロシア臨時政府（白軍）が発足し、パリ講和会議が行われている期間を通じてソビエト政府とロシアの覇権を争いました。しかしコルチャークはその他の少数民族や反共勢力とも協力できないままに次第に勢力を失い、1920年の2月には彼自身がソビエト政府によって処刑されました[246]。

米軍はチェコ軍救済の目的を達成すると、1920年1月から撤兵を開始しましたが、日本軍はこの時点でも、むしろまだ増派を決定しているような状況で、派兵目的も「チェコ軍救援」から「赤化防止」など漠然としたものに変更せざるを得ませんでした。

日本は、既存の満洲の権益に対する防衛という名目でしたが、ソビエト政権が落ち着くとともに、国際的視野ではロシア革命につけこんだ日本のシベリアや北樺太に対する領土的野心だけが浮かび上がってきました。

日本軍は広いシベリアに対して、兵力を各地に分散せざるを得ず、田中支隊全滅や民間人も含む日本人全員が殺害された尼港（ニコラエフスク）事件など、小規模兵力が敵の大軍に接した場合、凄惨な戦闘や殺戮が発生することになりました。また兵士からすれば戦うべき敵が誰であるかはっきりせず、パルチザンであり、民族運動のゲリラであり、組織的な軍隊ではありませんでした。戦略目的もまた明確ではないことから、当時も「無名の師（大義名分の無い出兵）」と呼ばれ、兵を殴った中隊長が、部下からリンチにあうなど、非行軍人が多く発生し軍紀の弛緩が日本本国においても問題となるほどでした。

かくして戸部良一氏が指摘するように、「国際的悪評以外に何の得るところもなく、9億円の戦費と3000人の戦死者を出して、ようやく1925年に撤兵が完了した[247]」のでした。9億円といえば、明治から大正の日本財政を逼迫せしめた日露戦争の戦費の約半分であり、第一次世界大戦当時の国家の総歳出に匹敵します。

第71話　オスマン帝国の終焉

遅れた終戦

1918年9月、同盟国側で参戦していたブルガリアが降伏すると、オスマンはドイツ、ハプスブルクとの陸路による補給路が切断され、戦争の遂行が困難になりました。そこでオスマンは翌10月に連合国とムドロス休戦協定を結んで降伏しました。戦争を指導してきた「統一派」幹部は亡命し、残されたメフメト六世は国家の行方よりも自身の地位の確保に固執しました。皇帝は政治家達が降伏に抵抗すると議会を解散して、義弟を大宰相に据えてオスマンを専制政治に戻しました。

国内の治安は乱れました。黒海沿岸でキリスト教徒が襲われる事件が発生すると、連合国側はオスマン自身による治安の維持を求めました。これを受けてオスマン政府は、まだ30代半ばのムスタファ・ケマル（アタテュルク）に行政・軍事の権力を付与して現地に派遣しました。ケマルはガリポリの戦い（1915－16）における国民的英雄だったのですが、「統一派」指導部とは意見が合わず、休戦時には主要な地位にはいませんでした。

ケマルがイギリス軍勢力下の首都イスタンブールを離れ、アナトリア半島中央部に向かったのは、ちょうどパリ講和会議開催中の1919年5月のことです。会議はドイツの処理で手一杯でオスマンのことまでは手がまわりませんでした。ケマルはメフメト六世の命令を機会として捉え、トルコ民族主義の立場から連合国軍非占領地域に残るオスマン軍を結集して、オスマンのために立ち上がるつもりでした。すでにオスマン西部ではギリシャが、東北部ではアルメニアが、東南部ではクルドが実効支配地域を拡張しつつありました。

赴任直後にギリシャ軍がアナトリア半島のギリシャ人が多く住む町イズミルに上陸すると、ケマルはトラブルを恐れた中央政府から呼び戻されましたが、これに従わず、アナトリア半島中部で政府とは別に独自に国民会議を招集しました。

こうしてケマルは佐官級の若手将校やイスラム聖職者の強い支持を得てトルコ民族主義者の勢力を結集し始めましたが、パリにいる連合国首脳は、まだ事態を十分に把握できていませんでした。

休戦時、イギリス軍はインド兵や連邦軍も含めて中東戦線に108万人の戦力を保持していましたが、1919年の夏にはカイロ駐留分を除くと、すでに20万人規模にまで減少していました。さらにイギリスの戦後の財政事情が一層の速やかな撤収・復員を強いており、時間が経過すればするほどイギリス軍の実効支配力は低下していったのです。

1919年末になると、ケマルは新オスマン議会の選挙を挙行しました。この結果トルコ民族主義者達が圧勝したので、ケマルはイスタンブールで議会を再開しました。これに対してイギリスが武力で議会を解散させると、ケマルはアンカラに新政府を樹立してこれに応じました。もはやイギリスの兵力ではアンカラまで統制することはできませんでした。

こうした状況下で1920年8月10日、英仏の思惑と、その時点での各勢力の実効支配地域を具体化して決着を図ったのがセーブル条約です。オスマンのメフメト六世が調印しました。これが遅ればせながらもオスマン・トルコ帝国の第一次世界大戦の休戦条約に続く講和条約となりましたが、ケマルの率いる新生トルコは、これを認めません。未だ戦わねばなりませんでした。

切り刻まれる帝国

セーブル条約では地図のとおり、ギリシャがイスタンブールの欧州側対岸とギリシャ人が多く居住するイズミルを得て、戦時中のオスマンによる虐殺で有名になったアルメニア人の新独立国家、アルメニアが東北部に建国されることになっていました。またイギリスは石油資源が期待できるモースルを確保するためにクルド人勢力と組み、将来のクルディスタン建国のためにその下地としてクルド人自治区が設定されていました。さらに英仏は、トルコ領内に政治的に優先権を持つ「勢力圏」をそれぞれ設定して、これにイタリアまでが加わっていました。イタリアが参戦する時の条件にトルコ領の一部割譲も入っていたのです。

イラクとパレスチナはイギリス、レバノンとシリアはフランスの委任統治下に入ります。サイクス・ピコ協定（第62話）との違いは、イギリスがモースルと、エジプトやスエズ運河に近いパレスチナを獲得している点でした。

この領土分割案は、オスマン帝国の崩壊過程で浮かびあがった当時の勢力図であり「民族自決」に近い状態の分布図でもあるでしょう。しかしイズミルやアルメニア、

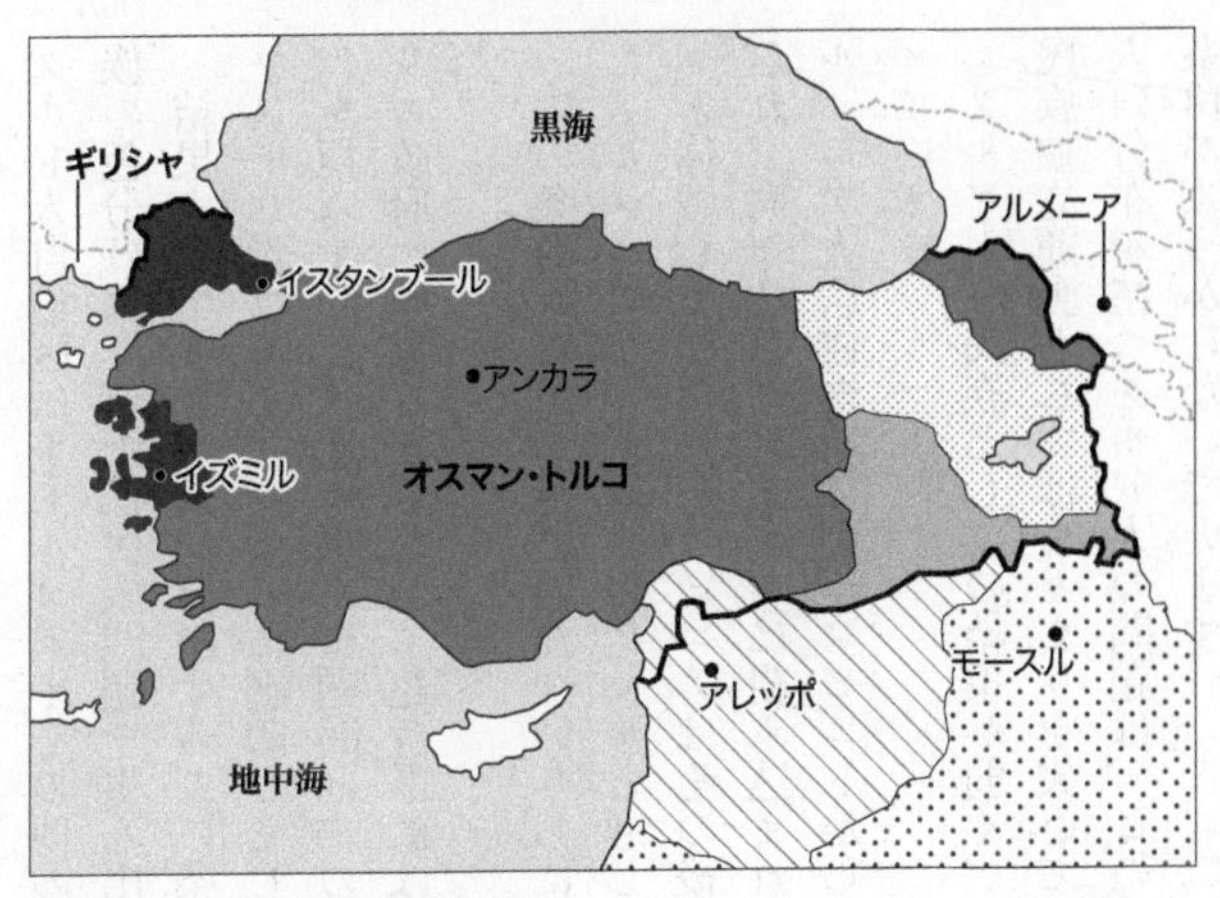

データ出所：池内恵『【中東大混迷を解く】サイクス＝ピコ協定——百年の呪縛』を参照の上作成

セーブル条約による領土分割案

クルド人自治区にもトルコ人やその他の少数民族がモザイク状に混在し、あらたな民族の色分けは、新たな民族問題を生み出すだけでした。

結果としてトルコ人を分断するこの条約はトルコ人の民族主義を刺激しました。メフメト六世はセーブル条約に調印しましたが、ケマルのアンカラ政府は条約の受け入れを拒みました。連合軍軍事顧問はこの条約の強制には最低27個師団が必要だとイギリス政府に助言しましたが、連合軍にはそのような財政的余裕はすでになかったのです。(248)

この条約から1か月と経たないうちに、トルコ東北部で実効支配地域を拡大していたアルメニアが、背後からケマルと通じていたソビエトの攻撃を受けて、早くもトルコと休戦しました。アルメニアはその後トルコにつくかソビエトにつくかの選択を迫られ、同年12月にソビエトに組み込まれました。セーブル条約によるトルコ領内のアルメニア人居住地域は翌年ソビエトからトルコに返還されて、ほぼ現在の国境線に至っています。

クルド人は民族としての結束が弱く、利用しようとしたイギリスの意向にも沿わず、民族独立運動としてはまとまりを欠いてうまくいきませんでした。国境線とは異なる人口分布を持つクルド人の問題は、この時の機会を逸して100年後の現在も解決の糸口がみつからないでいます。

1922年8月になると、ケマルはギリシャ軍に対して反撃を開始します。翌月イズミルを落とすとギリシャ軍は壊滅して撤退しました。

同年11月、ケマルは帝政を廃止してオスマン帝国を終焉（しゅうえん）させると、アナトリア半島の領土回復を達成しました。もはやトルコに対し軍事的影響力を行使できない連合国は、現状を追認する形で1923年7月24日にトルコとの間でローザンヌ条約を締結したのです。

トルコにとっての第一次世界大戦はここでようやく終戦を迎えました。この条約の定めたトルコの国境線はほぼ現在のもので、この条約締結の後の同年10月29日、ケマルが共和制を宣言して初代大統領となり新生トルコ共和国が誕生しました。

この時、国際連盟の初代難民高等弁務官フリチョフ・ナンセンによってギリシャとトルコの間で双方の強制的な住民交換がなされました。ギリシャ・ローマ時代以来、アナトリア半島のみならず、遠くは黒海北岸まで広がりオスマン帝国内で商圏を形成していたギリシャ人達の子孫も、ギリシャに返されることになりました。既にギリシャ語を失っている者も多かったといいます。また同様にバルカン半島ギリシャ領のトルコ人もトルコ共和国に移住させられ、双方で数多くの難民を生み、その数だけ悲劇を生むことになりました。

ラッセル・クロウ主演・監督のオーストラリア映画『ディバイナー　戦禍に光を求

めて』(2014年)は、戦後、オーストラリア兵の息子を探しにやってきた父親と、ギリシャ軍と戦うトルコ軍将校の友情を描いており、当時の風俗や服装など時代の様子がよくわかります。しかしこの映画はオーストラリアとトルコではヒット作となりましたが、トルコ軍によるアルメニア人やギリシャ人虐殺について全く触れられていないことから、両国からは歴史の歪曲(わいきょく)であると厳しい批判を受けています。

第72話　スペイン風邪

「運び屋」

第一次世界大戦における戦死者の合計は約1000万人、また民間人の犠牲者数は諸説あるものの約650万人とされ、この戦争では軍民あわせて約1650万人が死にました(推計者による誤差は大きい)。ところが戦争の最終年である1918年から20年にかけて、世界中でこれをはるかに上回る3~5000万人に及ぶ死者を出した「スペイン風邪」が流行しました。

「スペイン風邪」は、スペインがインフルエンザの発生地だから名付けられたわけではありません。第一次世界大戦の交戦国では、報道管制によって病気や死亡等の情報は制限されていましたが、その中で当時中立国だったスペインだけが病気に関する死亡者や患者数などの情報を公開していたのです。それが各国で新聞記事となって、世界各地で流行しているインフルエンザをスペイン発だと誤解したまま名前だけが残ったのです。また当時の欧州では、「悪いものは何でもスペインから」と決めつける風潮も手伝ったとされています。世界中が「スペイン風邪」と呼ぶようになりましたが、当のスペインでは、病原菌は戦乱の地であり、死体が散乱するフランスからピレネー山脈を越えてやってきたに違いないと信じられていました。

一番最初のスペイン風邪のウイルスの発生は1918年3月の米国カンザス州だと考えられています。米国では1917年4月の参戦以来、徴兵制が布かれて、全米の田舎から若者達が訓練所に集められていました。全米に数多く作られた訓練所の宿舎は急ごしらえの詰め込みで、ウイルスが伝染する環境として適していたのです。

こうしてウイルスを持った若者たちが訓練を終了した順にヨーロッパの戦線へと派遣されていきました。ウイルスが発生した3月の時点ですでに25万人の米兵が欧州に渡り、本国では138万人が渡航のために待機していました。ウィルソ

西班牙に奇病流行

國王を始め内閣員も感染

奇病患者人口の三割を占む

【マドリッド來電】西班牙王アルフォンソ、首相マウラ氏以下數名の閣員及び西班牙國民の三割は病名不明の傳染病に罹れり、該病の症状は高熱、頭部の痛み及び下痢等なれども其の性質餘りに強烈ならざる爲め未だ非常に恐るべき結果に至らず衛生方法さしては可成的屋外に生活するを必要とされつゝあり、[illegible]當府マドリッド市内の[illegible]は從僕の多數感染せる爲め閉鎖され市内電車も亦同様の原因により少からず故障を生じつゝあり（上海着ルートル）

スペイン風邪を報じる記事（大阪毎日新聞、1918年6月6日付）

ン大統領の理想である自由と平和を希求するはずの軍隊が皮肉にも病気の運び屋となっていたのです。

ウイルスは最初のアメリカ兵79万人が上陸したフランスのブレストの港町から拡散していきました。アメリカで発生後わずか1か月後の4月にはフランス北部にいたイギリス軍に、そしてヒンデンブルク線の塹壕（ざんごう）によって、本来なら物理的に隔たれていたはずのドイツ軍にもなぜか感染しました。さらに5月になるとイギリス軍の南に布陣していたフランス軍にまで到達しました。ドイツ軍側では当初イギリス軍と対峙（たいじ）したベルギーのフランダース地方で発症したために「フランダース熱」とも呼ばれていましたが、すぐに西部戦線全域のドイツ軍兵士が感染しました。そしてその間もアメリカ兵は途切れることなくウイルスとともに続々と西部戦線に到着していたのです。

イギリスでは6月に軍港の町であるポーツマスで感染、革命中のロシアにも同月に白海のムルマンスク経由で派遣されたイギリス軍によってウイルスが持ち込まれました。アフリカでも石炭補給の港町であるフリータウンから、アジアではムンバイ、コルカタ、そしてカンザスで発生して僅（わず）か2か月で中国内陸部奥深く重慶（じゅうけい）にまで到達しました。

アメリカ兵だけが運び屋なわけではありません。日本でも6月には陸軍の各連隊宿舎で広がりを見せ、「大阪毎日新聞」がスペイン風邪の記事を掲載しました。また1

918年の大相撲夏場所では風邪による力士の休場が目立ち「相撲風邪」とも呼ばれています。

世界に広がった「スペイン風邪」の流行は3波にわかれていました。最初の第1波では死亡者は少なく、3日程度の発熱で回復するところから「3日熱」という呼び名もありました。それでも戦闘中の軍隊の状況は深刻で、1918年7月の「東京朝日新聞」では、「独軍攻勢遅延」の記事でインフルエンザが関連づけられています。

インフルエンザ第2波となるウイルスの「変異」は1918年8月に、フリータウン、ブレスト、ボストンと、不思議にもそれぞれ遠く離れた3か所で同時に起こっています。[249]第2波では、感染者は悪性の肺炎を発症してばたばたと死んでいきました。見るからに健康な若者が、38度から40度の発熱をともない、発症からわずか1～2時間で動けなくなりました。

人々は、症状があまりに酷すぎて単なる病気だとは考えられず、ボストンではUボートが秘密裏に病原体をまき散らしたと信じられていました。また、体力の弱い乳幼児や高齢者が犠牲になったという思い込みに基づく記述も見られますが、スペイン風邪の特徴は死亡者の45％が15歳から35歳の一番体力があるはずの若者だったことです。

アメリカでは10月24日に戦費調達のための第四次自由公債の募集があり、それに向けて9月から全国で募集のためのパレードや演説会に大勢の人が集まりました。こうしたパレードや集会がアメリカ市民の間にウイルスを拡散させたと考えられています。

かくして小康状態の後、1919年2月には第3波が伝搬し、アメリカ国内では翌1920年4月までに55万人が死亡しました。またアメリカ兵の欧州の戦場での戦死者は11万人とされていますが、その半数から80％は敵弾によってではなくスペイン風邪によって死亡したと考えられています。[250]しかしこれほど猛威を奮ったウイルスも、1920年の半ばになると、まさに音もなくいずこかに消え去ってしまったのです。

関東大震災を上回る死者

1918年当時の光学顕微鏡では1ミリの1万分の1の大きさの「スペイン風邪」のウィルスは見えませんでした。したがってワクチンなど対策も不適切で、治療といえば風邪と同じで安静以外にはありませんでした。

病原体がウィルスだとわかったのは電子顕微鏡が発明された1930年代になってからで、さらに古い人体の組織片からウィルスが分離されるようになったのがようやく1990年代、さらにこの遺伝子が解明されたのはごく最近のことなのです。今では「スペイン風邪」はウィルス性のインフルエンザ・パンデミック（大流行）だったとわかっています。また伝染性が強く、突然「変異」することによって強力になることも解明されました。

経済史、歴史人口学の速水融氏は、日本のスペイン風邪による病死者を45万人と推計しています。これは1904年からの日露戦争の戦没者8万4000人、1923年の関東大震災の死亡者10万5000人に比較しても格段にむごい災害なのですが、歴史書にはあまり書かれません。

戦争や地震などのように、大型船の沈没や歴史的建造物の破壊などの映像があれば、あるいは人々の記憶に残ったのかも知れません。米国ではこの間、20人が死亡した路面電車の事故は新聞の一面を飾りましたが、スペイン風邪に関しては毎日500人以上が死亡しても、ほとんど一面記事にはならなかったのだそうです。

第73話　ドイツの賠償問題

ケインズの賠償案
第一次世界大戦が始まった当初、イギリスではジョン・メイナード・ケインズは大蔵省に招かれて戦時中の対外金融政策の問題を扱いました。その後1918年になってドイツの敗戦が濃厚になると、戦後の賠償要求原案を作成する部署を任されました。
ケインズが統計資料を駆使して計算したドイツが支払うべき妥当な損害賠償額は20億ポンド程度でした。ちなみに20億ポンドは当時の日本円で200億円。当時の日本の一般会計歳出総額が約14億円ですから、これでも相当な金額でした。

しかし閣僚の一部はこの金額を過少として、ケインズの部署とは別に委員会を作り240億ポンドの賠償案を発表しました。これはケインズにすれば非現実的で全く報復的な金額でしたが、同年12月のイギリス総選挙の際にも、首相のロイド・ジョージによって「240億ポンドの回収」と民衆を煽る選挙キャンペーンにも利用されました。大袈裟で理性を欠く賠償要求は、戦争の興奮が醒めやらぬメディアからも国民からも支持を得ました。

1919年1月にパリ講和会議が始まると、専門委員会のひとつとして賠償委員会が設けられました。ケインズは蔵相代理として会議には参加しましたが、この委員会には加わらず、240億ポンドの案を考えたカンリフ・イングランド銀行総裁が代表となりました。

アメリカはあらゆる戦争にかかわる経費を計上しようとする英仏の過激な要求を前に、賠償額を戦時の損害補償に限定すべきだと主張しましたが、英仏はこれに対して、もしも戦時のアメリカによる連合国向け借款が削減されるのであれば、賠償金の削減にも応じようと答えました。ところがアメリカ財務省にすれば根拠のない借款の削減は受け入れようもありません。第一、借款の大部分は自由公債で集めた、投資家がバックに存在する資金です。

無賠償というウィルソン主義の崇高な理想主義も、国民感情を背景とした、過激で具体的なマネーのやり取りの前にはなす術がありませんでした。多くの人は肉親や知人の中に戦死者や重傷者がいました。フランスとしては、国民の報復感情とともに、安全保障上ドイツが容易に再興できないように、領土を削り、人口を減らし、将来にわたって重い債務を負わせておく必要があったのです。

1918年11月にドイツ政府は休戦条約に調印しましたが、その際にドイツが考慮した条件とは、その年の年初1月に米ウィルソン大統領が発表した「14か条の平和原則」と、2月に同大統領によって議会で語られた「無併合、無賠償、無報復」の原則でした。そのためドイツは賠償問題についてはとりあえず留保した上で休戦条約を受け入れたのです。

休戦はドイツ陸海軍の武装解除も伴う事実上の降伏でしたが、ドイツは寸土も侵されていません。帰還兵は地方によっては凱旋パレードを行うほどで、ドイツ一般国民の敗戦に対する認識は薄く、まさか重い賠償を課せられるとは思っていませんでした。

この間、ドイツは講和会議に呼ばれず意見表明もできない状態にありました。休戦といいつつもドイツ軍だけが武装解除されて、連合国に抵抗する手段を失っていました。一方でイギリス海軍はドイツ商船隊を接収した上に休戦以降も海上封鎖を続けており、封鎖は講和条約調印まで解除する気はなく、ドイツ国民はまだ飢餓から解放さ

債務国	債権国			
	アメリカ	イギリス	フランス	債務合計
アメリカ	—	—	—	0
イギリス	842	—	—	842
フランス	550	508	—	1,058
イタリア	325	467	35	827
ロシア	38	568	160	766
ベルギー	80	98	90	268
その他連合国	55	99	70	224
債権合計	1,890	1,740	355	3,985

単位：百万£、データ出所：J・M・ケインズ『平和の経済的帰結』

連合国間の債権債務

れていなかったのです。

ケインズは、賠償の支払い案やドイツのための救済案などを提出しましたが、どれも受け入れられることはなく、ベルサイユ条約が調印された1919年6月には、失望と怒りの中で、パリ講和会議を批判する『平和の経済的帰結』[251]を短期間で書き上げました。初版は同年12月、12か国語に翻訳され、半年で10万部を売るベストセラーになりました。

『平和の経済的帰結』の出版時点では最終賠償額はまだ決定されていませんでしたが、巷間噂される巨額な請求額に対して、自ら見積もった20億ポンドについて解説しました。

ドイツ保有の金銀の量から始まり船舶、外国証券、石炭など弁済項目別に仔細な検討を加え、30年の年賦払いの実現性については戦前の詳細な貿易データから、外貨支払いのための貿易黒字が確保できるかまで考慮しました。また救済策においては連合国間の、戦中に積みあがったアメリカやイギリスによる債権の放棄によって被害を受けた債務国の負担を軽減し、ドイツの賠償額を削減しやすくする案が提示されました。表は縦に債権額、横に債務額です。イギリスを例にすると、合計17億4000万ポンドの債権を持つ一方で、米国から8億4200万ポンドを借りていました。

ハイパー・インフレ

賠償委員会は会議中に金額を決定できず、ベルサイユ条約が調印された後も議論は継続されましたが、残念ながら、ケインズの意見が採用されることはありませんでした。

1920年4月からの12回の会合、それに続く1921年4月からのロンドン会議を経て、最終的な賠償金額は1320億金マルク（約66億ポンド：紙幣マルク減価の影響を受けないように金を基準にした）とされ、ドイツは以降30年間にわたり毎年20億金マルクと輸出額の26％を支払うことで決着しました。

ケインズが精緻に計算したように、ドイツにそのような支払い能力はなく、支払いは早速滞りました。ドイツ・マルク（紙幣）は下落して、同国の支払い能力をいたずらに低下させるだけでした。

この間ケインズは1921年12月に『平和の経済的帰結』の続編というべき『条約の改正』[252]を出版し、ドイツへの請求額は支払い不能であること、また経済的連帯性は緊密なので支払いの強要は、結局欧州経済全体の破壊につながると指摘しました。

毎年の支払い原資の確保にはドイツ政府の財政黒字が必要であり、その確保のために増税し、財政支出を減じると経済規模の縮小を招くので、おのずと支払額には限度があること（予算問題）、また金や外国通貨での支払いには対外収支の黒字が必要ですが、既存の経済構造の下で貿易は均衡しているものであって、そこに無理に黒字を作ればバランスは破壊される（トランスファー問題）と主張しました。

果たして1923年1月、石炭による支払いがわずかに不足していることを理由に、フランスがベルギーとともにルール地方を占領すると、ドイツは労働者のストライキでこれに答えました。占領時の為替（かわせ）はすでに1ポンド＝11万マルク（戦前は20マルク）にまで下落していましたが、ドイツ政府はストライキの費用を工面するために、さらにマルク紙幣を大量に印刷しました。これが有名なドイツのハイパー・インフレを引き起こします。

ドイツのハイパー・インフレーションを受けて米国人ドーズを長とする委員会がドーズ案（1924年）を策定しました。ドーズは、ケインズの予算問題とトランスファー問題に考慮して賠償額を減額した上で、公債（ドーズ債）を発行して米国の資金がドイツに流れる仕組みを作りました。

しかし、その後の大恐慌（1929年10月）直前の米国景気の過熱からドイツから資金が引き上げられると、再び資金は循環しなくなりました。そこで毎年の賠償額をさらに大幅に引き下げたのがヤング案（1930年1月）です。しかしこの返済案も大恐慌の前にはなす術もなく、1933年7月のヒトラー政権による外債のモラトリアム（支払停止）宣言につながったのです。

ケインズが指摘した、戦勝国による非現実的で懲罰的な賠償請求は、ナチスによる支払い拒否運動を通じてドイツ国民の愛国心と英仏に対する敵愾（てきがい）心を鼓舞し、最後は次の世界大戦へのきっかけを作ってしまいました。ベルサイユ条約とそれに付随する賠償請求の決定では、第一次世界大戦は完結していなかったのです。

なお1990年の再統一後のドイツは、ドーズ債、ヤング債の元利払いを再開し、2010年10月3日にすべての支払いを完了しました。

あとがき

総力戦

第一次世界大戦の砲弾使用量は約13億発にもおよび、これは日露戦争の約500倍でした。また当時、史上最大の会戦と呼ばれた日露戦争奉天の戦いにおける日本軍の砲弾消費量は33万発でしたが、ヴェルダンの戦いにおけるドイツ軍は2010万発、ソンムの戦いのフランス軍は3400万発と桁違いの砲弾を消費しました。

日本が国力のすべてを出し切ったと考えていた日露戦争でさえ、全人口に占める動員数は2・3%に過ぎませんでしたが、第一次世界大戦での同比率は、独仏が20%、もともと小さな陸軍しか持たなかったイギリスでさえ13%にまで達しています。

日本はヨーロッパでの陸戦には参加しませんでしたが、熱心に研究をしていました。大戦2年目の1915年、陸軍省は臨時軍事調査委員会を設置して、随時『海外差遣者報告』や月報を刊行しながら、ヨーロッパで戦われている戦闘からできる限りの戦訓を引き出そうとしました。また参謀本部は1923年に全83冊の『欧洲戦争叢書』をまとめあげています。陸軍は第一次世界大戦の戦訓をもとに、近代装備の軍隊の強さや、戦争の様相は経済力がものをいう国家総力戦に変わったことを十分に認識していました。

では何故その後の日本陸軍は装備を重視した合理的な軍隊とはならなかったのでしょうか。片山杜秀(かたやまもりひで)氏はその著書『未完のファシズム』(253)の中で、当時の日本陸軍は冷静に総力戦の状況や、戦車、自動車、携行機関銃、毒ガス、航空機など新兵器による新しい戦い方を充分に把握していたとしています。しかしながらその一方で、日本はそれに見合った国力を持っていない自覚もあった。その後の仮想敵国であるソ連やアメリカを相手に、軍としては装備が貧弱なことが戦わない理由とはなりえない、それゆえに極端な精神主義に走ったのではないかと考察しています。

また、日露戦争以来の宿敵であったロシア帝国が革命によって滅亡し、大陸を海外拠点とする陸軍には、その後しばらくは最新の装備を必要とする仮想敵国がいなくなりました。そのために金のかかる装備を軽視し、兵隊の数だけを揃え、精兵主義という名の精神主義に傾倒していったとも考えられるでしょう。当面はそれでも困らなかったのです。

しかし、総力戦という課題の解決を怠っていたわけではありません。総力戦の様相に対し、資源不足の日本はやがて「隣邦支那国国産原料」として大陸中国に不足原料の補足を求めるようになりました。シベリア出兵の際に田中義一陸軍大臣が構想したことと同じです。日本は大陸も含めた経済圏を持たねば、ソ連やアメリカには対抗できないと考えたのです。総力戦に対する経済力を追求する過程で、侵略によって新たに大陸に実質的な領土を拡張して資源を確保する。すると今度は守るべき領土が増えることによって、防衛戦争の名目で戦争が続けられたのがその後の日中戦争だったのではないでしょうか。その後の南方資源も同じことです。

シーレーン

イギリス海軍による海上封鎖は効果を発揮し、ドイツに食糧危機をもたらしました。飢餓に苦しむ国民の不満はやがて革命を通じてドイツ帝国を崩壊させ、戦争の帰趨を決めることになりました。またその反対に、ドイツ海軍が採用した無制限潜水艦作戦によるイギリスのシーレーンへの攻撃は、連合軍を敗戦の一歩手前まで押しやったことも事実でした。このUボート対策として、イギリスは日本に地中海への護衛艦隊の派遣を要請したのでした。

海洋国にとってシーレーンの確保は戦争の勝ち負けに直結します。これほどわかりやすい教訓を何故日本海軍は忘れ去ったのでしょうか。

続く、第二次世界大戦では、日本は当時世界第3位だった商船隊の88%を喪失し、商船の乗組員である海員の死亡率は43%にまで達し6万人が命を落としました。この死亡率は軍人である海軍の16％、陸軍の23％をはるかに上回る数値です。

輸送船を失った日本は、やがて石油を始めとする南方資源の供給が絶たれて、戦争を継続できなくなりました。また南洋諸島に配置した陸軍部隊への補給が困難になり、多くの餓死者を出すことになったのです。靖国神社に眠る英霊、第二次世界大戦の軍人軍属の戦没者230万人のうち、過半数が餓死者であるという数字もあります[254]。

荒川憲一氏の「通商破壊戦の受容と展開」[255]によれば、海軍は第一次世界大戦開戦後すぐに調査委員会を立ち上げて、海戦の実態を把握すべく調査しましたが、防諜上の情報操作によってイギリスが通商破壊作戦に追い詰められていた事実が正確に把握されていなかったこと、また最終的にドイツが敗北したように、潜水艦対策にはすでに有効策が打ち出されていると認識したこと等から、シーレーン防衛という発想よりも、従来の弩級戦艦を中心とした潜水艦も含む総合力こそが重要であるという結論に落ち着いたのだそうです。要するに特別な施策は何もしなかったということです。

また1922年のワシントン会議の中で署名された「潜水艦及び毒ガスに関する五国条約」で、商船に対する無警告攻撃が禁止になったことも、日本海軍における通商破壊作戦、裏返せばシーレーン防衛の重要性認識を低下させることになったのでしょう。

日本海軍における潜水艦の戦功に対する査定基準では、戦艦や空母撃沈は60点の加点がありましたが、3000トン以上の商船撃沈は7点と、掃海艇や駆潜艇よりも低い評価しか与えられていませんでした。ここに通商破壊作戦に対する日本海軍の考え方そのものがあらわれているのではないでしょうか。

猪瀬直樹著『日本人はなぜ戦争をしたか　昭和16年夏の敗戦』（世界文化社、1983年）には当時の企画院のシーレーン確保に対する見通しがいかに希望的なものであったかが描かれています。

当時の日本の商船建造能力は年60万トンを見込んでいました。予想される商船の撃沈トン数がこれ以下なので、輸送力は維持できるとの結論でした。結果は1942年が89万トン、43年が167万トン、44年が369万トンの商船を失ったのでした。

日本軍による真珠湾攻撃の後、米海軍は間髪を容れず、太平洋での無制限潜水艦作戦を宣言しました。そこには第一次世界大戦時、ドイツの無制限潜水艦作戦を残虐で非道だと非難したアメリカの姿はどこにもありませんでした。

周回遅れの帝国主義

日露戦争までは資金調達等で日本に協力的だったアメリカも、日露戦争後は門戸開放を主張して中国や満洲権益をめぐって争う関係になっていきました。また、太平洋を挟んで世界第3位のアメリカ海軍と4位の日本海軍はお互いを仮想敵国としていました。[256] そのため第一次世界大戦におけるアメリカは、日本の参戦時、あるいはシベリア出兵などで日本の中国権益拡張をしきりに牽制（けんせい）する立場にありました。

一方で日本は、こうしたアメリカの動きを、黒船来航以来の艱難（かんなん）辛苦の末にようやく勝ち取った日本の自立権や独立権への侵害であり、国家主権に対する干渉だと受け取りました。

またパリ講和会議における「対華二十一ヵ条要求」や山東半島問題について、日本は列強の一員として当然の権利主張であって、紛糾などしないと考えていましたが、現実には中国においても、またアメリカの世論においても予想外の大きな問題となったのでした。

五四運動でも見られたように、米国人宣教師や中国人米国留学生を軸に、第一次世界大戦以降の日中外交は、そのまま日米外交と連動していきます。

ロシア、ドイツ、ハプスブルク、オスマン・トルコ、これに加えるならば大英帝国や清国など多民族を包括する大帝国の時代が終焉（しゅうえん）を迎えて、ウィルソン大統領の民族自決の理想主義が抑圧されてきた諸民族を覚醒（かくせい）させた時代、まさにあからさまな帝国主義が終わりを告げたとき、日本は周回遅れで、ようやく帝国主義のスタートラインに立ち帝国の形成を目指したのではなかったでしょうか。かくして第一次世界大戦以降、日本は中国とアメリカの共通の敵となってしまったのです。

現代においても、中国は日本よりもはるかに多くの留学生を米国へ送り込んでいます。「ツキュディデスの罠（わな）」を心配する前に、果たして我々日本は中国よりもアメリカと近いのでしょうか。軍事的な覇権主義だけに拘泥し、米中対立だけを前提に日中関係を論じていたのでは、あまりにも進歩がないのではありませんか。

本書は週刊エコノミスト誌上において2015年6月から2016年末まで75回にわたって連載された「日本人のための第一次世界大戦史」を書籍化したものです。企画段階から連載を通じてお世話になった週刊エコノミスト編集部の金山隆一編集長、担当の花谷美枝氏のサポート無しでは、連載途中で挫（くじ）けていたに違いありません。また連載中、中国に関する清から中華民国への移行部分では現代中国研究家の津上俊哉氏から、また単行本化のための草稿段階では金融史を専門とする早稲田大学政経学部の鎮目教授から貴重なアドバイスを頂きました。ここにお礼を申し上げます。また、私の、周囲を顧みずに作業にのめりこむ体質は、きっと家族や友人に多大な迷惑をかけたに違いありません。ここに謝罪しておきます。

この本の執筆に関しては細心の注意を払ったつもりですが、いくつかの誤解や間違いがあるに違いありません。これに関しては忌憚（きたん）のないご指摘を待っております。

板谷　敏彦

文庫版あとがき

　このあとがきを書いている2020年8月現在、世界はCOVID‐19（新型コロナウィルス感染症）の影響下にあります。米国やブラジルなどでは大量の病死者を出し、日本でも不要不急の外出は控えるように促され、外出の際にはほとんどの場所で自主的なマスクの装着が義務づけられています。実は100年前にも同じようなパンデミックが発生しています。本書では第72話で第一次世界大戦末期に発生した「スペイン風邪」をカバーしています。

　銀座の夜の街は閑散として、多くの飲食店が閉店を余儀なくされています。また少し前まで活況を呈していたインバウンドの外国人観光客は、都心でも観光地でもまったく見かけなくなりました。国際空港は閑散な状況が続き、国境を越えて旅行する人はごくわずかです。世界の都市を安価に繋ぎ、グローバリゼーションに貢献していた航空会社の多くは今や経営難にさらされています。

　一方で、情報処理、通信技術の進化は、ネットによる通信販売、遠隔会議などを利用した自宅での勤務など、新しい経済活動の場を提供し始めています。従来の経済成長の計測手法ＧＤＰ（国内総生産）では大きな景気後退が報告されていますが、米国の株式市況はテクノロジーによる新しい財やサービスを提供する企業の躍進によって史上最高値を更新中です。従来の常識では考えられなかったことです。今、われわれは間違いなく歴史上の大きな転換点にいるといえるでしょう。

では、今回から一つ前の大きな転換点とは何時だったのでしょうか？　私はテクノロジーとグローバリゼーションの進化の側面から、それは第一次世界大戦ではないかと考えます。戦争やパンデミックでは株価が下がらないところも似ています。

本書は２０１５年の夏から２０１６年の年末にかけて、週刊エコノミスト誌上で連載されたものです。連載中に意識したことは以下でした。

①　欧米社会に比較して日本人に欠落している第一次世界大戦史の知見を広めること。

②　金融やテクノロジーの進化から歴史を捉え直すこと。

③　新興国家が覇権国家に挑戦して、やがて戦争へと導かれる過程を描くこと。

ちょうど連載が終了しようとする２０１６年11月に米国大統領選があり、共和党のトランプ大統領が選出されました。そしてそれ以降、米国の中国に対する外交姿勢に変化が見え始めます。それは米中貿易問題に始まり、２０１８年には安全保障上の対立にまで発展して現在に至っています。これはまさに新興国ドイツが覇権国イギリスに挑戦した結末、第一次世界大戦が発起したような状況を彷彿させます。

手前味噌になりますが、１００年前にあった、現在と類似した状況を描いた本書の必要性はますます高まっているのではないでしょうか。歴史はまったく同じように繰り返すことはありませんが、過去の事象ひとつひとつの知見は、きっと現在進行している物事の本質を理解する助けになると思います。

板谷　敏彦

注 釈

(1) *Destined For War : Can America And China Escape Thucydides's Trap?*, Graham Allison, Houghton Mifflin Harcourt, 2017

(2)『別段風説書が語る19世紀——翻訳と研究』松方冬子編、東京大学出版会、２０１２年、２４９ページ

(3) イギリス軍特有のロケット兵器。１８１２年からの米英戦争にも用いられ、米国国歌「星条旗」の中にも歌われている。"And the rockets' red glare, the bombs bursting in air"

(4) *Narrative of the voyages and services of the Nemesis, from 1840 to 1843*, Bernard, W. D., London, H. Colburn, 1844, p262

(5)「ネメシス号の世界史」吉澤誠一郎、『パブリック・ヒストリー』第10号、大阪大学西洋史学会、２０１３年

(6)『アジアの海の大英帝国——19世紀海洋支配の構図』横井勝彦、講談社学術文庫、２００４年、70ページ

(7)『シーパワーの世界史 2』青木栄一、出版協同社、１９８３年、67ページ

(8)『世界海運史 改訂版』黒田英雄、成山堂書店、１９７２年、52ページ

(9)『シーパワーの世界史　2』、67ページ
(10)*Guns at Sea*, Peter Padfield, Evelyn, 1973, p149
(11)『ロイヤル・ネイヴィーとパクス・ブリタニカ』田所昌幸編、有斐閣、2006年、第3章「19世紀のRMA」ギャレン・ムロイ、94ページ
(12)『クリミア戦争』オーランドー・ファイジズ、白水社、2015年、上巻226ページにイギリス海軍スレード提督の状況報告がある。
(13)『クリミア戦争』、上巻230ページ
(14)『ロイヤル・ネイヴィーとパクス・ブリタニカ』、95ページ
(15)『海軍創設史――イギリス軍事顧問団の影』篠原宏、リブロポート、1986年、14ページ
(16)『軍艦開陽丸――江差への航跡』柏倉清、教育書籍、1990年、42ページ
(17)当時のイギリスの鉄道は路線ごとに立法する必要があった。詳細は『株式会社』ジョン・ミクルスウェイト／エイドリアン・ウールドリッジ、ランダムハウス講談社、2006年、77ページ参照。
(18)『鉄道の地理学』青木栄一、WAVE出版、2008年、21ページ
(19)「3フィート6インチ・ゲージ採用についてのノート」青木栄一、『文化情報学：駿河台大学文化情報学部紀要』第9巻第1号（2002年6月）では、当時軽便鉄道が世界的なブームだった背景が説明されている。

(20)『補給戦――何が勝敗を決定するのか』マーチン・ファン・クレフェルト、中公文庫、２００６年、１４３ページ
(21)『補給戦――何が勝敗を決定するのか』、64ページ
(22)『鉄道と戦争の世界史』クリスティアン・ウォルマー、中央公論新社、２０１３年、19ページ
(23)『無線百話――マルコーニから携帯電話まで』無線百話出版委員会編、クリエイト・クルーズ、１９９７年、22ページ
(24)「近世日本における相場情報の伝達――米飛脚・旗振り通信」高槻泰郎、『郵政資料館研究紀要』第2号、２０１１年
(25)『旗振り山』柴田昭彦、ナカニシヤ出版、２００６年
(26)『インフォメーション――情報技術の人類史』ジェイムズ・グリック、新潮社、２０１３年、１７１ページ
(27)『インフォメーション――情報技術の人類史』、１７４ページ
(28)『戦争の世界史』ウィリアム・H・マクニール、中公文庫、２０１４年、上巻４３７ページ
(29)『ドイツ参謀本部』バリー・リーチ、原書房、１９７９年、６ページ
(30)『戦争の世界史』、下巻64ページ
(31)『逆説の軍隊』戸部良一、中央公論新社、２０１２年、15ページ

(32)『鉄道と戦争の世界史』、92ページ
(33)参加人数は『ドイツ史と戦争──「軍事史」と「戦争史」』三宅正樹、石津朋之、新谷卓、中島浩貴編著、彩流社、2011年、24ページ
(34)『ヨーロッパ史における戦争』マイケル・ハワード、中公文庫、2009年新版、162ページ
(35)「エムス電報事件」と言い、スペイン王位継承問題に関する会談を報じた電報の内容を、ビスマルクが故意に改変し発表した。
(36)『普仏戦争──籠城の132日』松井道昭、横浜市立大学新叢書、春風社、2013年、397ページ
(37)『補給戦──何が勝敗を決定するのか』、183ページ
(38)『普仏戦争──籠城の132日』、356ページ
(39)『海軍創設史──イギリス軍事顧問団の影』、213ページ
(40)『文明と戦争』アザー・ガット、中央公論新社、2012年、下巻57ページ
(41)『徴兵制と近代日本 1868-1945』加藤陽子、吉川弘文館、1996年、20ページ
(42)『徴兵制と近代日本 1868-1945』、66ページ
(43)『文明と戦争』、下巻276ページ
(44)『国際紛争 理論と歴史(原書第9版)』ジョセフ・S・ナイ・ジュニア/デイヴィ

ッド・A・ウェルチ、有斐閣、2013年、48ページ
(45)『概説世界経済史Ⅱ』ロンド・キャメロン、東洋経済新報社、2013年、40ページ
(46)『読み書きの社会史――文盲から文明へ』カルロ・M・チポラ、御茶の水書房、1983年、巻末第23、25表
(47)『歴史のなかの江戸時代』速水融編、藤原書店、2011年、360ページ
(48)『学歴社会　新しい文明病』R・P・ドーア、岩波書店同時代ライブラリー37、1990年、71ページ
(49)「識字能力・識字率の歴史的推移――日本の経験」斉藤泰雄、『国際教育協力論集』広島大学教育開発国際協力研究センター第15巻第1号、2012年
(50)『読み書きの社会史――文盲から文明へ』、77ページ、第14表
(51)国立国会図書館WEB博覧会「近代技術の展示場」
(52)『現代メディア史』佐藤卓己、岩波書店、1998年、68ページ
(53)1941年公開のオーソン・ウェルズ監督デビュー作映画『市民ケーン』はこれを題材にしている。
(54)『日露戦争と新聞』片山慶隆、講談社選書メチエ、2009年、187ページ
(55)『徳富蘇峰』早川喜代次、徳富蘇峰伝記編纂会、1968年　199ページ
(56)『現代メディア史』、89ページ
(57)リカード・モデルの解説と一般的な誤解と実証研究については、『クルーグマンの

国際経済学 理論と政策（上）貿易編』P・R・クルーグマン、ピアソン桐原、2010年、第3章「労働生産性と比較優位：リカード・モデル」がわかりやすい。

(58)『概説世界経済史II』、154ページ

(59)「現代イギリス農業の形成と展開——イギリス農業の復活の軌跡とその課題」道重一郎、共済総合研究第53号（2008年）、JA共済総合研究所

(60)『文明と戦争』、下巻330ページおよび『概説世界経済史II』、154ページ

(61)『通貨の日本史』高木久史、中公新書、2016年、70ページ

(62)『ゴールド』ピーター・バーンスタイン、日本経済新聞社、2001年、237ページ

(63)『国債の歴史』富田俊基、東洋経済新報社、2006年、43ページ

(64)『日露戦争、資金調達の戦い』板谷敏彦、新潮社、2012年

(65)『第一次世界大戦開戦原因の再検討』小野塚知二編、岩波書店、2014年

(66)『21世紀の資本』トマ・ピケティ、みすず書房、2014年

(67)『年収は「住むところ」で決まる』エンリコ・モレッティ、プレジデント社、2014年

(68)『戦争の世界史』、下巻36ページ

(69)『戦争の世界史』、下巻34ページ

(70)最近の戦車砲では弾丸の高機能化により、逆に砲弾を回転させない滑腔砲が主力。

(71)『ロイヤル・ネイヴィーとパクス・ブリタニカ』、102ページ
(72)『クルップの歴史　1587〜1968』ウィリアム・マンチェスター、フジ出版社、1982年、上巻140ページ
(73)『ロイヤル・ネイヴィーとパクス・ブリタニカ』、91ページ
(74)『ロイヤル・ネイヴィーとパクス・ブリタニカ』、197ページ
(75)『戦争の世界史』、下巻94ページ
(76)『戦争の世界史』、下巻94ページ
(77)『マハン海上権力史論（新装版）』アルフレッド・T・マハン、北村謙一訳、原書房、2008年
(78)『ドイツ史と戦争――「軍事史」と「戦争史」』、第九章「ドイツの脅威――イギリス海軍から見た英独建艦競争一八九八〜一九一八年」、矢吹啓
(79)日露戦争は1904年2月8日開戦。
(80)『マッキンダーの地政学――デモクラシーの理想と現実』ハルフォード・ジョン・マッキンダー、原書房、2008年に収録。
(81)『増補満鉄』原田勝正、日本経済評論社、2007年
(82)『無線百話――マルコーニから携帯電話まで』、46ページ
(83)『坂の上の雲』司馬遼太郎、文春文庫版、第六巻259ページ
(84)『無線百話――マルコーニから携帯電話まで』、120ページ

(85)『シーパワーの世界史2』、206ページ
(86)『ロイヤル・ネイヴィーとパクス・ブリタニカ』、131ページ
(87)『世界戦艦物語』福井静夫、福井静夫著作集第六巻、光人社、2009年、66ページ
(88)『帝国の落日』ジャン・モリス、講談社、2010年、上巻52ページ
(89)『国際紛争　理論と歴史』、125ページ
(90)『シーパワーの世界史2』、208ページ
(91)『「シュリーフェン計画」論争をめぐる問題点』石津朋之、『戦史研究年報』防衛研究所第9号、89-103ページ、2006年
(92)『ドイツ史と戦争――「軍事史」と「戦争史」』、165ページ
(93)『憎悪の世紀』ニーアル・ファーガソン、早川書房、2007年、221ページ
(94)『石油の歴史』エティエンヌ・ダルモン／ジャン・カリエ、白水社、2006年、22ページ
(95)『石油の世紀』ダニエル・ヤーギン、日本放送出版協会、1991年、131ページ
(96)『石油の世紀』、18ページ
(97)『英国サミュエル商会のグローバル展開と日本』、山内昌斗、広島経済大学経済研究論集第29巻 第4号、2007年、117ページ

(98)『英国サミュエル商会のグローバル展開と日本』、119ページ
(99) SOCONY : Standard Oil Company Of New York
(100)『石油の世紀』、133ページ
(101)『石油の世紀』、120ページ
(102)『自動車の世界史』エリック・エッカーマン、グランプリ出版、1996年、54ページ
(103)『石油の世紀』、122ページ
(104)『自動車の世界史』、73ページ
(105)『石油の世紀』、120・149ページ
(106)『欧米日・自動車メーカー興亡史』桂木洋二、グランプリ出版、2004年、160ページ
(107)『自動車の世界史』、122ページ
(108)『名作・迷作エンジン図鑑』鈴木孝、グランプリ出版、2013年、67ページ
(109)『世界の艦船』No.785、「世界の潜水艦発達史」、2013年、22ページ
(110)『名作・迷作エンジン図鑑』、99ページ
(111) General Dynamics Electric Boat : http://www.gdeb.com/
(112)『世界の艦船』No.785、24ページ
(113)『飛行機技術の歴史』ジョン・D・アンダーソンJr.、京都大学学術出版会、201

3年、113ページ。ピーター・ヤカブ『飛行機の夢の姿』の孫引きである。
(114)『飛行機技術の歴史』、2ページ
(115)『石油の世紀』、149ページ
(116)『日本の空のパイオニアたち』荒山彰久、早稲田大学出版部、2013年、33ページ
(117)『日本の空のパイオニアたち』、146ページ
(118)『ウォーバーグ——ユダヤ財閥の興亡』ロン・チャーナウ、日本経済新聞社、1998年、上巻225ページ
(119)『八月の砲声』バーバラ・W・タックマン、ちくま学芸文庫、2004年、上巻125ページ
(120)『仏独共同通史 第一次世界大戦』ジャン＝ジャック・ベッケール／ゲルト・クルマイヒ、岩波書店、2012年、上巻39ページ
(121)『八月の砲声』、上巻127ページ
(122)「ノスタルジーとテクノロジー：ドイツ第二帝国における陸軍改革と急進右翼運動」長尾唯、『人文学論集』大阪府立大学人文学会、第28集、2010年、27‐34ページ
(123)『仏独共同通史 第一次世界大戦』、上巻45ページ
(124)『ドイツ帝国主義財政史論』鈴木純義、法政大学出版局、1994年、149ペー

ジ

(125)『第一次世界大戦　平和に終止符を打った戦争』マーガレット・マクミラン、えにし書房、2016年、459ページ

(126)The assassination of Franz Ferdinand, Professor Annika Mombauer, OpenLearn

(127)「オスマン帝国の解体とヨーロッパ」藤波伸嘉、『アステイオン』第80号、2014年

(128)『第一次世界大戦　上巻』リデル・ハート、中央公論新社、2000年、48ページ。永らく第一次世界大戦の基本的な戦史であった。

(129)『夢遊病者たち』クリストファー・クラーク、みすず書房、2017年、第2巻700ページ。開戦までのいきさつでは最新の書籍である。

(130)『第一次世界大戦の起源　改訂新版』ジェームズ・ジョル、みすず書房、1997年、216ページ

(131)『第一次世界大戦』マイケル・ハワード、法政大学出版局、2014年の記述に従った。書類上は7月31日になっているが、実際は30日だと考えられている。また7月26・27日にはロシアはすでに170万人の動員をしていた。

(132)『反脆弱性――不確実な世界を生き延びる唯一の考え方』ナシーム・ニコラス・タレブ、ダイヤモンド社、2017年

(133)『第1次世界大戦　20世紀の歴史13』J・M・ウィンター、平凡社、1990年、

23ページ。「幻影」とも書いてある。
(134)『第一次世界大戦の起源 改訂新版』、216ページ
(135)『八月の砲声』バーバラ・W・タックマン、ちくま学芸文庫、2004年、上巻394ページ
(136)自分に都合が良い材料だけを選んで判断する人間の習性。
(137)『八月の砲声』下巻88ページ、宣戦布告は1914年8月23日。
(138)『第一次世界大戦の歴史 大図鑑』H・P・ウィルモット、創元社、2014年、51ページ
(139)この様子は第1回アカデミー監督賞受賞の無声映画『第七天国』(1927年)が伝えている。
(140)『図書館炎上——二つの世界大戦とルーヴァン大学図書館』ヴォルフガング・シヴェルブシュ、法政大学出版局、1992年
(141)『八月の砲声』、下巻189ページ
(142)*Jane's Fighting Ships 1914*, David & Charles; Facsimile 版, 1968
(143)『複合戦争と総力戦の断層 日本にとっての第一次世界大戦』山室信一、人文書院、2011年、70ページ
(144)『第一次世界大戦と日本海軍 外交と軍事との連接』平間洋一、慶應義塾大学出版会、1998年、33ページ

(145)『複合戦争と総力戦の断層　日本にとっての第一次世界大戦』、42ページ
(146)『未完のファシズム「持たざる国」日本の運命』片山杜秀、新潮選書、2012年、105ページ
(147)『「八月の砲声」を聞いた日本人』奈良岡聰智、千倉書房、2013年
(148)『未完のファシズム「持たざる国」日本の運命』、53ページ
(149)南洋諸島の占領に関しては『第一次世界大戦と日本海軍　外交と軍事との連接』平間洋一、慶應義塾大学出版会、1998年、第2章第1節に詳しい。
(150)『シリーズ中国近現代史②　近代国家への模索1894－1925』川島真、岩波新書、2010年、23ページ
(151)『シリーズ中国近現代史②　近代国家への模索1894－1925』、66ページ
(152)『近代中国史』岡本隆司、ちくま新書、2013年、233ページ
(153)『対華二十一ヵ条要求とは何だったのか――第一次世界大戦と日中対立の原点』奈良岡聰智、名古屋大学出版会、2015年、52ページ
(154)在外各国大使に5号の存在を明かしたのは2月17日になってからである。『対華二十一ヵ条要求とは何だったのか――第一次世界大戦と日中対立の原点』、226ページ
(155)戦艦「レシャディィエ」号と「スルタン・オスマン」号、前者はヴィッカース社製で日本帝国海軍の「金剛」と同性能であった。イギリス海軍が接収後、「エリン」と

「エジンコート」に改名された。

(156)イギリスは統治下に世界の全ムスリム人口の約半数を抱え込んでいた。

(157)戦艦「ゲーベン」と巡洋艦「ブレスラウ」。

(158)『平和を破滅させた和平　中東問題の始まり「1914-1922」』デイヴィッド・フロムキン、紀伊國屋書店、原版1989年、第15章

(159)Australian and New Zealand Army Corps の頭文字。

(160)オットー・リーマン・フォン・サンデルス、プロイセンの騎兵将校出身

(161)多くの書籍に根拠を求められる、『憎悪の世紀』ニーアル・ファーガソン、早川書房、2007年、第5章 など

(162)『イスラームから見た「世界史」』タミム・アンサーリー、紀伊國屋書店、2011年、526ページ

(163)*U-Boats of The Kaiser's Navy*, Gordon Williamson, Osprey Publishing, 2002

(164)『回想の潜水艦戦 Uボートから回天特攻まで』鳥巣建之助、光人社、2006年、第1話「第1次大戦のUボート」

(165)*Longman Companion to The First World War: Europe 1914-1918*, Colin Nicolson, Longman, 2001

(166)The Times of May 8th, 1915, "The Lusitania Sunk"

(167)『第一次世界大戦』マイケル・ハワード、法政大学出版局、2014年、120ペ

ージ
(168)『第一次世界大戦』、80ページ
(169)『第一次世界大戦』、80ページ
(170)『戦争の世界史』、下巻１８７ページ
(171)『ケンブリッジ版世界各国史　イタリアの歴史』クリストファー・ダガン、創土社、
２００５年
(172)『第一次世界大戦』、巻末付録
(173)『目で見る戦史　第一次世界大戦』Ａ・Ｊ・Ｐ・テイラー、新評論、１９８０年、
52ページ
(174)『第一次世界大戦』、91ページ以下
(175)『仏独共同通史　第一次世界大戦』、下巻１７５ページ
(176)『戦争の世界史』、下巻２２０ページ
(177)『イングランド銀行』Ｒ・Ｓ・セイヤーズ、東洋経済新報社、１９７９年、上巻１
１３ページ
(178)『国債の歴史』富田俊基、東洋経済新報社、２００６年、３３８ページ
(179)"Exchange rates and Casualties During the First World War", George Hall, *Journal of Monetary Economics*, 2004
(180)『ロスチャイルド　富と権力の物語』デリク・ウィルソン、新潮文庫、１９９５年、

下巻に当時の一族の様子が詳しい。

(181)『ウォーバーグ——ユダヤ財閥の興亡』ロン・チャーナウ、日本経済新聞社、1998年

(182)『われらの仲間 世界経済を支配するユダヤ金融財閥』スティーブン・バーミンガム、早川書房、1968年、は入手困難だが、原書"Our Crowd"はベストセラーなので電子書籍でも読める。

(183)『モルガン家 金融帝国の盛衰』ロン・チャーナウ、日経ビジネス人文庫、2005年、『ウォール街の歴史』チャールズ・R・ガイスト、フォレスト出版、2010年参照。

(184)ペタンは第二次世界大戦において、ナチス・ドイツと休戦してヴィシー政権のフランス国主席となった。

(185)『決定的瞬間 暗号が世界を変えた』バーバラ・W・タックマン、ちくま学芸文庫、1968年(みすず書房)、22ページ、ユーイング教授は地震学、機械工学教授として東京大学でも教鞭をとっている。

(186)*Kiel & Jutland*, Georg Von Hase, Leonaur, 2011

(187)『世界戦艦物語 福井静夫著作集第六巻』、356ページ

(188)『レクチャー第一次世界大戦を考える カブラの冬 第一次世界大戦期ドイツの飢饉と民衆』藤原辰史、人文書院、2011年、75ページ

(189)『仏独共同通史　第一次世界大戦』、143ページ
(190)『第一次世界大戦と日本海軍　外交と軍事との連接』、111ページ
(191)『決定的瞬間　暗号が世界を変えた』、268ページ
(192)『第一次世界大戦と日本海軍　外交と軍事との連接』、219ページ
(193)『日本海軍地中海遠征記　若き海軍主計中尉の見た第一次世界大戦』片岡覚太郎著、C・W・ニコル編、河出書房新社、2001年
(194)『シベリア出兵』麻田雅文、中公新書、2016年に倣った。
(195)『現代の起点　第一次世界大戦4　遺産』「10『アメリカの世紀』の始動」中野耕太郎、岩波書店、2014年、219ページ以下
(196)『マルヌの会戦　第一次世界大戦の序曲　1914年秋』アンリ・イスラン、中央公論新社、2014年、20ページ
(197)*The Economics of World War* Ⅰ, Stephen Broadberry and Mark Harrison, Cambridge University Press, 2005, p323
(198)『世界海運史　改訂版』、82ページ
(199)大阪市中央公会堂ホームページ参照
(200)株式を一定程度取得した上で、その保有株式を裏づけとして、投資先企業の経営陣に積極的に提言をおこない、企業価値の向上を目指す投資家のことをアクティビストという。(野村證券WEB証券用語解説集)

(201)「両大戦間期日本の貿易構造」山本義彦、『静岡大学法経研究』第36巻第1号、95－120ページ
(202)『憎悪の世紀 なぜ20世紀は世界的殺戮の場となったのか』ニーアル・ファーガソン、早川書房、2007年、236ページにはドイツ軍の銃殺者数は18人、イギリス軍は269人いたとある。
(203)戦場の地図等については、*A Military Atlas of the First World War*, Arthur Banks, Pen & Sword Books Limited, 1975を参考にした。
(204)『化学・生物兵器の歴史』エドワード・M・スピアーズ、東洋書林、2012年、第1章
(205)『私家版戦車入門1 無限軌道の発明と英国タンク』モリナガ・ヨウ、大日本絵画、2016年
(206)『第一次世界大戦』上下
(207)『戦闘機と空中戦の100年史』関賢太郎、潮書房光人社、2016年、41ページ
(208)『ヴィジュアル歴史図鑑 世界の飛行機』リッカルド・ニッコリ、河出書房新社、2014年
(209)アメリカの大富豪ハワード・ヒューズが制作・監督をした映画『地獄の天使』(1930年)、レオナルド・ディカプリオがそのヒューズ役を演じた映画『アビエイター』(2004年)の両方でこの爆撃機を見ることができる。

(210)『日本の空のパイオニアたち』荒山彰久、早稲田大学出版部、2013年
(211)『エーデルワイスのパイロット』ヤン原作、ロマン・ユゴー作画・彩色、イカロス出版、2014年
(212)『戦闘機と空中戦の100年史』、35ページ、但し大戦末期に参戦したアメリカ軍航空隊のデータ。
(213)『現代史の目撃者 リップマンとアメリカの世紀』ロナルド・スティール、TBSブリタニカ、1982年、下巻172ページ
(214)『現代史の目撃者 リップマンとアメリカの世紀』、下巻183ページ
(215)『仏独共同通史 第一次世界大戦』、下巻147ページ
(216)『現代史の目撃者 リップマンとアメリカの世紀』、下巻188ページ
(217)『平和を破滅させた和平 中東問題の始まり「1914-1922」』、上巻289ページ
(218)『アラブとイスラエル パレスチナ問題の構図』高橋和夫、講談社現代新書、1992年、28ページ
(219)『ロスチャイルド 富と権力の物語』、下巻212ページ
(220)『仏独共同通史 第一次世界大戦』、下巻147ページ
(221)『ドイツ海軍の熱い夏 水兵たちと海軍将校団 1917年』三宅立、山川出版社、2001年

(222)『第一次世界大戦の歴史 大図鑑』、252ページ
(223)『撃墜王リヒトホーフェン』S・M・ウラノフ編、朝日ソノラマ航空戦史シリーズ、1985年、200ページ
(224)『第一次世界大戦の終焉 ルーデンドルフ攻勢の栄光と破綻』アンリ・イスラン、中央公論新社、2014年、194ページ、ここには酒のことは書かれていない。
(225)『第一次世界大戦』、167ページ
(226)『第一次世界大戦』、160ページ
(227)『仏独共同通史 第一次世界大戦』下巻161ページ
(228)覚書のやりとりは『ヴェルサイユ条約──マックス・ウェーバーとドイツの講和』牧野雅彦、中公新書、2009年を主な参考図書としている。
(229)ウェストファリア条約はラテン語、ウィーン会議の議定書はフランス語、日露戦争のポーツマス条約さえもフランス語が正文だった。
(230)『ピースメイカーズ 1919年パリ講和会議の群像』マーガレット・マクミラン、芙蓉書房出版、原書2001年、上巻26ページ。73話のケインズの債務表も参照方。
(231)なだ万ホームページ https://www.nadaman.co.jp/pc/company/history.html
(232)東洋経済社説、「人種差別撤廃要求の前に」1919年2月15日号
(233)『戦争の日本近現代史』加藤陽子、講談社現代新書、2002年、98ページ、同書では第一次世界大戦が日本に与えた2つの衝撃として、この他に日本軍内にあらわ

れたアメリカに対する対決姿勢をあげている。

(234)『ピースメイカーズ　1919年パリ講和会議の群像』、下巻97ページでは、日本が取引に使ったという証拠はないと書いてある。

(235)『理念なき外交「パリ講和会議」』NHK取材班編、角川文庫、1995年、「Ⅲサイレント・パートナー」

(236)『外務省革新派　世界新秩序の幻影』戸部良一、中公新書、2010年、第1章「外務省革新同志会」

(237)『ヴェルサイユ条約——マックス・ウェーバーとドイツの講和』牧野雅彦、中公新書、2009年、205ページ

(238)『ピースメイカーズ　1919年パリ講和会議の群像』、下巻244ページ

(239)『ドイツ艦隊大自沈』ダン・ファンデルバット、原書房、1984年

(240)『世界戦艦物語』、131ページ

(241)『シリーズ中国近現代史② 近代国家への模索1894-1925』、183ページ

(242)山本忠士氏の論文「中国の「国恥記念日」に関する一考察」(2002)によれば、中国の国恥記念日が正式な国家の記念日として存在したのは1930年から40年の国民党政府の時に限られている。この用語は現代の中国の教科書にも掲載されておらず、日本の教科書のみに書かれているのだそうである。

(243)『五四運動の残響』ラナ・ミッター、岩波書店、2012年、18ページ

(244)『シベリア出兵』麻田雅文、中公新書、2016年、序章
(245)『複合戦争と総力戦の断層 日本にとっての第一次世界大戦』、159ページ
(246)コルチャークはロシア映画『提督の戦艦』(2008年)で映画化されている。海戦シーンのCGが秀逸な作品。
(247)『逆説の軍隊』戸部良一、中央公論新社、2012年、234ページ
(248)『ピースメイカーズ 1919年パリ講和会議の群像』、下巻224ページ
(249)『史上最悪のインフルエンザ 忘れられたパンデミック』アルフレッド・W・クロスビー、みすず書房、2004年、55ページ
(250)『日本を襲ったスペイン・インフルエンザ 人類とウイルスの第一次世界戦争』速水融、藤原書店、2006年、69ページ
(251)ケインズ全集2『平和の経済的帰結』ケインズ、東洋経済新報社、1977年
(252)ケインズ全集3『条約の改正』ケインズ、東洋経済新報社、1977年
(253)『未完のファシズム「持たざる国」日本の運命』、2012年
(254)『餓死した英霊たち』藤原彰、青木書店、2001年
(255)『第一次世界大戦とその影響』軍事史学会編、2015年、錦正社に収録。
(256)『オレンジ計画』エドワード・ミラー、新潮社、1994年

年表① 開戦前

日付	出来事	話
1840年	アヘン戦争	2
1851年	ロイター通信社創設	10
	第一回万国博覧会開催	12
1853年	黒船来航	2
	クリミア戦争、シノップの海戦	4
1860年	コブデン=シュヴァリエ条約	11
1863年	薩英戦争	12
1864年	デンマーク戦争	7
1866年	普墺戦争	7
1868年	明治維新	1
1870年	普仏戦争	7
1884年	英海軍拡張予算獲得	13
1888年	ヴィルヘルム二世即位	15
1889年	大日本帝国憲法発布	7
1890年	A・T・マハン『海上権力史論』刊行	15
1891年	シベリア鉄道起工	15、16
1892年	「ロイヤル・ソヴリン」竣工	14
1894年	日清戦争	14
	露仏同盟	15
1898年	独艦隊法成立	15
	ファショダ事件	21
1899年	ボーア戦争	16
1901年	マルコーニ、大西洋横断無線通信成功	18
1903年	ライト兄弟初飛行	27
1904年	日露戦争	17
	英仏協商	21
1905年	タンジール事件	21
	シュリーフェン・プラン	22
1906年	「ドレッドノート」竣工	19
1907年	露英協商	21
1908年	T型フォード発売	25
	ハプスブルク、ボスニア・ヘルツェゴビナ併合	29

日付	出来事	話
1909年	ディーゼル・エンジン採用のUボート登場	26
1911年	アガディール事件	28
	伊土戦争	29
	辛亥革命	38
1912年	英海軍、石油に燃料転換	24
	中華民国誕生、清朝終焉	38
1913年	独陸軍大増強法案、審議開始	28
	アメリカ連邦準備制度理事会設立	46

年表② 大戦中

日付		出来事	話
1914年	6月28日	サラエボ事件	30
	7月28日	ハプスブルク、セルビアに宣戦布告	30
	8月 3日	ドイツ、フランスに宣戦布告	30
	8月 4日	ドイツ、ベルギーへ侵攻	32
	8月23日	日本参戦	36
	8月25日	ルーヴァン図書館炎上	35
	8月26日	東部戦線、タンネンベルクの戦い	33
	9月 2日	フランス、首都をパリからボルドーへ移転	32
	9月 6日	パリ防衛、マルヌの奇跡	34
	9月14日	ドイツ軍、小モルトケ更迭	34
	12月 1日	日本軍、青島入城	37
1915年	1月18日	対華二十一カ条要求	39
	4月25日	ガリポリ上陸	40
	5月 1日	ドイツ軍、東部戦線テコ入れ(東方大攻勢)	42
	5月 7日	日本、対華二十一カ条につき中国に最後通牒	39
		「ルシタニア」号、Uボートによって撃沈	41
	5月23日	イタリア参戦	43
	10月15日	英仏共同債、アメリカで募集	45
1916年	2月21日	ドイツ軍、ヴェルダンを攻撃。フランス軍、自動車を活用	48
	5月31日	ユトランド沖海戦	49
	6月 4日	ロシア軍、ブルシーロフ攻勢	48
	7月 1日	イギリス軍、ソンムの大虐殺	48

日付	出来事	話
1916年 8月29日	ヒンデンブルク、参謀総長就任	48
11月21日	ハプスブルク帝国、フランツ・ヨーゼフ一世崩御	54
1917年 2月 1日	ドイツ海軍、無制限潜水艦作戦再開	51
2月24日	ウィルソン大統領、ツィンメルマン電報入手	51
3月15日	ロシア、2月革命勃発。ニコライ二世退位	53
4月 4日	日本海軍派遣艦隊、地中海到着	52
4月 6日	アメリカ、ドイツに対し宣戦布告	54
4月 9日	イギリス軍、アラスの戦い	57
4月26日	フランス軍、ニヴェル攻勢	57
5月10日	イギリス海軍、護送船団方式採用	60
7月31日	イギリス軍、パッシェンデールの戦い	57
8月14日	中国参戦	56
11月20日	カンブレーの戦い。戦車の本格投入	58
1918年 1月 8日	ウィルソン大統領14か条の平和原則	61
3月 3日	ブレスト・リトフスク条約	61
3月21日	ドイツ軍、最後の攻勢	64
7月	日米、シベリア出兵決定	70
8月 8日	ドイツ軍、暗黒の日	65
9月26日	連合軍大攻勢	65
10月 3日	バーデン大公子首相就任	65
10月30日	オスマン帝国、休戦協定にサイン	71
11月 9日	ヴィルヘルム二世退位	66
11月11日	ドイツ、休戦協定にサイン	66

年表③ 終戦後

日付	出来事	話
1918年11月12日	ウィルソン大統領、講和会議参加表明	67
1919年 1月18日	パリ講和会議	67
3月 下旬	5大国、米英仏伊の4巨頭会議へ	67
4月30日	アメリカ、中国利権で日本に譲歩	69
5月 4日	中国学生によるデモ(五四運動)	69
6月21日	ドイツ艦隊自沈	68
6月28日	ベルサイユ条約調印	68

日付	出来事	話
1919年12月	ケインズ『平和の経済的帰結』出版	73
1920年 3月	尼港事件(シベリア出兵)	70
4月	賠償委員会開始	73
8月10日	セーブル条約(オスマン)	71
1921年 5月 5日	ドイツ賠償金額決定	73
1922年11月 1日	オスマン帝国滅亡	71
1923年 7月24日	ローザンヌ条約(新しいトルコ)	71
1924年	ドーズ案	73
1925年	日本軍シベリア撤兵完了	70
1929年	ヤング案	73
1933年	ヒトラー、賠償金モラトリアム宣言	73
1939年	ドイツ軍、ポーランド侵攻。第二次世界大戦開戦	

人的損失

(単位:万人)

連合国	人口	動員数	死者	負傷者	捕虜
フランス	4,147.6	750.0	138.5	267.5	44.6
イギリス	4,605.0	539.7	70.3	166.3	17.1
大英帝国	—	206.2	20.6	42.8	2.1
ロシア	16,400.0	1,200.0	170.0	495.0	250.0
イタリア	3,753.0	550.0	46.0	94.7	53.0
アメリカ	9,951.0	427.3	11.7	20.4	0.5
日本	5,240.0	80.0	(415人)	0.1	0.0
同盟国					
ドイツ	6,610.0	1,100.0	171.8	423.4	107.4
ハプスブルク	5,200.0	650.0	120.0	362.0	220.0
オスマン	—	160.0	33.6	40.0	20.0
ブルガリア	—	40.0	10.1	15.3	1.1

データ出所:Colin Nicolson, *The Longman Companion to The First World War: Europe 1914-1918* およびアンガス・マディソン

本書は毎日新聞出版より二〇一七年に刊行された『日本人のための第一次世界大戦史』を加筆・修正のうえ、文庫化したものです。

日本人のための第一次世界大戦史

板谷敏彦

令和2年 11月25日　初版発行
令和6年 6月30日　14版発行

発行者●山下直久

発行●株式会社KADOKAWA
〒102-8177　東京都千代田区富士見2-13-3
電話　0570-002-301（ナビダイヤル）

角川文庫 22434

印刷所●株式会社KADOKAWA
製本所●株式会社KADOKAWA

表紙画●和田三造

●お問い合わせ
https://www.kadokawa.co.jp/（「お問い合わせ」へお進みください）
※内容によっては、お答えできない場合があります。
※サポートは日本国内のみとさせていただきます。
※Japanese text only

ISBN 978-4-04-400579-5　C0122

◆◇◇

角川文庫発刊に際して

角川源義

第二次世界大戦の敗北は、軍事力の敗北であった以上に、私たちの若い文化力の敗退であった。私たちの文化が戦争に対して如何に無力であり、単なるあだ花に過ぎなかったかを、私たちは身を以て体験し痛感した。西洋近代文化の摂取にとって、明治以後八十年の歳月は決して短かすぎたとは言えない。にもかかわらず、近代文化の伝統を確立し、自由な批判と柔軟な良識に富む文化層として自らを形成することに私たちは失敗して来た。そしてこれは、各層への文化の普及滲透を任務とする出版人の責任でもあった。

一九四五年以来、私たちは再び振出しに戻り、第一歩から踏み出すことを余儀なくされた。これは大きな不幸ではあるが、反面、これまでの混沌・未熟・歪曲の中にあった我が国の文化に秩序と確たる基礎を齎らすためには絶好の機会でもある。角川書店は、このような祖国の文化的危機にあたり、微力をも顧みず再建の礎石たるべき抱負と決意とをもって出発したが、ここに創立以来の念願を果すべく角川文庫を発刊する。これまで刊行されたあらゆる全集叢書文庫類の長所と短所とを検討し、古今東西の不朽の典籍を、良心的編集のもとに、廉価に、そして書架にふさわしい美本として、多くのひとびとに提供しようとする。しかし私たちは徒らに百科全書的な知識のジレッタントを作ることを目的とせず、あくまで祖国の文化に秩序と再建への道を示し、この文庫を角川書店の栄ある事業として、今後永久に継続発展せしめ、学芸と教養との殿堂として大成せんことを期したい。多くの読書子の愛情ある忠言と支持とによって、この希望と抱負とを完遂せしめられんことを願う。

一九四九年五月三日

角川ソフィア文庫ベストセラー

ザ・ジャパニーズ
エドウィン・O・ライシャワー
國弘正雄＝訳

日本研究の第一人者ライシャワーが圧倒的分析力と客観性、深い洞察をもって日本を論じ、70年代にベストセラーを記録した日本論の金字塔。日本の未来に向けて発した期待と危惧が今あらためて強く響く——。

黒船の世紀
〈外圧〉と〈世論〉の日米開戦秘史
猪瀬直樹

戦争に至る空気はいかに醸成されたのか。黒船以後の〈外圧〉と戦争を後押しした〈世論〉を、日露戦争以後多数出版された「日米未来戦記」と膨大な周辺取材から炙り出した、作家・猪瀬直樹の不朽の名著。

民主主義
文部省

戦後、文部省が中高生向けに刊行した教科書。民主主義の真の理念と歴史、実現への道のりを、未来を託す少年少女へ希望と切望を持って説く。普遍性と示唆に満ちた名著の完全版！

大正天皇婚約解消事件
浅見雅男

嘉仁親王（大正天皇）の婚約内定はなぜ取り消しになったのか。病弱な嘉仁親王一人しか直系男子に恵まれなかった明治天皇の苦渋の決断、それを取り巻く皇族たちの思惑など、天皇・皇族の実相に迫る。

東大全共闘1968―1969
フォトドキュメント
渡辺眸

ただ一人バリケード内での撮影を許された女性写真家が焼き付けた、闘い、時代、人。初公開作品を含む、「1968」を鋭く切り取る写真140点を掲載。元・東大全共闘代表の山本義隆氏による寄稿収録。

角川ソフィア文庫ベストセラー

角川ソフィア文庫ベストセラー

僕の見た「大日本帝国」　西牟田 靖

十字架と共存する鳥居、見せしめにされている記念碑。かつて日本の領土だった国や地域に残る不可思議な光景は何か。戦争を知らない世代の著者が、埋もれてしまった「あの時代」を丹念に見つめ直す意欲作。

神戸新聞の100日　神戸新聞社

阪神・淡路大震災。その瞬間、本社は崩壊し、システムは完全に麻痺した。ジャーナリストとして、一人の人間として、危機に立ち向かい新聞を発行し続けた、一三〇〇人の戦いを克明に描くノンフィクション。

無用の達人山崎方代　田澤拓也

夏は着古したランニングシャツ、冬は野良着のような作業服を身に纏い酒と笑いとペーソスを愛した隻眼の歌人、山崎方代。孤独と無頼を友として、虚言と奇行を繰り返しながら短歌一筋に生きた異端の生涯に迫る。

音のない記憶　ろうあの写真家　井上孝治　黒岩比佐子

日本一のアマチュア写真家、井上孝治。三歳で聴覚を失った彼は、コンテスト荒らしの異名をとる写真の実力で、ついに、アルル国際写真フェスティバルに招待される――。異色のろうあ写真家の生涯を追う！

動物と向きあって生きる　旭山動物園獣医・坂東元　坂東 元

「動物の能力をありのまま見せているだけ」という新感覚の動物舎やユニークな行動展示。次々と打ち出される大胆な発想は、どこから生まれたのか。動物園再生への道を切り開いた著者が描く、理想の動物園像。